Edith Kohn
Blutiger Handel

PIPER

Zu diesem Buch

Die ehemalige Journalistin Lin Baumann sitzt bereits im Flugzeug auf dem Weg in den wohlverdienten Urlaub, als zwei Herren sie bitten lassen, wieder auszusteigen. Die beiden stellen sich als Agenten des BND vor und tragen ihr an, einen heiklen Fall zu übernehmen: Sie soll einen im Kosovo Vermissten finden, der im Auftrag des BND einem Geldtransfersystem zwischen der Bundesrepublik und dem Kosovo auf die Spur kommen sollte. Millionen Euro fließen jedes Jahr jenseits der Banken unkontrolliert zwischen Deutschland und dem Balkan. Wer dieses System kontrolliert, kann die Hochkriminellen in der Region kontrollieren. An diesem Geld klebt Blut. Viel Blut. Und nicht alle wollen, dass Lin diesem System auf die Spur kommt.

Edith Kohn wurde 1953 geboren. Sie studierte und promovierte in Frankfurt/Main. Als freie Journalistin schrieb sie danach unter anderem für Tempo, die Weltwoche und die Wochenpost. Als Redakteurin beim Stern führte sie das erste Interview mit einem Kindermörder im Sicherheitstrakt. Sie wechselte zur Welt und flog nach Belgrad, kurz bevor die Stadt bombardiert wurde. In Mazedonien und Albanien beschrieb sie die Folgen des Krieges. Mit den britischen Truppen gelangte sie unmittelbar nach Kriegsende ins Kosovo. Von dort berichtete sie in zahlreichen Reportagen über die großen Schwierigkeiten, das kleine Land zu befrieden. In ihrem ersten Kriminalroman hat sie diese Erfahrungen verarbeitet. Edith Kohn ist verheiratet und lebt in Berlin.

Edith Kohn

Blutiger Handel

Kriminalroman

Piper München Zürich

Mehr über unsere Autoren und Bücher:
www.piper.de

Für Thomas

Mix
Produktgruppe aus vorbildlich bewirtschafteten
Wäldern und anderen kontrollierten Herkünften
www.fsc.org Zert.-Nr. GFA-COC-001223
© 1996 Forest Stewardship Council

Originalausgabe
März 2011
© 2011 Piper Verlag GmbH, München
Umschlagkonzept: semper smile, München
Umschlaggestaltung: Hafen Werbeagentur
Umschlagabbildung: Jennifer Brown / Star Ledger / Corbis (Tür)
Autorenfoto: Heike Steinweg
Satz: Kösel, Krugzell
Papier: Munken Print von Arctic Paper Munkedals AB, Schweden
Druck und Bindung: CPI – Clausen & Bosse, Leck
Printed in Germany   ISBN 978-3-492-25818-0

I

Was für ein Tag! Nur mit Mühe gelang es ihr, in dem engen Sitz der Economyclass die Beine auszustrecken, ohne dabei die Handtasche fast bis unter die Knie des Passagiers vor ihr zu schieben. Man müsste nach Belieben einzelne Körperteile einziehen können, dachte sie, oder – noch besser – sich im Ganzen reduzieren. Evelin Baumann hasste diese Enge. Die ungewollte Tuchfühlung mit vollkommen Fremden, den erbitterten Kampf um die Armlehne. Gott sei Dank waren an diesem Morgen die beiden Sitze neben ihr frei geblieben. Aber wozu überhaupt sich aufregen, wenn in ungefähr zehn Stunden die Flugzeugtür aufgehen und ein warmer Südseewind sanft und friedlich über ihre Haut streichen würde.

Evelin Baumann, die alle nur Lin nannten, strich sich mit der rechten Hand die langen, hellblonden Haare über der Stirn zurück, was ihr eine gewisse Lässigkeit verlieh. Ihre bis über die Schultern fallenden Haare hatten die Glätte gebügelten Seidenpapiers. Der Farbton, dem ein Friseur in viel zu unregelmäßigen Abständen nachhalf, reichte fast ins Platinblonde. Lin war keine klassische Blondine. Dazu wirkte ihr Hautton eine Spur zu blass und die Nase nicht fein und zart genug. Das Laszive ging Lin völlig ab. Dafür konnten die leicht schräg stehenden grünen Augen, deren Iris schwarz eingefasst war, feurige Blitze ausstoßen, wenn Lin in Rage geriet. Die Augenbrauen verjüngten sich zu den Schläfen hin wie perfekte Vogelschwingen. Mit ihrer sportlichen, schlanken Gestalt hatte man sie schon oft für eine Nordeuropäerin gehalten. Norwegerin oder Schwedin vielleicht, das passte zu Lin. Der Vorname klang nach Skandinavien. Menschen, die sie zum ersten Mal sahen, empfanden ihre Bewegungen als sehnig und beinahe katzenhaft. Zäh konnte sie sein, hartnäckig und stolz. Grübchen in den Wangen verliehen ihr zugleich einen Hauch von Heiterkeit, selbst dann, wenn Lins Stimmung eine ganz andere war.

Lin war vierzig, aber keineswegs stolz darauf. Mit diesem magischen Alter, pflegte sie zu sagen, taugt man für bestimmte Rollen nicht mehr, etwa für die eines Vamps. Mit vierzig begab man sich nicht mehr freiwillig auf U-Bahn-Schächte, aus denen der Wind den Rock hochblies. Nicht einmal als Blondine. Bis fünfunddreißig war Lin Journalistin für große Blätter in Deutschland gewesen, sie galt als unerschrocken und äußerst zäh. Ihre Kontakte im In- und Ausland waren legendär. Doch das immerwährende mühevolle Recherchieren von Fakten, die dann in nur einer einzigen Veröffentlichung verglühten, hatte sie irgendwann nur noch gelangweilt. Ihre Reportagen hielten maximal eine Woche, dann traten sie ihren Weg an in die verstaubte Welt der Archive. Lin wünschte sich Nachhaltigkeit. Sie wollte, dass ihre Arbeit Folgen hatte, dass sie zu etwas führte. Darüber hatte sie einmal bei einem Empfang mit dem Chef eines deutschen Geheimdienstes gesprochen und zu ihrer Überraschung kurz darauf ihren ersten Auftrag erhalten. Die entsprechende Lizenz einer Privatdetektivin zu erwerben, war leicht, nicht einmal eine Prüfung wurde verlangt. Doch in ihrem Feld zählten Ausweise ohnehin wenig. Sie verdiente ganz gut. Eine Reise zu den Malediven ließ sich nicht aus der Portokasse finanzieren.

Lins Lippen lagen schmal und konturlos aufeinander. Nur am Öffnungsgrad ihrer Nasenlöcher war abzulesen, wie es um ihren inneren Erregungspegel stand. Waren sie aufgebläht zu breiten Nüstern und zuckte die rechte Augenbraue leicht, dann stand Lin kurz davor, ihre Stimme zu erheben. Sie konnte vor Wut kochen und würde das doch immer zu verbergen versuchen. Es gelang nur nicht immer. Ihre Wutausbrüche waren Legion. Lin verfügte allerdings über eine

Menschenkenntnis, die über Jahre gewachsen und schon in ihrer Teenagerzeit hilfreich gewesen war, eine Kombination von Verstand und Bauchgefühl, die selten danebentraf. Von ihrer Kleidung her hätte man sie für eine Studentin halten können, eine ewige Studentin der Achtzigerjahre, Jeans, Stiefel, Daunenjacke, darüber die flatternden Haare. Lin mochte es nicht besonders, sich tagsüber zu verkleiden, es sei denn, es handelte sich um besondere Gelegenheiten.

In Gedanken sah Lin Baumann die Malediven schon vor sich, den leuchtend blauen Himmel, der sich in einem Meer spiegelte, das sich sanft zum weißen Strand hin kräuselte. Sie saß auf Platz 13c, einem Gangplatz. Vor allem wenn später alle schliefen, wollte sie nicht über ausladende Körper in allen möglichen Lagen steigen müssen. Lin konnte sich schon gar nicht mehr erinnern, wann sie zuletzt im Urlaub gewesen war. Wie immer hatte sie auf den letzten Drücker gepackt, dann war auch noch das Taxi zum Flughafen Tegel mit einem Reifenschaden auf dem Tegeler Weg liegen geblieben. Eine der größten Straßenschlachten der 68er hatte hier am alten Landgericht einst stattgefunden, dachte Lin bei sich, vierzig Jahre war das schon her, wen interessierte das noch. Heute wirkte das restaurierte alte Gebäude mit seinen Säulen und Rundbogenfenstern fast wie eine Hazienda. Nur besetzte Taxen waren vorbeigebraust, und der Fahrer ihres Wagens hatte sich seelenruhig an den Reifenwechsel gemacht. Lins Kommandos, die sie dem Taxifahrer nur mühsam beherrscht zugezischt hatte, beschleunigten sein Arbeitstempo nicht.

Fast hatte es so ausgesehen, als ob das Flugzeug ohne sie auf die Malediven starten würde. Doch es hatte gerade noch geklappt, auf die allerletzte Millisekunde, eigentlich war das Boarden am Flugsteig 24 bereits beendet gewesen. Vor ihr stellten sich jetzt die Stewardessen für die Sicherheitshinweise auf. Lin Baumann schloss die Augen. Vier Wochen Ruhe, Wasser, Sonne, die Haie nicht mitgerechnet. »Meine

Damen und Herren«, meldete sich eine Stimme über Lautsprecher, »wir müssen leider noch einen Augenblick warten, ein Fluggast wird dringend in der Abfertigungshalle erwartet. Wir bitten Sie, diese Unannehmlichkeit zu entschuldigen.«

Lin Baumann hielt die Augen geschlossen. Der arme Hund, wenn alle Passagiere auf einen einzigen Fluggast warten müssen, solche Situationen zählen wohl zum Unangenehmsten überhaupt.

Oberhalb von Lins Kopf ertönte plötzlich eine wohlmodulierte Stimme: »Sind Sie Evelin Baumann? Kommen Sie bitte mit. Sie müssen leider eine der nächsten Maschinen nehmen. Man erwartet Sie draußen. Kommen Sie bitte?« Der letzte Satz barg schon Ungeduld.

Lin sah auf, mit einem Blick, der geeignet war, alles zu durchbohren, was sich ihm entgegenstellte. Ihre Nasenflügel bebten. »Wer erlaubt es sich, diesen Abflug einfach zu unterbrechen?«, bellte sie die Stewardess an. Dann erhob sie sich. Niemand sollte ihretwegen zu spät in den Urlaub kommen.

Die Stewardess mit der guten Stimme versuchte, ihr Lächeln aufmunternd wirken zu lassen, doch Lin reagierte nicht darauf. »Was soll das?«, fragte sie erneut, aber es war nur noch rhetorisch gemeint. Irgendetwas war hier los, daran bestand kein Zweifel. Neugier keimte in ihr auf. Lin zerrte ihre Tasche vom Boden, warf sich die Jacke über die Schulter und folgte der Stewardess nach vorne zur inzwischen wieder geöffneten Tür. Auf der kleinen Plattform, draußen, wo der Zubringerrüssel in den Eingang des Flugzeugs mündete, warteten zwei ernst aussehende Männer.

Die zwei sahen Lin Baumann so auffällig unauffällig entgegen, dass sie nur einem der Geheimdienste angehören konnten. Männer, an denen die Camouflage, das Verstohlene, Nach-innen-Gekehrte so überdeutlich war, dass es ungewollt zum Erkennungszeichen wurde. Dabei ließ sich gar nicht genau festmachen, was es war, das sie so auffallen und schon von Ferne erkennen ließ. Vielleicht die innere Abgewandtheit der ganzen Person, ihre Körpersprache, die signalisierte: Geht an mir vorüber, es gibt mich gar nicht. So als hätte man ihnen alles Spezielle, Persönliche weggeschmirgelt. Bei Geheimdienstlern fast so etwas wie ein unveränderliches Kennzeichen. Und das, wo sie selber bei anderen kein noch so winziges Detail übersahen. Na prima, stöhnte Lin Baumann innerlich, die Dienste. Sie hatte diese Tarnkappenhaltung schon bei verschiedenen Anlässen erlebt, sowohl bei BNDlern als auch bei Ex-Stasiagenten. Diese Männer hier waren teuer gekleidet, Wollmäntel in sehr dunklem, leicht schimmerndem Blau, Businesshemden, Krawatten zu komplexen Windsorknoten gebunden. Was um alles in der Welt wollten die ausgerechnet jetzt von ihr? »Es muss einen sehr guten Grund geben, mich auf diese Weise von meiner Urlaubsreise abzuhalten«, knurrte sie den Männern angriffslustig entgegen.

»Ich nehme an, Sie sind Frau Baumann«, begann der eine, der ältere der beiden, es hörte sich mehr nach einer Feststellung an als nach einer Frage. Die Stimme klang angenehm, aber nicht einschmeichelnd, weich und klar zugleich. Lin Baumann nickte wortlos. »Worum geht's? Ich …«, der andere setzte ihren Satz fort: »… Sie sind auf dem Weg in den Urlaub, ja, wir wissen das. Darf ich mich vorstellen, Ferdinand Wöller, Bundesnachrichtendienst, Dienststelle Berlin, Spezialkommandos. Dazu gehört beispielsweise auch der Bereich ›Internationale Geldtransfers‹.« Er reichte ihr die Hand, nahm ihr die Jacke ab und legte sie beiseite. »Und dies«, er wies mit dem Kopf in Richtung des Jüngeren, »ist einer meiner engsten Mitarbeiter, Kevin Wiscerovski. Er ist spezialisiert auf die Führung von Agenten, die wir für Spezialaufgaben im Ausland einsetzen.« Der jüngere Mitarbeiter Wöllers streckte ihr keine Hand entgegen, sondern vergrub die Fäuste in den Manteltaschen, während er Lin mit kleinen Augen kalt und nervös zugleich fixierte. Als sein Handy klingelte und Wiscerovski das Gespräch entgegennahm, erwies er sich als derjenige mit der unangenehmen

Stimme, schneidend und ungeduldig, mit autoritärem Unterton. »Dürfte ich wissen, was all das hier mit mir zu tun hat?«, fragte Lin. »Ich will in den Urlaub fahren.« Wöller gab der Stewardess hinter ihnen an der Eingangsluke mit der Hand ein Zeichen. Die Flugzeugtür wurde geschlossen, diesmal endgültig. »Folgen Sie uns bitte«, sagte Wiscerovski, jetzt im Feldwebelton. »Hier entlang.« Er deutete auf eine Treppe, die nach unten aus dem Einstiegfühler hinausführte, an der Ausgangstür wartete ein kleiner Flughafentransporter.

Irgendetwas in ihrem Inneren hielt Lin Baumann davon ab, die Rollbahn zusammenzuschreien und auf ihren Flug, diesen Flug, zu pochen, dessen Bordkarte sie noch in der linken Hand hielt. Worum konnte es nur gehen? Auf der Ladefläche des Transporters, in dem sie saß, entdeckte Lin ihren Koffer aus der Malediven-Maschine. »Nein, wir verwechseln Sie mit niemandem«, setzte Wöller noch einmal an. »Für das Problem, das wir hier haben, und ich versichere Ihnen, es *ist* ein Problem, brauchen wir genau Sie. Und niemand anders.« Der Transporter brachte sie zum Hauptgebäude, die beiden Männer gingen voraus in einen kleinen Raum im Erdgeschoss. Ausländische Delegationen wurden hier empfangen, ein karger Raum, die verschossenen Sitzgelegenheiten völlig aus der Mode gekommen. Es roch nach abgestandener Luft und nach Staub. Draußen ging ein Schneeschauer nieder, Flockenwirbel. Dezemberwetter im März, dachte Lin. BND konnte nur bedeuten, dass es um eine Auslandssache ging. Lin tippte sofort auf den Balkan. Es war die Region, die sie am besten kannte. Ja, resümierte sie, vermutlich ging es um Mazedonien oder den Kosovo.

»Bitte nehmen Sie Platz, Frau Baumann. Wie bereits gesagt, gehören wir zu einem Spezialbereich des Bundesnachrichtendienstes«, begann der Ältere mit der angenehmen Stimme. »Wir wissen, dass Sie, bevor Sie Privatdetektivin wurden, als

Journalistin im Ausland tätig waren, darunter eine Zeit lang im Kosovo. Die Gegend kennen Sie aus der unmittelbaren Nachkriegszeit, als dort alles noch drüber und drunter ging. Sie hatten gute Kontakte zur Regierungsebene, waren mehrmals bei Präsident Rugova, Sie haben sowohl Leute aus der KFOR-Spitze als auch ehemalige UCK-Kommandanten getroffen ... «

»Das ist lange her«, warf Lin Baumann ein. »Kommen Sie zum Punkt. «

»Sie wissen als ehemalige Reporterin, dass jeden Monat erhebliche Summen Geld aus Deutschland von Kosovaren in die Heimat transferiert werden, über ein von den Betroffenen selbst aufgebautes System aus vertrauenswürdigen Geldboten, auf die sich die Beteiligten verlassen, weil die Albaner den serbischen oder jugoslawischen Banken nicht trauen. Kein Albaner würde je sein Geld einer serbischen Bank anvertrauen oder dort ein Konto eröffnen. Und wir sprechen hier, wie Sie sicher wissen, von Millionensummen. Sie fließen nicht nur in die Kassen bedürftiger Verwandter, sondern auch in die Taschen von Kriminellen. Waffengeschäfte, Drogen. Weil sich dieses System jeglicher Kontrolle von außen entzieht, lässt es sich von den Betreffenden so perfekt einsetzen. « Lin nickte. Sie wusste sehr genau, wovon Wöller sprach.

»Vor einiger Zeit«, hob dieser wieder an, »haben wir einen unserer Männer in dieses Geldbotensystem eingeschleust, unter dem Namen Izmet Varga. Ein in Deutschland geborener Albaner, dessen Eltern aus dem südlichen Kosovo stammten. «

»Schön für Sie«, Lin wurde ungeduldig, »aber was habe ich damit zu tun? Hat der BND nicht einen Residenten im Kosovo? «

Der Ältere nickte. »Im Prinzip ganz richtig. Zumindest sollte es so sein. Aber im Augenblick ist der Posten nicht besetzt, es besteht vorübergehend eine Vakanz. « Der Jüngere drängte sich in ihren Wortwechsel. Er hielt Lin ein Foto von

Varga hin, eines, das, in günstigem Licht aufgenommen, die weichen, fast kindlichen Züge des runden Gesichts unterstrich. Dunkles, welliges Haar rahmte ein sympathisches Gesicht, der Mann durfte Ende dreißig sein.

»Er ist mit seinen 38 Jahren zu jung und zu gut aussehend, um sang- und klanglos im Kosovo zu verschwinden. Eine Farbkopie finden Sie in den Unterlagen, die wir für Sie vorbereitet haben.« Der Wiscerovski wollte selbstbewusst und geistreich zugleich sein, zu viel auf einmal. »Sie sollen ihn für uns finden. Sie reisen dorthin und versuchen, ihn dingfest zu machen. Möglichst lebend. Hier ist Bargeld«, er hob einen braunen Handkoffer aus Leder hoch und schwenkte ihn sachte, »es sind fünfzehntausend Euro in mittelgroßen Scheinen. Der Koffer enthält Fotos und Informationen über unseren Mann, und auch Ihr Flugticket, die Maschine geht von hier in zwei Stunden. Sie können keinen Kontaktmann treffen, sondern nur die ursprüngliche Route unseres Agenten nachfahren.«

Lin wollte mehr wissen: »Was ist mit seiner Familie? Leben Angehörige von ihm noch da unten?« Sie spürte auf einmal so etwas wie Jagdfieber in sich aufsteigen. Sie kannte diese fast schon triebhafte Lust, ein Rätsel zu lösen, von jedem ihrer bisherigen Fälle. Wenn dieses Gefühl aufkam, gab es kaum noch ein Zurück. Die Aufgabe reizte sie. Der junge Mann auf dem Foto sah auch nicht unattraktiv aus.

»Mit der Familie müssen Sie vorsichtig sein«, warnte der Jüngere. »Es leben Geschwister und Tanten und Onkel in einem Ort namens Urosevac zwischen Pristina und Prizren, möglicherweise ist dies der serbische Ortsname. Aber dieser Teil der Familie weiß nichts von der Agententätigkeit. Seine Frau, eine Kosovo-Albanerin, lebt hier in Berlin. Namen und Daten finden Sie im Koffer. Aber wie gesagt, allerhöchste Vorsicht. Und über Ihr Honorar reden wir, wenn Sie zurück sind und wir Ihren tatsächlichen Aufwand kennen. Wir verbürgen uns, dass es ein faires Honorar sein wird. Dass Sie

800 Euro pro Tag nehmen, wenn Sie im europäischen Ausland unterwegs sind, wissen wir natürlich.« Lin Baumann erhob sich.

Doch Wöller ergriff wieder das Wort: »Hier hätte ich noch etwas, einen gültigen Journalistenausweis, den wir Ihnen mitgeben möchten, einen mit einer kleinen Besonderheit.« Er hielt die bunte Plastikkarte hoch. »Er enthält einen Chip, der die jeweilige GPS-Position meldet. Wir können Sie jederzeit ausfindig machen.«

Lin überlegte nicht lange. »Wenn der zu etwas nutze wäre, hätten Sie ihn ja Ihrem Agenten umschnallen können. Ich verzichte! Im Kosovo überlebt nur, wer ist, was er ist. Also keine doppelten Böden, darin sind die Leute auf dem Balkan selbst schon Experten. Ich werde nicht als Journalistin fliegen, sondern als die Privatdetektivin, die ich bin.« Pause. »Oder gar nicht. Außerdem nehme ich mein Handy mit, das soll GPS genug sein.«

Der Ältere lächelte fein. »Ganz wie Sie wollen. Dann wollen Sie die hier erst recht nicht, oder?« Er ergriff mit zwei Fingern eine silberglänzende Waffe und zeigte damit in ihre Richtung, eine SIG Sauer, eine Pistole, hochgefährlich, Schweizer Fabrikat. Die entsprechende Munition konnte einen Menschen mit sehr großer Wucht durchschlagen, ohne die Person unbedingt sofort zu stoppen. Das lag daran, dass es sich hier um Kriegsmunition handelte, die Kraft genug hatte für große Distanzen. Lin kannte Kripofahnder, die genau dieses Waffenmodell verfluchten. Ein Schwerverbrecher, der während einer Verfolgungsjagd getroffen wird, aber weiterläuft, war in höchstem Maße riskant, weil er noch lange weiterschießen konnte, ehe er umfiel.

Lin Baumann wusste fast alles über Handfeuerwaffen. Sie war eine hervorragende Schützin mit reichlich Erfahrung im Combat-Schießen mit bewegten Zielen und mobilen Schützen. Einige Jahre lang war das ihre große Leidenschaft gewesen, Lin hatte vier Abende die Woche auf dem Schießplatz verbracht. Sie wollte einfach gut sein, in allem, was sie tat.

Als sie richtig gut war, verlor sie das Interesse am Umgang mit Waffen.

Jetzt verzog sie nur genervt die Mundwinkel: »Wer eine Waffe trägt, muss auch schießen. Das wissen Sie doch. Ich weiß, wo ich so ein Teil finde, wenn ich dort unten wirklich eins brauche.«

»Gut. Kontaktieren Sie uns von dort, sooft Sie können, die Nummer finden Sie beim Ticket im Koffer. Und jetzt beeilen Sie sich, wenn Sie noch ein paar festere und vor allem wärmere Kleidungsstücke kaufen wollen, bevor Sie fliegen.« Wöller schien sie zu mögen. Jeder Gedanke an ihren Urlaub, den sie eben noch hatte antreten wollen, die Malediven, Sonne, Strand, Meer, hatte sich für Lin während des Gesprächs in Luft aufgelöst. Im Grunde bin ich wirklich wie ein Jagdhund, dachte sie, man hält mir einen Köder vor die Nase, ich nehme Witterung auf, stürze los und vergesse alles, was vorher war. Sie musste selbst darüber schmunzeln. Aber es war die Wahrheit. Nie ging es um den Job, sondern immer nur um ihre eigene lustvolle Angespanntheit. Und die war entfacht. Ein Rätsel musste gelöst werden, und man setzte sie darauf an. Aller Ärger der ersten Augenblicke, als man sie aus der Maschine geholt hatte, war verflogen.

Entschlossen streckte Lin den Arm aus, um den Koffer entgegenzunehmen. Wie ihr erst jetzt auffiel, war er mit einer silbernen Kette am Handgelenk des Jüngeren festgemacht. »Sie müssen dieses Handschloss nicht benutzen, wie es der Kollege tut«, warf Wöller ein, als er Lins skeptischen Blick sah. Lin Baumann verbeugte sich leicht vor den beiden, ohne einem von ihnen die Hand zu reichen: »Wir hoffen, dass es für beide Seiten ein Vergnügen wird.« Die beiden Männer hatten sich schon von ihr abgewandt, um zum Ausgang zu gehen. »Ach ja«, drehte sich der Ältere nach Lin um, »sind Sie immer noch mit diesem adeligen Ausnahmejuristen zusammen? Nicolaus zu Soundso?« Lin sah ihn nur an, ohne ein Wort zu sagen. Diese Art der ungefähren Drohung, die

Angehörige mit in die Haftung einschloss, kannte sie aus anderen Situationen. Die Mafia etwa arbeitete mit dieser Methode. Aber der BND? Vielleicht sahen diese beiden Herren nur zu viel fern.

Es waren nur noch eine Stunde und achtundvierzig Minuten bis zum Abflug, die Sommersachen im Koffer mussten noch gegen Wärmeres ausgetauscht werden. Gott sei Dank war März! Pumps und ein leichtes Flanellkostüm hatte sie ohnehin dabei, man konnte ja auch auf den Malediven nie wissen. Lin Baumann liebte es, an Flughäfen Sachen zum Anziehen zu kaufen. Zwei Paar Jeans, eine wattierte Jacke mit strengen Schulterklappen in Schwarz, flache, schwarze Stiefel, die fast bis zu den Knien reichten, und eine eng anliegende Wollmütze, die sich zur eleganten Kopfbedeckung hochkrempeln ließ.

Mehr würde nicht nötig sein, den Rest könnte sie später auf dem Balkan erwerben. Dort würde es schon wärmer sein. In ihrem Kleiderschrank in Berlin hingen von früher etliche Anzüge aus Boutiquen in Skopje. Und die mazedonische Hauptstadt war von Pristina nicht weit, eineinhalb Stunden, wenn alles gut ging. »Genau, Skopje«, dachte Lin Baumann und tippte sich mit den Fingerspitzen an die Stirn. »Wieso bin ich nicht früher draufgekommen?« Wöller und seine Leute würden irgendein Empfangskomitee am Flughafen in Pristina für sie postiert haben, schon um sie kontrollieren zu können. Sie würde umdisponieren. Sie reihte sich in die Schlange vor dem Schalter ein, an dem unter anderem Tickets nach Skopje in Mazedonien verkauft wurden.

Die Maschine nach Pristina im Kosovo startete pünktlich – ohne Lin. Empfangskomitees aller Art, die am Flughafen von Pristina auf sie warten könnten, würden vergeblich nach ihr Ausschau halten. Vielleicht würde auch niemand da sein. Lin zog es vor, unbeobachtet in ein Land einzureisen. Auf dem Balkan, wusste sie aus Erfahrung, sollte man immer die Karten in der Hand behalten. Nur wenn sie von

Anfang an unbemerkt bliebe, würde sie auch frei agieren können.

Sie suchte in der Abfertigungshalle nach einer Damentoilette und nahm dort die Banknoten aus dem Handkoffer mit der Silberkette. Alles passte gerade so in ihren Koffer, sie stopfte die Bündel zwischen die Kleidungsstücke. Die Papiere zum Vermissten und die Fotos rollte sie zusammen und steckte sie in ihre Handtasche. Den leeren Handkoffer schob sie in der Toilette unter den Spülkasten. Vertrauen ist gut, Misstrauen ist besser. Das sicherlich auch in den Koffer eingenähte GPS würde jetzt am Berliner Flughafen bleiben, bis zur nächsten Toilettenreinigung. Sie grinste. Nico, ihren Lebensgefährten in Berlin, würde sie vom Ziel aus anrufen. Die Maschine der Balkan-Airways startete zwanzig Minuten später. 24 C, Gangplatz wie immer. Beim Durchleuchten des Koffers hatte es offenbar keine Probleme gegeben. Lin Baumann döste ein, als die Maschine abhob, sie schlief, als die Maschine in Frankfurt am Main zwischenlandete, und sie dämmerte noch, als unter ihr der Flughafen von Skopje immer näher kam. Von oben sah die ausgetrocknete Landschaft aus wie das Fell eines räudigen Tieres.

Die Einreise verlief problemlos. In der kleinen Halle, die sich Ankunft und Abflug teilten, drängten sich Trauben von Wartenden um die zweiflügelige Tür, die in unregelmäßigen Abständen angekommene Passagiere freigab. Draußen griff Lin Baumann zu ihrem Handy. Es dauerte nur ein paar Sekunden, bis sich der lokale Provider auf dem Display zu erkennen gab. Ein Knopfdruck und das kleine Gerät fing an zu wählen. »Nico, ich bin's«, sagte Lin.

»Na, bist du mit einer Superturbomaschine geflogen, du solltest doch erst in vier Stunden auf den Malediven ankommen.«

»Ich bin in Skopje ...«

Er brauchte ein paar Sekunden, um zu reagieren: »Ich dachte, du wolltest nicht mehr auf den Balkan ...«.

Lin fiel ihm ins Wort: »Ja, das ist richtig. Aber dies ist ein

Angebot, das ich nicht ablehnen kann.« Dann erklärte sie ihm in wenigen Sätzen, was geschehen war. Er nahm es so gelassen, wie sie gedacht hatte.

Nicolaus zu Parlow, Nico genannt, war vermutlich der einzige Vorsitzende Richter mit blauem Blut bei der Staatsschutzkammer am Landgericht in Berlin. Er wäre sicher auch ein Spitzenanwalt geworden, fand Lin, aber er wollte partout zum Gericht. Über seine Familiengeschichte wusste man nichts Genaues. »Ein zu Parlow gehört selbstverständlich zum alten polnischen Adel«, pflegte Nico meist in selbstironischem Ton zu sagen. Nach und nach hatte er sich jedoch angewöhnt, sich Nico Parlow zu nennen, ohne den Titel. Er hatte einfach kein rechtes Verhältnis zum Adel gefunden. Unter den Sternzeichen zählte er zu den Löwen. Lin fand, das ergäbe zu ihr als Schützin eine sehr passende Kombination. Sie ergänzten einander. Während sie die Schnelle war, die Wagnisse nicht ausschloss, räumte ihr Nico mit seiner großzügigen Art den nötigen Freiraum dafür ein. Was er als Jurist einschätzte, nahm sie sehr ernst. Nico liebte wie Lin den warmen Süden. Gemeinsam fuhren sie oft nach Italien, diese Liebe teilten sie. Dennoch hätte keine Macht der Welt Nico auf die Malediven bringen können. Solche ausschließlich touristischen Liegebatterien fernab von Kultur und Zivilisation fand er grässlich, auch wenn sie vermeintlich zur Luxusklasse gehörten. Diesmal aber hatte sich die Frage gar nicht erst gestellt. Als Vorsitzender Richter verhandelte er gerade einen besonders schwierigen Fall, es ging um Mitglieder einer islamistischen Sekte, die in Hand- und Fußfesseln vorgeführt werden mussten.

»Ich versuche, hier im früheren Grand Hotel ein Zimmer zu bekommen, es gehört zu einer amerikanischen Kette, glaube ich«, sagte sie, »ich melde mich von dort noch einmal.« Nico tolerierte, womit Lin ihr Geld verdiente. Aber er sorgte sich auch. Sie musste ihm versprechen, ihn regelmäßig anzurufen oder eine E-Mail zu schicken. Lin hörte noch den leisen Seufzer, der mitschwang, als er ihr sagte, dass er sie liebe und sie gut auf sich aufpassen solle.

»Ich liebe dich auch.«

2

Lin Baumann ließ sich von einem Angestellten am Flughafen ein Taxi bestellen und fuhr ins Stadtzentrum. Der Taxichauffeur, ein bulliger Slawe, der sich auch als Türsteher geeignet hätte, hob ihren schweren Koffer aus dem Wagen, als handele es sich um ein Luftgewicht. Es dämmerte bereits. Lin erkannte Bäume und Buschwerk entlang der Straße. Wen würde sie wiedersehen können? In Skopje hatte sie sich immer sicher gefühlt. Frauen in Männerpositionen, das war in der früheren jugoslawischen Republik ohnehin kein Problem. Im slawischen Teil der Stadt jedenfalls. Aber die meisten Albaner waren selbst zu lange Jugoslawen gewesen, um konservative Muslime sein zu können. Lin liebte das geschäftige mediterrane Flirren dieser Stadt. Es holte sie ein, als die ersten Häuserblocks die Straße zu säumen begannen.

Sie versuchte, sich auf die nächsten Schritte zu konzentrieren. Als Erstes musste sie sich einen Wagen beschaffen. Früher, in ihrer Zeit als Kriegsreporterin, hatte sie ihre Fahrzeuge bei einem Autohändler gemietet, dessen Geschäft nicht weit von der amerikanischen Botschaft entfernt lag, in einem bürgerlichen Stadtteil Skopjes. Obwohl der Mann alle Luxusmarken anbot, zog es Lin stets nur zu einem bestimmten Modell hin. Es war eine Art billiger Jeep made in Yugoslavia, ein Geländefahrzeug, das niemand mehr stehlen wollte. Autodiebe suchten heute nach chromglänzenden Geländegeschossen von Mercedes oder BMW, westdeutschen Statussymbolen, die schwer waren wie Panzer und neben dunkel getönten Scheiben Hunderte PS und mindestens vier Auspuffrohre zu bieten hatten. Das Büro des Händlers lag ein paar Stufen oberhalb seines Fuhrparks, der sich in zwei Reihen zu seinen Füßen befand.

Was Lin suchte, fand sie in der Außenreihe der geparkten Wagen ganz hinten. Er sah so aus, als stünde er noch so da, wie sie ihn damals abgestellt hatte, obwohl das kaum möglich war, denn ihr letzter Aufenthalt in Skopje lag über zwei Jahre zurück. Schmutzig weiß, ihr Jeep, das kleinste Modell. Der Autovermieter sprach nach wie vor nur ein wenig Englisch, aber Lin verstand ein paar Brocken Mazedonisch und einige Wörter Serbisch. Wo die Sprache nicht ausreichte, halfen Gesten oder kleine Zeichnungen auf einem Zettel weiter. Wer kannte in einer Fremdsprache schon Worte wie »Haftungsausschluss« oder »Tankreserve«. Als sie schließlich mit Schlüssel und Vertrag sein Büro verließ, sah er ihr nach, als weckte ihr Anblick Erinnerungen. Aber er sprach sie nicht darauf an.

Sobald die Sonne verschwunden war, wurde es eisig kalt. Lin steuerte ein Hotel an, das nicht weit vom Zentrum entfernt an einer der Hauptdurchgangsstraßen lag. Das Hotel Grand, so nannten sie auf dem Balkan ein Grand Hotel, war das zweitbeste Haus der Stadt, wenn man das noch teurere am Stadtrand mit riesigem Atrium mitrechnete. Das eher bürgerliche, durch das Pastellige der Dekoration fast amerikanisch wirkende Haus galt als das seriösere von beiden.

Abzusteigen, wo die wichtigen Geschäftsleute der Region sich trafen, die sauberen wie die undurchsichtigeren, das konnte nicht falsch sein. Mazedonien ist auch Süden, dachte sie, als sie an den Palmen in der Innenstadt vorbeifuhr. Hätte hier das schlimme Erdbeben vom Sommer 1963 nicht fast alles unter sich begraben, dann stünden die mediterran anmutenden, schmucklosen Bürgerhäuser mit ihren viereckigen weißen Veranden noch immer an ihren Plätzen. Die Stadt, umringt von Bergen in einer Talsohle, atmete heute nur an manchen Plätzen das vergangene schläfrig-bürgerliche Leben der Villen und Bürgerhäuser, die nach dem Erdbeben im jugoslawischen Einheitsstaat nicht wieder aufgebaut worden waren. Schmutzig weiße Billigquartiere mit vielen Stockwerken und vollgestellten kleinen Balkonen bestimmten nun das Bild der Stadt, hellhörig und hässlich. Reale sozialistische Einheitsarchitektur wie fast überall auf dem Balkan, aber auch in Griechenland sah es kaum anders aus.

Die Fassade des Hotel Grand zeugte noch von der untergegangenen Zeit. Die weitläufige Eingangshalle war mit geräuschdämpfendem, altrosa Teppichboden ausgelegt, in den ein schieferblaues geometrisches Linienmuster eingewebt war, beinahe jedes Viersternehaus in Europa war so ausgestattet. Das geräumige Zimmer im zweiten Stock entsprach genau dem, was Lin schätzte. Das breite Bett, Kingsize, Kofferablage und Schreibtisch aus edel wirkendem Vollholz. Vor den transparenten Stoffschals am Fenster ein zweiter Vorhang, mit dem sich das Zimmer auch tagsüber perfekt verdunkeln ließ – und natürlich blütenweiße Bettwäsche. Lin hatte Hotels seit jeher als aufregend empfunden, schon weil sie gehobenen Komfort boten. Wer reinigte sein eigenes Bad schon täglich. Aber ein gewisser Thrill ging auch davon aus, in anonymer Umgebung ständig neuen Fremden zu begegnen. Gäste eines Hotels bildeten eine Klasse für sich.

Eine halbe Stunde später lag Lin in der Badewanne. Das heiße Wasser, das zischend aus dem Hahn schoss, wäre geeignet gewesen, sich Verbrühungen beizubringen. Energie kostete im ehemaligen Ostblock scheinbar noch immer nichts. Der Wasserdampf roch deutlich nach Chlor. Von Weitem drang der Lärm der Autos herauf, ein ständiges dumpfes Brummen, das in der Ferne zu einer einzigen Welle aus Motorengeräuschen zusammenzuschmelzen schien. Lin spürte, wie ein Gefühl in ihr aufstieg, das ihr bekannt vorkam. Ein heißes, innerliches Ziehen überall in ihrem Körper, eine angenehme Erregung, die in ein intensives süßes Kribbeln überging. Fast wie nach einem Orgasmus, dachte Lin, vermutlich ist es nur das Adrenalin, die Vorfreude. Sie kannte dieses erregte innere Aufflammen von jedem Mal, das sie zu einem heiklen Auftrag gestartet war. Diese flirrende Spannung trieb sie an.

Lin malte sich aus, wie es sein würde, alle wiederzusehen. Tom vor allem, ihren guten Freund bei der Kosovo Police. Ein sehr fähiger deutscher Kriminalpolizist, den sie als Journalistin in Pristina kennengelernt hatte. Er hatte ihr alle Türen geöffnet, als sie noch täglich für ihre Zeitung berichtete. Ob Klemmer noch Presseoffizier der Bundeswehr war? Die meisten ihrer Kontakte stammten aus der Zeit kurz nach dem Einmarsch der KFOR in den Kosovo. Es war ein einziges Chaos gewesen damals, dachte Lin, doch dann hatte sich alles überraschend schnell gefügt. Sie erinnerte sich noch gut an die Situation, als sie mit dem Jeep unterwegs gewesen war und plötzlich um sie herum geschossen wurde. »It's like in a movie, but it's real«, hatte Florim, der am Steuer des Jeeps saß, geschrien. Diesen Satz würde sie nie vergessen. Aber all das hatte ihr Kontakte verschafft. Ob sie nun wirklich Gold wert waren, würde sich zeigen. Ihr Ruf bei der KFOR war ausgezeichnet. Freundschaften, die in Kriegszeiten geschlossen werden, schweißen zusammen. Deshalb wollten sie mich ja jetzt auch haben, dachte sie, die Frau mit den Superkontakten für die unlösbaren Fälle. Warum hatte sie sich darauf eingelassen? Ja, sie liebte Herausforderungen, von denen andere sagten, sie seien unmöglich zu bewältigen. Aber war das der ganze Grund? Lin versuchte, diese Gedanken beiseitezuschieben.

Dabei kannte Lin die Antwort auf das Warum nur zu genau. Tariq. Ihr Seelenbruder. Ein kosovo-albanischer Barbesitzer mit einem enormen Wissen über Waffen, einem durchtrainierten Körper und Glutaugen. Schon allein der Gedanke an ihn trieb ihren Herzschlag raketenhaft in die Höhe. In ihrer Journalistenzeit waren sie sich sehr nahegekommen. Vielleicht zu nahe. Sie war ein bisschen verliebt gewesen. Stundenlang hätte sie damals vor ihm sitzen und in seine dunklen Augen sehen können. Tariq, flüsterte Lin in den heißen Wasserdampf hinein, der vor ihr aus der Wanne aufstieg. Wie sie auch war Tariq schon vergeben, sogar verheiratet. Olivfarbene Haut, fast indianische Gesichtszüge.

Ein wilder Albaner, dachte Lin, als sie die Wanne verließ, um sich in den Laken trocknen zu lassen. Tariq hatte schöne, sehnige Hände. Darüber schlummerte sie ein. Ihr Urlaub, die Malediven schienen wie weggeblasen. Als hätte der Bungalow über blaugrünem Wasser nie existiert, der nun vergeblich auf sie wartete.

3

Es hatte gestürmt diese Nacht in den Bergen um Kukës im albanischen Hochland, und die Schafe waren in der schmerzenden Kälte unruhig blökend hin und her gelaufen. Der schwarzbraune Hund des Schäfers umstrich die nervösen Tiere und versuchte, sie mit seinem verhaltenen Bellen zur Ruhe zu bringen. Noch dunklere Wolkenfetzen hatten sich am fast schwarzen Himmel wie bedrohliche Schatten abgezeichnet. In der Nacht setzte ein beständiger Regen ein. Doch hier oben, in über 2000 Metern Höhe, schienen die geröllhaltigen Böden jede Nässe in sich aufzusaugen. Vom Ort Kukës aus waren es nur einige Kilometer bis zum Kosovo, eine gewundene, schwer berechenbare Autostrecke, die Menschen mit Blick für Lebensgefahren zu meiden suchten. In großen Abständen verkehrten hier Busse, die sich fast bis zu den Vorderrädern über die Abgründe beugen mussten, um die engen Kurven zu meistern. Auch Einheimische steuerten ihre Pkws, an denen manchmal Einzelteile festgebunden waren, hier hinauf. Für Albaner gab es Schlimmeres als das. Kukës lag in der Grenzregion zum Kosovo.

Ein gewaltiger Stausee aus der Zeit des kommunistischen Führers Enver Hodscha grenzte an den ärmlichen Ort, der aus einfachsten Mietquartieren bestand, die in schmutzig wirkenden Pastellfarben gestrichen waren. In schwächelndem Gelb etwa oder blassem Rosa. Die Läden boten kaum Waren. Ein altes Industriegebäude im Zentrum hatte während des Kosovo-Krieges Teile der albanischen Befreiungstruppe UCK beherbergt.

Nur der gigantische Staudamm unterhalb von Kukës, der den dunklen, spiegelglatten See zusammenhielt, schien dem Ort einen Sinn zu verleihen. Kukës. Eine Art Zonenrandgebiet im Hochland, von der Hauptstadt Tirana in zehn bis zwölf Stunden halsbrecherischer Fahrt die Haarnadelkurven hinauf zu erreichen. Ein Flecken, der noch immer die Ästhetik des Steinzeitkommunismus von Diktator Enver Hodscha zu verkörpern schien, keinerlei Werbung an Häusern oder Wänden. Kalte, zugige Mietshäuser mit schon lange eingeschlagenen Fenstern, Kot im Treppenhaus. Im Kosovo, auf der anderen Grenzseite, hatten sie zwar eigene Häuser, aber die meisten Menschen lebten vom innerfamiliären Unterhalt. Von Transferzahlungen ihrer Angehörigen, die in Deutschland oder der Schweiz Geld verdienten. Nur ganz wenige hier verdienten ihren Lebensunterhalt aus eigener Kraft.

Dann war der Hund plötzlich verschwunden. Der Schäfer rief die ganze Nacht nach ihm, aber das Tier ließ sich nicht blicken. Im Morgengrauen schlich er dann an, einen Fetzen Hemdstoff im Maul. Blau-schwarz-weiße feine Streifen. »Wo hast du das gefunden? Wo hast das her?«, fragte der Schäfer den Hund immer und immer wieder, er ahnte nichts Gutes. Der Hund lief voran. Etwa zwei Kilometer weiter am karstigen Hang hatte man den Mann abgelegt. Anfang vierzig vielleicht. Die Hände wurden noch immer von Plastikstreifen zusammengezwängt. Das Gesicht sah nach schwerer Misshandlung aus, genaue Konturen waren kaum noch zu erkennen. Der Mann musste an der Stelle mindestens einen Tag tot gelegen haben. Leichenstarre, die Verstorbene in einer einzigen Bewegung festhielt, war bereits dabei, in Verwesung überzugehen. Der Korpus hatte auch schon aasfressende Würmer angelockt. Dass die Leiche noch so wenig Verwesungsspuren aufwies, war wohl auf die konservierende Kühle in dieser zugigen Gegend zurückzuführen. Wie lange der Mann schon tot war, würde die Gerichtsmedizin in der Hauptstadt Tirana herauszufinden haben, wenn genug Arbeitsgerät zur Verfügung stand, das war nicht immer der Fall. Es dauerte den gesamten Vormittag, bis der Schäfer in Kukës einen Polizisten in einem blauen Einsatzfahrzeug fand, der versprach, sich um die Leiche zu kümmern.

4

Lin Baumann schlief in Hotelbetten besonders gut. Das Gefühl, aufgehoben zu sein in komfortabler Umgebung, verschaffte ihr eine Art freudiges Prickeln. Sie klickte die Fernbedienung des Fernsehers an und stieß auf Wetternachrichten in serbischer Sprache. Eine bewegliche Landkarte zeigte Regen in der Region. Alles lag hier so nah beieinander. Von Skopje bis Pristina im Kosovo waren es weniger als hundert Kilometer. Albanien, Mazedonien und der Kosovo teilten sich eine Wetterregion.

Noch bevor Lin die Treppe hinunter zum Frühstücksraum nahm, hatte sie über CNN und BBC bereits die Nachrichten des Tages zu sich genommen. Nichts weiter Aufregendes. Währenddessen konnten die Augentropfen wirken, die sie gegen den starken Chloranteil im Wasser einträpfeln musste. Die Chemikalie ließ jedes Äderchen in ihrem Auge rot aufblitzen, das hatte ihr schon als Kind die öffentlichen Schwimmbäder verleidet.

Im Frühstücksraum klapperten Bestecke, Stimmen waren zu hören. »Wie ähnlich sich doch alles ist«, dachte Lin, »in Paris, Frankfurt oder Helsinki würde es in den Frühstücksräumen besserer Hotels ganz genauso aussehen. Die Büfetts sind die gleichen, selbst die Polsterstoffe auf den Stühlen.« Eine dunkelhaarige Hübsche, die den Kaffee in die große Spenderkanne nachgoss, lächelte ihr freundlich zu. »Good morning.« »Good morning«, antwortete Lin Baumann zerstreut, ihre Augen musterten das Büfett nach weniger Fetthaltigem. »How are you?«, setzte die Dunkelhaarige nach, Lin sah auf und lächelte breit. »Oh sorry, I must have been sleeping. How are you? Aren't you the sister of Florim?« Was für ein glücklicher Zufall, dachte Lin.

» Yes, I am Elira«, sagte die junge Frau, » Shall I take a message for him?« Lin Baumann schrieb ihre Telefonnummer im Hotel und ihre Handynummer auf ein Stück Papier und reichte sie Elira.

» Bitte sagen Sie Florim, ich würde mich sehr freuen, wenn er sich noch heute melden könnte.« Dem albanischen Mazedonier vertraute sie. Florim Arifi lebte in Skopje bei der Familie, hielt sich aber meistens irgendwo bei Freunden auf. Wenn einer wusste, wen sie ansprechen musste, um über den Verschwundenen Auskunft zu erhalten, dann Florim. Seiner Schwester schenkte sie noch ein zuckersüßes Lächeln: » And sorry that I did not recognize you …«

» No problem.« Elira konnte noch süßer lächeln.

Zufrieden suchte sich Lin einen Tisch, so weit wie möglich vom nächsten Raucher entfernt, und verschlang hungrig eine Art Rosinenbrötchen und einen Apfel, dazu trank sie einen Kaffee. Er war zu stark und schmeckte brackig, wie Kaffee schmeckt, der vor Stunden zubereitet und dann beim Warmhalten allmählich eingekocht war. Das brachte sie auf eine Idee. Sie verließ das Hotel und spazierte zu Fuß hinüber zur albanischen Altstadt von Skopje, auf der anderen Seite des Flusses Vardar. Sie verirrte sich sofort, die kleinen Gässchen mit den winzigen Läden sahen stets gleich aus. Sie verlief sich hier meistens. Doch dann fand sie die kleine Anhöhe, auf der ihr Ziel lag. Ein kleines Häuschen mit nachträglich angefügter Holzterrasse, das *Café ChaCha*. Ardan wischte drinnen den Boden, hinter der Bar stand, ungewöhnlich für diese Tageszeit, Edin Arifi, über die Theke gebeugt.

Lin Baumann drückte die Klinke nach unten, beide sahen mit einer Schnelligkeit auf, als hätte sie ein Blitz getroffen. » Wolltest du wieder mal einen richtig guten Kaffee trinken?«, rief Edin in akzentfreiem Deutsch. Ein hagerer, hochgewachsener Rötlichblonder mit stoppeligem Bürstenschnitt in Jeans und Poloshirt. Bei seinem Lächeln schmolzen Frauen dahin. Es war ein magisches Lächeln, das in anderen etwas zu entzünden vermochte.

Der Albaner war Elitesoldat in der jugoslawischen Armee gewesen. Er hatte anschließend eine Weile im Dienst der CIA gestanden und dabei einiges dazugelernt. Das war lange vorbei. Jetzt verdiente Edin ab und zu sein Geld mit Spezialaufträgen für meist private Kunden, aber vor allem war er Besitzer des *Café ChaCha*. Das kleine Lokal florierte wie kaum ein zweites in Skopje. Ardan war der Sohn seines jüngsten Bruders. »Ich habe schon davon gehört«, raunte ihr Edin zu, als er ihr aus dem Mantel half, »der Verschwundene! Hab ich recht?« Lin Baumann zuckte mit den Achseln. »Vielleicht …« Ardan näherte sich ihr, sie umarmte ihn wie einen alten Freund. Sie kannte die beiden noch aus ihrer Journalistenzeit, als sich in Skopje mehr Reporter und TV-Teams aufhielten, als die Stadt an Politikern vorzuweisen hatte. Ins *ChaCha* war sie damals zufällig geraten, bei einem Spaziergang durch die Altstadt, und sie war immer wieder hergekommen. In der kleinen, gemütlichen Café-Bar hatten drei, höchstens vier Tische Platz, einfaches Kaffeehausmobiliar aus Holz, wie es ebenso in Belgrad oder Wien, aber auch in Berlin-Kreuzberg zu finden war. Bei gutem Wetter wurden zehn zierlich wirkende Tische und Stühle aus Eisen auf ein selbst gebautes Holzpodest vor der Tür gestellt, das als Terrasse fungierte.

Drinnen nahm der handgefertigte Tresen aus geriffeltem Holz die ganze Breite des Raumes ein, vor dem Barhocker auf hohen Stelzen standen. Das eigentliche Herz des Lokals aber fand sich oberhalb der Bar in dem Teil des Tresens, der, wie in jeder anderen Bar auch, parallel von oben herabhing wie eine lang gezogene, riesige Dunstabzugshaube. Dort wurde das kollektive Gedächtnis seiner Betreiber aufbewahrt, Postkarten aus Bulgarien, der Türkei, Jordanien oder den USA, die Gäste geschickt hatten, daneben ein großer, schwarzer Sombrero, den Agron, einer der Brüder Ardans, von einer Taekwondo-Meisterschaft aus Mexico City mitgebracht hatte. Streichholzschachteln steckten zwischen kleinen Zetteln, auf denen Telefonnummern notiert waren, daneben zahllose CD-Hüllen. Oberhalb der Bar neigte sich ein Fernsehgerät ein wenig nach unten, so als würde es das gesamte Geschehen überwachen.

Am Tresen träumten die meist jüngeren Gäste beim Kaffee von großen Reisen und erzählten, was Verwandte in der Schweiz, in Deutschland oder Amerika erlebt hatten. Man verstand sich als weltläufig, auch wenn nur wenige von ihnen die Grenzen Mazedoniens jemals selbst überschritten hatten. Aus den Lautsprecherboxen ertönte Pink Floyds »We don't need no education …«. Nichts in dieser Bar atmete den Balkan.

Dabei herrscht in Wohnungen und Häusern die pure albanisch-muslimische Tradition, dachte Lin. Ein- oder zweimal, in ihrer Zeit als Journalistin, hatte sie Florim zu Hause abgeholt. Wie alle unverheirateten Kinder albanischer Eltern wohnte er noch im Haus seiner Kindheit, genauer gesagt bei seiner Mutter, seit der Vater an Krebs gestorben war. In einer schmalen Gasse im albanischen Bezirk nahe der Moschee rannen Abwässer über blank gescheuerte Steine. Sie hatte an der genannten Adresse vor einer hohen Mauer gestanden und erst nicht gewusst, wo sie klopfen oder klingeln sollte. Dann war wie von selbst plötzlich eine Metalltür aufgegangen, Florims Mutter hatte vor ihr gestanden. Eine alte Frau mit zerfurchtem Gesicht und breitem, zahnlosem Lächeln. Bäuerlich gekleidet mit langem Rock und Schürze, den Kopf bedeckte ein weißes Tuch, das vor der Brust verschlungen war. Sie winkte sie hinein, Florim war noch nicht fertig. Eine niedrige, gekachelte Terrasse, auf der Pflanzen in Tontöpfen auf den Sommer warteten, darüber Strohmatten, die das Dach bildeten und Schatten spenden konnten.

Drinnen waren die Räume eher klein und nur mit dem Nötigsten möbliert. Über einem runden Tisch lag eine weiße gehäkelte Tischdecke, Couch und Sessel überzogen ebenfalls weiße Decken. An Wandschmuck erinnerte Lin sich nicht.

Das Wohnzimmer musste bis zu zwanzig Personen beherbergen können, wenn die anderen Kinder mit ihren Familien zu Besuch kamen. Neunzehntes Jahrhundert, hatte Lin damals gedacht, wäre nicht das zentrale Möbelstück gewesen, der Fernsehapparat. Er lief ununterbrochen, als Statussymbol und Zugang zur fernen Welt. Schalte das Gerät ein, und du bist wie ein Europäer, oder besser noch, wie ein Amerikaner. Florims Mutter hatte sich eine Zigarette angezündet, offensichtlich ohne auch nur darüber nachzudenken, dass ihr Mann als Vierzigjähriger an Lungenkrebs gestorben war. Die herzliche alte Frau hatte ihr zum Abschied mit ihrer knochigen Hand den Unterarm getätschelt. Als Lin später von Florim erfuhr, dass die Mutter, die neun Kinder geboren hatte, erst sechsundfünfzig Jahre alt war, erschrak nicht nur sie. Auch Florim war schockiert gewesen, die beiden Frauen, die nur etwa fünfzehn Jahre trennten – und nicht dreißig oder vierzig –, nebeneinander zu sehen.

Lin schrak aus ihren Gedanken hoch, als Edin wieder in der Tür erschien, er hielt ihre Jacke hoch wie eine Trophäe. »Wo hast du denn die her?«, fragte er, sein Gesicht sah ernst aus.

»Aus einer Boutique am Flughafen Berlin-Tegel«, antwortete sie.

»Sie hatte unter dem Kragen zwei GPS-Melder, winzig, kaum zu erkennen. Deine Auftraggeber wollen scheinbar partout wissen, wo du jeweils bist.«

Lin schüttelte langsam den Kopf.

»Sie beauftragen dich in vermutlich geheimer Sache. Doch sie trauen dir nicht. Nicht fünfzig Meter weit …«

Sie nahm die Tasse mit dem cremigen Cappuccino, der köstlich duftete. Edin hob und senkte die dichten, schwarzen Augenbrauen. »Was soll ich …«

Lin Baumann unterbrach ihn. »Schätze, es sind diese Dinger, die bis Berlin aufheulen, wenn man sie entfernt. Also: Schenk die Jacke deiner Mutter, aber sag ihr, sie möge vier Wochen lang nichts daran umnähen, okay?«

Edin grinste. »Und ich gebe dir etwas anderes mit, für den Fall, dass du in Schwierigkeiten gerätst. Wir sind von hier aus ohnehin schneller.« Lin nahm ein sehr kleines Handy entgegen, etwa so groß wie eine Streichholzschachtel, jedoch flacher. Es hatte nur eine Funktion: Mit Lichtgeschwindigkeit ein lautloses Signal auszustoßen, wie eine unhörbare Sirene. Edin erklärte ihr genau, wonach sie im Hotel alle ihre Kleidungsstücke absuchen musste. »Sie hatten in Berlin Zeit genug, dein Gepäck zu öffnen.«

Man erwischt sie doch immer wieder, dachte Lin.

»Take care«, murmelte ihr Edin ins Ohr, als sie sich zum Abschied umarmten. »Im Kosovo wird inzwischen mehr falschgespielt als jemals zuvor.« Seine Miene wurde noch ernster. »Ich nehme an, du wirst Florim schon kontaktiert haben?« Sie nickte stumm. »Nimm ihn mit, wenn du kannst. Es wird Situationen geben, in denen du zu islamischen Familien gehen musst.«

»Wenn man einmal davon absieht«, antwortete Lin Baumann lächelnd, »dass er einfach ein Faultier ist. Aber, du hast recht, Edin.« Sie fror nicht, als sie, ohne Mantel, zum Hotel Grand zurückspazierte, hier herrschten eher italienische Witterungsverhältnisse.

Es ist, als wäre ich nie fort gewesen, dachte Lin, als sie durch die engen, pittoresken Gassen der albanischen Altstadt von Skopje ging. Hier hatte sich wenig verändert. Die kleinen Häuser mit ihren kleinen Gewerben schienen für die Ewigkeit gemacht zu sein. Jetzt, nach ihrem Treffen mit Edin, konnte sie es kaum erwarten, endlich im Kosovo loslegen zu können. Dass Edin für sie da war, dass sich an ihrer Freundschaft nichts geändert hatte, beruhigte Lin. Solche Beziehungen gerieten manchmal ins Wanken, wenn neue Partner ins Spiel kamen. Aber Edin stand wie ein Fels. Lin war klar, dass ihr Auftrag vom BND auch bedeuten konnte, zum Narren gehalten zu werden. Man schickte sie los, als eine Art lebende Nebelkerze, um damit die Aufmerksamkeit bestimmter Leute von etwas anderem abzulenken. Was hatte es nicht alles schon gegeben. Ich werde vorsichtig sein, so vorsichtig wie immer, dachte Lin. Sie hatte längst die Brücke über den kleinen Fluss überquert, ein Stück des Rückweges im slawischen Teil der Stadt lag auch schon hinter ihr. Von fern konnte sie schon das Hotel Grand ausmachen. Lin spürte wieder das Jagdfieber in sich aufsteigen. Diesen Drang, die Dinge möglichst rasch und vollständig unter Kontrolle zu bringen. Sie wollte nicht mehr länger warten.

Im Hotel wartete schon Florim, neben sich einen Rucksack, einen Daypack. Mit raschen Schritten ging sie an ihm vorbei in ihr Zimmer und winkte ihn mit sich.

»Du siehst«, sagte Florim nach ihrer Begrüßung, »ich bin auf alles vorbereitet. Wo willst du hin, worum geht es?« Lin Baumann schilderte den Fall in groben Umrissen. Den Teil mit Edin verschwieg sie ihm. »Wer könnte ein Interesse daran haben, einen Geldboten im Kosovo verschwinden zu lassen? Und wo ist der jetzt?«

Florims Gesichtsausdruck wurde förmlich. »Du weißt es also noch nicht?«

»Was?«

»Es wurde letzte Nacht bei Kukës eine männliche Leiche gefunden. Das könnte doch unser Mann sein …?«

Lin dachte nicht lange nach: »Wo werden sie ihn hinbringen? Nach Tirana. Wir müssen so schnell wie möglich dahin. Oder seine Identität sonst wie klären.« Während Lin ihre Sachen zusammenpackte und die Rechnung beglich, telefonierte Florim mit der Staatsanwaltschaft in Tirana.

Lin hatte vorgeschlagen, das Foto des BND einzuscannen und nach Tirana zu senden, um wenigstens die Identität des Toten zu klären. Der Staatsanwalt lehnte ab. Lin Baumann rief Ferdinand Wöller an, seine Handynummer hatte sie in den Unterlagen gefunden, die er ihr übergeben hatte. »Frau Baumann, wir wissen noch nicht, ob dieser Tote Izmet Varga ist. Aber an Ihrem Auftrag ändert das wenig. Wir wollen wissen, wer da die Fäden gezogen und gegebenenfalls unseren Mann getötet hat. Ich werde Sie benachrichtigen, sobald ich mehr weiß.« Wöllers sonore Stimme klang nervös.

5

Bevor Lin Baumann den weißen Jeep startete, versuchte sie, mit Straßenstaub die Karosserie schmutziger zu machen. Eine alte Gewohnheit aus der Kriegszeit im Kosovo, als gut erhaltene Autos nicht vor Diebstahl sicher waren. Zu viele Menschen befanden sich auf der Flucht vor irgendetwas irgendwohin. Florim wollte fahren, doch Lin Baumann setzte sich ans Steuer, sie hatte gern alles selbst unter Kontrolle.

Kurz vor der Grenze bei Blace, wo während der Nato-Bombardements Abertausende von Flüchtlingen aus dem Kosovo kampiert hatten, flatterte jetzt die Flagge des Kosovo. Der schwarze Doppeladler auf leuchtend rotem Grund, eigentlich die Flagge Albaniens, stünde nicht in schwarzen Buchstaben »Kosovo« über den züngelnden Vögeln. Die beiden fast identischen Flaggen könnten leicht den Eindruck erwecken, der Kosovo wäre nur eine Provinz und Albanien ihr Mutterland.

Vor der Grenze fuhren sie kilometerweit an wartenden Lkws vorbei. Dass ihre Abfertigung dann doch fast zwanzig Minuten dauerte, hatte mit dem neuen biometrischen Pass Lin Baumanns zu tun – die neue Technik hatte der Grenzbeamte erst einmal seinen Kollegen zeigen müssen. Dabei ließen einen diese neuen Fotos wie ein Monster aussehen, ein fettes Monster. Schweigend fuhren sie die Stunde bis Pristina. Durch einen Ort mit Resten eines Kalkbergwerks, dessen ausgefallener Name Deneral Jankovi lautete. Danach kam vor allem spärlich bebautes flaches Land. Abgenutzt, nicht nur vom Krieg. Hier und da eine dreistöckige Bauruine, Rohbauten, deren Eigentümern das Geld ausgegangen war. Ob rechts und links der Fahrbahnen noch Minen verborgen lagen, wer wusste das schon.

Die Felder wirkten so kraftlos wie die meist alten Menschen, die sie bestellten. Wind trieb hoch oben die Wolken vor sich her. Die Häuser sahen kaum besser aus. Lin fuhr an hässlichen Neubauten vorbei, die vom Krieg zerstört waren. Tiefe Schlaglöcher waren notdürftig aufgefüllt, eine Schnellstraße wurde trotzdem nicht daraus. Die Schönheit des Kosovo existierte wohl vor allem in den Köpfen und Herzen seiner Kosovaren. Ein BMW-Geländewagen mit verdunkelten Scheiben setzte sich vor ihren Jeep. Die roten Schlusslichter glühten fast auf Lins Augenhöhe, das Paar Auspuffrohre wirkte ineinander verschlungen wie Eheringe. »Ein großer schwarzer Sarg«, murmelte Lin. Es gab viele solcher blickdichten Luxuswagen im Kosovo.

Bei dem kleinen Ort Ferizaj, wo die Straße nach Prizren abbog, wollte Lin die Wagenkolonne vor sich nicht überholen, weil die Gegenspur ihr für ein Tempo von 80 Stundenkilometern zu holprig erschien. Ein tiefes Schlagloch und die Achse konnte hinüber sein. So zuckelten sie hinter den anderen Fahrzeugen her. Schon bei der Einmündung nach Pristina war der hohe Turm des Grand Hotels im Zentrum zu erkennen, seinen baugleichen Zwilling, nur halb so hoch, sah man erst aus der Nähe. Pristina hatte nichts Behagliches, das war Lin schon bei ihrer ersten Begegnung mit dieser Stadt klar gewesen, daran würde auch die europäische Drehung des Hotelnamens nichts ändern können. Die Stadt hatte kaum Altbauten zu bieten. Sie bestand vor allem aus hohen und niedrigen Plattenbauten mit außen anmontierten runden Satellitenschüsseln, deren Anblick Lin jedes Mal aufs Neue frösteln ließ. Zugige Treppenhäuser und Unbehaustheit in hellhörigen Wohnungen, die so lange mit Strom beheizt wurden, bis im E-Werk wieder einmal die Leitungen durchglühten und Frieren angesagt war. Pristina war eine typische jugoslawische Satellitenstadt, beschloss Lin für sich.

Daran änderten auch die glitzernden Hochhausfassaden im Zentrum, die neueren Datums waren, nicht wirklich etwas. Zu ihren Füßen Café an Café, Tische und Stühle aus hellem Holz, die den Eindruck erweckten, Pristina sei eine geschäftige Metropole. Wohl eher potemkinsches Dorf, dachte Lin, der neue Staat produzierte nichts und exportierte kaum etwas. Die Kunstblase der Internationalen, die den Kosovo seit der Nato-Intervention beherrschte, hatte Pristina über Nacht in eine moderne, europäische Stadt verwandelt. Jedoch nur äußerlich. Denn alles Europäische war eher gespielt. Kopiert, heruntergeladen, dachte Lin. Hier war wirklich nichts echt. Man gab sich als Demokrat aus und glaubte, damit sei es getan. Hinter den Fassaden herrschte altes albanisches, von den Männern bestimmtes Familienrecht, in einigen Regionen gab es sogar noch Blutrache. Demokratie, Europa, dass ich nicht lache, dachte Lin. Wenn die Raumstation UN irgendwann wieder abgezogen wäre, würde der bäuerliche Kosovo des 19. Jahrhunderts auch nach außen wieder nachrücken.

Als wirkliches Zentrum konnte man auch die drei, vier Straßen der City nicht bezeichnen. Riesige Werbeflächen hingen von einigen Häuserwänden herab. Genau genommen handelte es sich nur um eine Durchgangsstraße, die seit dem Tod Mutter Teresas nach dieser benannt worden war. Pristina war vor allem diese Mutter-Teresa-Straße, der später entstandene Bill-Clinton-Boulevard im Süden der Stadt zählte für Lin nicht wirklich dazu. Einige der neu gebauten Geschäftshäuser hatten einen Baustil, der in seiner Wildheit oft auch Züge von Verzweiflung zu tragen schien. Die Kathedrale, die der letzte Präsident vor der Unabhängigkeit des Kosovo, Ibrahim Rugova, sich gewünscht hatte, wurde begonnen – und dann aufgegeben. Die Straße, die weiter unten parallel zur Mutter-Teresa-Straße verlief, nannten vor allem die Internationalen Police Avenue, weil die Zentralen der Einsatzkräfte nach wie vor hier logierten. Erstaunt registrierte Lin, dass die Mutter-Teresa-Straße bis zum Parlamentsgebäude in eine Fußgängerzone umgewandelt worden war. Lokale und Cafés hatten ein paar Stühle und Tische im Freien stehen. Lin erinnerte sich, dass es in Pristina immer nach Frühling zu riechen schien, nach gut gelaunter Erwartung. Irgendwo jaulte ein Krankenwagen vorbei.

In den Cafés gegenüber dem Grand Hotel Pristina sah sie junge Männer in Gruppen zusammensitzen, Zigaretten rauchend, die Augen hinter verspiegelten Sonnenbrillen in wichtigtuerischer Tropfenform. Sie sitzen da, als säßen sie nur ihre Zeit ab, dachte Lin. In der Fußgängerzone vor dem Café schob eine Schwangere im knöchellangen Mantel einen Kinderwagen vor sich her, ein beigefarbenes Tuch verhüllte vollständig ihr Haar. Vielleicht würde es auch in dieser zwar islamischen, aber doch säkularen Region bald mehr verschleierte Frauen geben, wie vor ein paar Jahren in Bosnien, dachte Lin. Dort hatte man plötzlich mehr und mehr Kopftuch tragende Frauen gesehen, aber der Grund dafür war keine Islamisierung gewesen. Vielmehr hatte es mit dem Umstand zu tun, dass konservativ-islamische Organisationen aus reichen arabischen Staaten in Sarajewo Büros eröffneten, Jobs vergaben und auch Geld verschenkten – wer würde kein Kopftuch tragen, wenn es bares Geld dafür gab.

Der Platz neben dem Grand diente nach wie vor als eigentliches Zentrum Pristinas. Hohe Arbeitslosigkeit sorgt für belebte Straßen, dachte Lin. Zu zweit oder dritt eilten ältere Schulmädchen an ihr vorbei, in Gespräche vertieft und alles andere als islamisch korrekt gekleidet. Ein alter Mann lehnte an einer Hauswand, auf dem Kopf einen weißen Fez. Schwarzgebrannte CDs wurden offen auf dem Gehweg zum Kauf angeboten, auch Shampoos und Duschgels, die westliche Aufschriften trugen. Aus einem Gettoblaster tönten ohrenbetäubend die neuesten internationalen Hits, so laut, dass sie den Passanten auf den Gehwegen folgten, als blieben die Töne an ihnen kleben. Nelly Furtado, immer wieder Nelly Furtado. Kleine Jungen mit Bauchläden schlängelten sich durch die Reihen, manche nicht einmal zehn Jahre alt. »Cigare, cigare«, vor allem amerikanische Zigaretten hatten sie im Angebot. Sie sprachen es wie ›cigore‹ aus.

Auf dem Balkan rauchten alle, vor allem amerikanische Zigaretten. Ich rauche, also gehöre ich zum erfolgreichen Westen. Lin rauchte schon seit Jahren nicht mehr. Nach einem Besuch beim Lungenarzt, der sie eindringlich beschworen hatte, aufzuhören, hatte sie das Rauchen von einem Tag auf den anderen eingestellt. Seither konnte sie diese unbekümmerte Art der Selbstzerstörung um sich herum manchmal kaum noch ertragen.

Es gab alles zu kaufen in Pristina, vor allem viele gefälschte Marken. Sie zu haben, gaukelte Wohlstand vor, so als lebe man wirklich in Europa. Schwarzmärkte wie diese hatte Lin auch in Belgrad oder in Tirana erlebt. Ungefälschte Waren zu finden war schwieriger. So als seien Kriminelle die schnellsten und effektivsten Nutznießer des Kapitalismus, dachte Lin.

Als sie in einem kleineren Hotel nicht weit vom Zentrum gerade ihre Zimmer bezogen, klingelte Lin Baumanns Handy. Es war Wöller. Der Tote aus Kukës sei höchstwahrscheinlich ihr Mann. Der vermeintliche Exmitarbeiter sei vor seinem Tod gefoltert worden. »Liebe Frau Baumann, kümmern Sie sich nicht weiter um diesen Fall«, wies Wöller sie gespielt schmeichlerisch an, seine Stimme klang hektisch, irgendwie überdreht. »Bitte lassen Sie in jedem Fall von einer weiteren Recherche ab. Verstehen Sie mich, wir haben das alles geklärt. Die Leiche ist jetzt unsere Sache. Okay? Also, ich verlasse mich auf Sie. Kommen Sie wieder nach Deutschland zurück. Ihr Auftrag ist erledigt.«

Sie widersprach ihm nicht, aber seine Worte und deren Ton lösten in ihr ein Gefühl von Unstimmigkeit aus, von Dissonanz. So als stimme mit Wöller etwas nicht. Vielleicht war es die Hektik, diese Stimme, die sich fast zu überschlagen schien, die zu dem Wöller, den sie am Flughafen als ihren Auftraggeber kennengelernt hatte, einfach nicht passen wollte. Eines solchen Verlustes von Contenance hatte sie ihn gar nicht für fähig gehalten, schon eher seinen Assistenten. Aber von Wiscerovski war gar nicht die Rede gewesen. Lin konzentrierte sich vollständig auf ihr Gegenüber am anderen

Ende, sie schloss dabei die Augen. Dann ließ sie ihre Worte in den Apparat fließen, antwortete Wöller so ruhig und so kühl sie konnte: »Herr Wöller, ich gehe doch recht in der Annahme, dass Sie mich vor ein paar Tagen aus dem Flugzeug herausgeholt haben, um diesen Fall Varga zu klären.« Sie hielt für einige Sekunden inne. »Ich sollte die Umstände des Verschwindens eines Izmet Varga klären, nicht wahr? Jetzt finden Sie eine Leiche, erklären sie zu der Leiche Izmet Vargas und blasen meinen Auftrag ab. Was glauben Sie denn, wen Sie vor sich haben?«

Wöller schnappte hörbar nach Luft. Lins beinahe schneidender Ton schien seine Aggressionen zu übertrumpfen.

»Jetzt hören Sie mir gut zu. Etwas an diesem Fall stinkt. Und zwar so stark, dass es eigentlich niemandem entgehen kann. Ich werde Ihnen sagen, was ich dagegen zu tun gedenke. Ich werde diesen Kasus und sein Umfeld so lange recherchieren, bis all das für mich plausibel aufgeklärt ist. Sie müssen mich ohnehin bezahlen. Ich wünsche Ihnen noch einen schönen Tag, Herr Wöller.«

Lin wartete noch ein paar Augenblicke ab, ob Wöller ansetzen würde, ihr etwas zu entgegnen. Dann beendete sie das Gespräch. Seit sie einmal in einem Callcenter gejobbt hatte, wusste sie, wie man völlig unbekannte Menschen in Gesprächen manipuliert. Am Telefon konnte Lin unglaublich hartnäckig sein.

Wöllers Stimme hallte noch in ihr nach, während sie ohne rechtes Ziel durch die Innenstadt spazierte. Was war auf einmal mit diesem BND-Mann los? Warum hatte Wöller partout nicht gewollt, dass sie sich den Toten ansah? Was stimmte mit dem nicht? Und wie konnte sie den Hintergrund aufklären, ohne einen Eindruck von der Leiche gewonnen zu haben?

Als sie in das Hotel zurückkam, roch es im Flur nach Raumspray, ein künstlich-süßlicher Geruch, der sich auf die Zunge legte, nicht mehr aus der Nase wich und garantiert

Kopfschmerzen verhieß. An ihrer Zimmertür steckte ein kleiner handgeschriebener Zettel. Florim teilte mit, er habe sich schlafen gelegt. Drinnen kontrollierte Lin als Erstes, ob heißes Wasser und Strom zur Verfügung standen. Nächte ohne Strom konnten sehr kalt sein. Doch im Augenblick schien alles zu funktionieren.

Lin war schon in ihrer Zeit als Reporterin dafür bekannt gewesen, dass sie Fälle übernahm, die als unrecherchierbar galten. Gerade das scheinbar Unmögliche reizte sie besonders. Auch jetzt hatte sie Blut geleckt. Warum, dachte Lin, holte man mich aus einem Flugzeug, um mich im nächsten Augenblick wieder abzuservieren? Warum dann dieser ganze Zauber mit GPS und vor allem auch viel Bargeld, das man ihr übergeben hatte? Wenn Wöller jetzt ernsthaft dachte, sie würde auf dem Absatz kehrtmachen und in die Ferien fliegen, dann hatte er sich getäuscht. Niemand sollte ihr Jagdfieber unterschätzen. Am Ende einer solchen Jagd servierte sie gerne ihrem Auftraggeber die Lösung auf dem Silbertablett. Nur fehlte diesmal ein Detail. Der Auftraggeber kam ihr gerade abhanden. Aber deswegen aufgeben? Niemals, dachte Lin und schmunzelte. Es kam ihr so vor, als ob Wöller selbst in diesen Fall verwickelt war. Erst wurde sie beauftragt, dann bei der ersten Schwierigkeit wieder abgezogen. Wöller hatte auf sie unsouverän gewirkt, auch unprofessionell. Wenn ich nur wüsste, was hier gespielt wird, dachte Lin.

Sie versuchte als Erstes, die Pressestelle der Bundeswehr bei der KFOR in Pristina zu erreichen, um zu erfahren, ob der Tote möglicherweise von den Deutschen selbst gerichtsmedizinisch untersucht werden konnte. Major Klemmer, den sie schließlich an den Apparat bekam, bestätigte, die Leiche werde schnellstmöglich nach Pristina zur KFOR überführt. Mit dem Major, einem Pathologen, der auch Pressebeauftragter für seine Sektion war, hatte Lin vor Jahren schon einmal zu tun gehabt, als Journalistenkollegen im Kosovo erschossen worden waren. Ein freundlicher, gutmütiger Typ, der es nicht mehr weit bis zum Ruhestand hatte, und der sich schon mal zu etwas überreden ließ. Der Major mochte sie, das spürte Lin. »Kann ich die Leiche sehen?«

Ihre direkte Frage brachte den Major fast ins Stottern. »Bedaure, nein. Das ist nicht möglich.«

»Mir geht es ja nur um die Frage, ob der Fundort der Leiche und der Sterbeort übereinstimmen, also ob der Tote wirklich in den Bergen bei Kukës gestorben ist.«

Der Major hob noch einmal an: »Die Antwort darauf wird erst die Obduktion hier erbringen.« Er senkte die Stimme etwas. »Aber gehen Sie mal davon aus, dass dieser Mann nicht bei Kukës gestorben ist.«

Lin hatte das Gefühl, Major Klemmer würde gerne über die Umstände dieses Falls reden. Und sie tat ihm den Gefallen. »Wieso sind Sie da so sicher, dass er nicht dort oben zu Tode kam?«, fragte Lin.

Major Klemmer genoss den Augenblick für ein paar Sekunden. »Weil sein linkes Bein im Kosovo verblieben ist. Anwohner von Ferizaj haben es heute Morgen am Straßenrand eingesammelt. Ein Bein mit Hose und Strumpf bekleidet, um es ganz präzise zu sagen. Aber von mir haben Sie das nicht.«

Lin spürte, wie ein Frösteln in ihr hochkroch.

»Heißt das«, fragte sie weiter, »die Täter haben ein Bein abgetrennt und es bei Ferizaj weggeworfen, weil es irgendwie nicht mehr in den Kofferraum gepasst hat? Muss man sich das so vorstellen?«

»Ja«, antwortete Klemmer, »so in etwa. Deshalb kommt jetzt auch der Rest der Leiche hierher. Die Obduktion sollte alles in allem eine Woche dauern.«

Wer, dachte Lin, säbelte ein Bein ab, weil es nicht in den Wagen passte? Und vor allem: War der Mensch zu dem Zeitpunkt noch am Leben gewesen?

Lin Baumann setzte ihren gesamten Charme ein, um Major Klemmer überschwänglich zu danken. Der Offizier würde noch am Nachmittag eine Flasche Single Malt auf seinem Schreibtisch vorfinden, Florim war gut in solchen Dingen.

Als sie ins Hotel zurückkam, schlief er noch. Lin donnerte mit der Faust an seine Tür. »Nicht so laut«, beschwerte sich Florim, als er die Tür schließlich öffnete, »ich hab nicht nur geschlafen. Sieh mal hier.« Er deutete auf eine Kiste mit Spirituosen. »Brauchst du nicht vielleicht schon die erste Flasche?« Lin lächelte. Er wusste, dass sie Schnaps jeder Art verabscheute.

»Eins steht fest«, sagte Lin, nahm einen langen Schluck aus der Mineralwasserflasche und ließ anschließend dezent Luft ab, »diese Leiche ist garantiert nicht unser Mann. Ich kann das einfach nicht glauben. Und wenn doch, warum will er mich dann nicht dabeihaben?« Sie verstummte für ein paar Sekunden. »Was reitet diesen Wöller, verdammt noch mal!«

Florim saß nun aufrecht im Bett, eine Flasche Bier in der Hand. »Willst du wissen, was ich denke, Lin?« Sie nickte. »Wöller wollte dich benutzen, das ist doch klar. Er wollte, dass du hier aufläufst, sodass die anderen vermuten, du kämst in seinem Auftrag.«

Lin wurde nachdenklich. »Könnte sein, dass du recht hast, Florim, aber dann würde ich den Grund dafür gerne kennen. Es geht vielleicht gar nicht um Varga. Was meinst du, Florim, willst du zurück, sollen wir aussteigen?«

Florim nahm einen Schluck Bier. »No way! Das kommt überhaupt nicht infrage. Wir sind doch keine dummen Schafe. Wir klären das auf. Also mal ehrlich, Lin. Könntest du jetzt aufhören?«

Lin grinste. »No way!«

6

Den Abend verbrachten sie in Pristinas bestem italienischen Restaurant, dem *Bella Roma, Bar Kafe,* am äußeren Ring eines Einkaufszentrums vis-à-vis der mit Stacheldraht eingezäunten UN-Verwaltung. Die besser verdienenden Kosovaren kamen hierher, aber auch Truppenangehörige in Zivilkleidung. Es roch nach knusprig gebackener Pizza, Oregano und frischem Basilikum. Lin bestellte Spaghetti all'arrabbiata und gar nicht so schlechten italienischen Rotwein, Florim fragte nach einem Gemüseteller, er aß kein Fleisch. Während beide die Gäste an den Nebentischen musterten, beschloss Lin, bald schlafen zu gehen, um sehr früh zur Exkursion aufbrechen zu können.

»Du denkst doch nicht«, fragte Florim, ohne das Kauen einzustellen, »dass du diese Sache allein durchziehen kannst. Wenn du reinzukommen versuchst, musst du doch seriös wirken. Das geht besser zu zweit.«

Er überraschte sie doch immer wieder. Sie lächelte selbstironisch. »Bin ich so leicht zu durchschauen?«

»Ich tue nur das, was ich von dir gelernt habe. Mich in mein Gegenüber hineinzuversetzen. Du willst rausfinden, ob der Tote wirklich unser Mann ist.« Lin Baumann antwortete ihm nicht, doch sie lächelte fein.

Auf dem Heimweg ins Hotel verabschiedete sie sich auf der Mutter-Teresa-Straße von Florim. Im Zentrum, gegenüber vom Grand Hotel, befand sich ein Internetcafé, das noch geöffnet hatte. »Nico, Liebster«, tippte sie in die Tastatur des Computers, »mir geht's gut. Aber die Leitungen sind derzeit unsicher. Ich melde mich wieder. Ich liebe Dich. L.« Die Mail würde auf Nicos Blackberry auflaufen, also heute Abend noch. Doch sie konnte nicht auf eine schnelle

Antwort hoffen. Nico ging abends nach zehn Uhr nicht mehr an sein Handy. Er wollte nicht rund um die Uhr erreichbar sein, meist handelte es sich ohnehin um Berufliches. Wie gern hätte ich jetzt deine Stimme gehört, dachte Lin. Nico war der Mann in ihrem Leben, der ihr die nötige Balance verlieh, die innere Stabilität, ohne die nichts lief. Nico ist mein eigentlicher Rahmen, dachte sie zärtlich. Er würde sie anrufen, sobald er die Nachricht gelesen hatte, so viel stand fest.

Am nächsten Morgen verließen zwei in dezentes Blau bzw. Grau gekleidete Personen das Hotel, ohne viele Geräusche zu machen. Lin Baumann trug das hellgraue Flanellkostüm, der Rocksaum berührte gerade das Knie, dazu klassische, schwarze Pumps. Um den Hals eine Perlenkette in einem Champagnerton, der gut zu ihrem blassen Teint passte, ein Geschenk von Nico. Florim stand das dunkelblaue, seidig schimmernde Tuch gut, er wirkte zehn Jahre älter darin und absolut vertrauenswürdig. »Bloß nicht«, zischte ihm Lin Baumann von der Seite zu, als er nach einer Angebersonnenbrille griff: »Du siehst damit aus wie ein Zuhälter.« Florim schob sie wortlos in seine Brusttasche zurück. »Denk bitte daran«, mahnte Lin, »wir müssen unbedingt rein, solange die Offiziere in ihren Frührunden zur Abstimmung zusammensitzen. Wenn die aufbrechen und uns begegnen, könnte es unangenehme Fragen geben.« Florim nickte und lächelte etwas gequält. Der Motor des Wagens heulte laut auf inmitten der frühen Stille.

Ein freundlicher Soldat, der am Schlagbaum Posten stand, sah ihnen entgegen. Als er fragte, wen sie zu sprechen wünschten, und dann um ihre Papiere bat, verhaspelte er sich fast. Besucher, die schon äußerlich eine ganz andere Welt repräsentierten als die Soldaten, erschienen hier selten. Vor allem auf Lin hefteten sich seine Augen. Dann ging er zum Telefon, um die Besucher zu melden. »Eine Frau Baumann und ein Herr Arifi, beide für den BND Pullach, möchten zur Rechtsmedizin …« Der Soldat lauschte der Antwort im Telefon. Dann hob sich der Schlagbaum. Vor allem der Trick mit den hochhackigen Pumps funktionierte bei Soldaten so gut wie immer, im Ausland, fern der Heimat.

Lin Baumann und Florim Arifi hätten sich gar nicht als BND-Mitarbeiter ausweisen können. Lin konnte in einem solchen Moment zu voller Form auflaufen. Sie war wild entschlossen, niemandem zu gestatten, sich ihr in den Weg zu stellen. Florim ging schweigend neben ihr. Lin trat die Absätze ihrer Pumps tief in den weichen Kunststoffbelag unter sich. »Wollen wir doch mal sehen, was die Obduktion ergeben hat«, sagte sie leise, während sie vorsichtig auf die blendendweißen Kacheln wechselte, die zur Rechtsmedizin führten.

7

»Es tut mir sehr leid, dass Sie vielleicht umsonst gekommen sind«, rief ihnen Major Klemmer schon von Weitem entgegen, nachdem sie fast einen Kilometer durch blank gescheuerte, kahle Flure geführt worden waren bis zu den beiden Räumen der provisorisch eingerichteten Rechtsmedizin. Klemmer bat sie hinein. »Was ich Ihnen zeigen kann, ist bisher nur das Bein mit Anhang, das bei Ferizaj gefunden wurde, aber interessant ist der Fund schon. Verstehen Sie, was ich meine?« Klemmer lächelte. Lin trat auf die Metallwanne zu, die mitten im Raum stand. Sie bemerkte, dass es erstaunlich wenig nach Desinfektionsmitteln roch. Dann hob sie das Laken. Eine endlose Minute lang betrachtete sie, was da lag. Dann ließ sie den Stoff wieder fallen und drehte sich zu Klemmer und Florim um. »Es handelt sich hier um einen Nordeuropäer mit heller, fast sommersprossiger Haut und eher blondem Schamhaar, sehe ich das richtig? Todesursache: vermutlich der Blutverlust.«

Klemmer nickte anerkennend.

»Und sehe ich auch richtig, dass es sich bei dem, was da noch in Streifen an der Seite hängt, um die Überbleibsel seines Geschlechtsteils handelt? Und, was fast noch wichtiger ist, habe ich richtig gesehen: Der Mann war nicht beschnitten?«

»Exakt. Sie sind gut, Frau Baumann.«

Lin fuhr fort: »Wir können also ausschließen, dass es sich um diesen Menschen hier handelt ...« Sie zog eine Farbkopie aus ihrer Aktenmappe und hielt sie dem Major hin. Der nickte versonnen. »Südländischer Typus, dunkelhaarig und vermutlich Muslim, zumindest klingt der Name so. Ausgeschlossen. Dieses Bein hier gehört definitiv einem anderen.«

Lin Baumann reichte ihm die Hand. »Haben Sie vielen Dank, Herr Major. Ich würde Sie gerne noch einmal besuchen, wenn der Rest der Leiche hier angekommen ist. So lange bleibe ich in Pristina.«

»In welchem Hotel sind Sie abgestiegen?«

Lin lächelte. »In keinem. Ich wohne bei Freunden.«

Auch Florim verabschiedete sich verbindlich. Auf dem Gang war deutlich zu hören, dass in den Räumen rechts und links Stühle zurückgeschoben wurden. Das Ende der Frühbesprechungen nahte. Beide spürten, dass es Zeit wurde, die Schritte etwas zu beschleunigen. Sie erreichten die Pforte, kurz bevor die Frühbesprechungen zu Ende waren. Florim fuhr den Wagen zurück zum Hotel.

»Der Mann ist also nicht unser BND-Agent für Spezielles, Izmet Varga, ganz so, wie ich angenommen hatte«, resümierte Lin in ihrem Zimmer. Florim stand ihr gegenüber an die Wand gelehnt. »Aber warum will der BND partout so tun als ob? Wo suchen wir weiter? Versuchen wir zu klären, wer der Blonde ist, oder suchen wir stattdessen nach Izmet Varga?«

Florim antwortet nicht sofort. Dann sagte er: »Wir sollten, wie heißt es im Deutschen so schön, das eine tun und das andere nicht lassen, Lin. Wir können doch mit Klemmer in Verbindung bleiben und versuchen, über die alten UCK-Kontakte an Izmet Varga heranzukommen. Vielleicht sollte ich meine Leute abfragen, und du begibst dich mal wieder in die Niederungen der *WonderBar* … Was meinst du?«

Lin nickte entschieden. »Genau so machen wir es. Ich hör mal, was der Chef der *WonderBar* dazu sagt. Wir treffen uns morgen zum Frühstück.«

Den Rest des Tages besuchte Lin eine Bekannte von früher, eine Kosovo-Albanerin mit ganz normaler bürgerlicher Existenz. Allerdings war Valeria sogar einmal albanische Schönheitskönigin des Kosovo gewesen. Inzwischen lebte sie mit Mann und Kind in einer schicken Neubauwohnung in Pristina und arbeitete bei einer Bank. Valeria erzählte Lin, dass ihr Mann noch immer vor Eifersucht schäumte, wenn einer der vielen Ausländer sie auch nur für ein paar Sekundenbruchteile ansah.

Valeria hatte früher in der Mutter-Teresa-Straße gewohnt, im dritten Stock eines Eckhauses. Lin war aus alter Gewohnheit erst dorthin gegangen. Es waren Mietshäuser aus der alten jugoslawischen Zeit, einige davon mit blinden Fenstern und stinkenden Mülldeponien im Keller. Mieter warfen ihre Abfälle einfach durch das Treppenhaus nach unten. Im zweiten Stock fehlte ein Stück Geländer. Ein Wunder, dass noch kein Mensch in der Dunkelheit nach unten gestürzt ist, dachte Lin. Die ausländischen Gebäude ein paar Hundert Meter weiter erkannte man sofort daran, dass sie meterhoch mit Stacheldraht umzäunt waren. Die Partei- und Verwaltungsgebäude der Kosovaren brauchten diesen Cordon sanitaire nicht. Nach drei Tässchen türkischen Kaffees mit Gebäck wusste Lin, dass sich seit ihrem letzten Aufenthalt wenig verändert hatte.

In den Straßen sah alles genauso aus wie immer. Die meisten Kneipen und Restaurants Pristinas trugen jetzt internationale Namen: *Sunny Sky, Adria, Hermes* oder auch *Bolero.* So konnten die UN-Angestellten und KFOR-Soldaten den Namen ihres Stammlokals besser behalten.

8

Kurz nach 22 Uhr tastete sich Lin Baumann in einer kleinen Seitenstraße im Zentrum die enge Treppe zur *WonderBar* hinab. Niemand, der sie am Morgen in ihrem Kostüm gesehen hatte, hätte sie jetzt wiedererkannt. Sie trug Jeans und Lederstiefel mit flachen Gummiabsätzen, darüber ein schwarzes langärmeliges Shirt. Von unten drangen ihr feuchte Schwaden und Zigarettenrauch entgegen, Lin spürte, wie er sich kratzig auf ihre Stimmbänder legte, noch bevor sie das Lokal betrat. »Say it right, say it all«, stampfte Nelly Furtado ihr Stakkato aus den Lautsprechern. Die Bar lag an der Seite eines öffentlichen Gebäudes, als Eigentümer wurde von Anfang an ein ehemaliger Kämpfer der kosovarischen Befreiungsfront UCK vermutet. Sie galt als der Treffpunkt für Kämpfer der ehemaligen kosovarischen Untergrundarmee. Der Tresen war vor Rauchschwaden kaum auszumachen. Der Trend zum Nichtrauchen war noch nicht bis zum Balkan gedrungen. Lin schob sich durch den engen Raum, in dem ausschließlich Männer zusammenstanden, kosovarische Frauen stiegen kaum hier hinab. Doch es drehte sich niemand nach ihr um.

An der Theke winkte sie dem jungen Mann zu, der im Takt der Musik mitwippte und die Hand als Lautverstärker hinters Ohr hielt. »Ist Tariq hier?«, fragte sie auf Englisch. »Kannst du ihm bitte sagen, dass Lin da ist?« Der Junge bediente noch zwei Gäste, dann verschwand er hinter einer Tür. Als er wiederkam, beugte er sich zu Lin hinüber und sagte: »Come with me. He is waiting for you.« Er lotste sie hinter die Tür.

»Mirembrema. Si jeni?«, sagte sie lächelnd auf Albanisch, als sie endlich Tariq erblickte. Der strahlte. »Mir, shum mir, gut, sehr gut. Du hast dein Albanisch nicht vergessen. Schön, dich zu sehen, Lin.« Er zog sie an sich und küsste sie auf beide Wangen. Wie vertraut sein Geruch ihr war, wunderte sich Lin insgeheim, diese Mischung aus Körper und Deo oder Parfum, vermutlich aus französischer Produktion. Tariq war auch schon einmal in Deutschland gewesen, als Asylbewerber und Hütchenspieler. Ein paar Monate lang, dann hatte man ihn geschnappt und bald abgeschoben. Seither sprach Tariq Deutsch, und zwar sogar ganz gut. Albaner lernen sehr schnell Fremdsprachen. Es gibt, dachte Lin, wohl kaum ein Volk, dessen Angehörige so sprachbegabt sind wie das der Skipetaren.

Tariq war das, was man eine Kämpfernatur nennt. Selbstbewusste Haltung, elastische Bewegungen, die stolzen Gesichtszüge eher verschlossen. Seine Gestik war exakt bemessen, Tariq besaß so etwas wie natürliche Anmut. Lin bewunderte ihn insgeheim dafür. Glatt nach hinten gekämmtes, dunkles Haar, das bis in den Nacken fiel und das Blassolive seiner Haut noch deutlicher herausstrich. Das lichtblaue, modisch taillierte Hemd mit dem geknöpften Button-down-Kragen, das er zu den Jeans trug, ließ ihn in dem abgerissen anmutenden Hinterzimmerbüro beinahe wie einen Fremdkörper wirken.

Tariq war ein Stratege. Ein Schöngeist innerhalb der kosovo-albanischen Halb- und Unterwelt aus groben Typen, die einem allein schon mit ihrer Körperkraft Angst machen konnten. Lin hatte den ehemaligen UCK-Kommandanten Tariq in Kriegszeiten schon ganz verdreckt in Uniform gesehen. Aber es gibt Menschen, dachte Lin, die auch völlig verschlammt noch beinahe aristokratisch aussehen. Unterhalb seines rechten Unterlids, ein wenig verdeckt von den dunklen Wimpern, verlief die feine Linie einer Narbe. Ein tödlich scharfes Butterflymesser hatte ihn geritzt, war aber nicht in seinen Körper eingedrungen. Dass es abgeprallt war, hatte er Lins Reaktionsschnelligkeit zu verdanken. Sie war damals in Bajram Curri zufällig in den Konflikt hineingeraten, als mehrere Männer miteinander rangen. Lin war durch einen gezielten Sprung zu Tariqs Schutzengel geworden. Das Messer hatte ihn töten sollen. Aber es hatte sich in den Metallkern von Lins Stiefelabsatz gerammt.

Zu dem Zeitpunkt war Tariq in Großbritannien schon ein Brownshell geworden, so hieß seine Frau. Mit ihr, einer sommersprossigen, rothaarigen Schönheit, hatte er zwei Söhne. Die Heirat hatte aus dem Touristen Tariq einen britischen Staatsbürger gemacht. Er baute ein leidlich erfolgreiches Unternehmen auf, Im- und Exporte, bevor er Mitte der Neunzigerjahre dem Werben der Befreiungsarmee in die kosovarische Heimat folgte. Frau und Kinder blieben in England.

Er verhielt sich stets absolut loyal seinem Land gegenüber, er nannte es auf Albanisch *Kosova*, daran änderte auch seine britische Staatsbürgerschaft nichts. Doch er war zugleich intelligent genug, Zusammenhänge zu durchschauen, Tariq liebte Diskussionen. Eine seltene Pflanze, robust, aber wiederum nicht so robust, wie man denken würde. Wem gegenüber er wirklich loyal war, hatte auch Lin nicht herausfinden können. In Pristina lebte er von »Geschäften«, die irgendwann immer das Hinterzimmer der *WonderBar* kreuzten. Immer wieder hatte Tariq überlegt, ob er seine Familie nach Pristina holen sollte, aber jedes Mal hatte er sich dagegen entschieden. Für eine eher britische Familie war Pristina einfach kein sicherer Ort.

Sein Büro beherbergte nur wenige Möbelstücke, darunter einen flachen Tisch, der mit Papieren fast völlig bedeckt war. Ausgaben der kosovarischen Tageszeitung *Koha Ditore,* Lin nannte sie »Die Gerüchtezeitung«, weil sie größtenteils aus Neuigkeiten vom Hörensagen bestand und nicht aus belegbaren Informationen. Im Grunde war die balkanische Art von Journalismus ein tägliches Luntelegen – und zwar bei Serben wie Albanern. Aber woher sollte eine Ethik auch kommen? Lin bezweifelte manchmal, dass eine eigene kosovarische Kultur jenseits der früheren jugoslawischen überhaupt existierte. Es gab eher einen Mix. Der Glaube, sicher. Die meisten Albaner waren Muslime, die Serben orthodoxe Christen, aber konnte das stärker prägen als vier Jahrzehnte weltlicher Sozialismus auf allen Kanälen?

Vor ihr auf dem Tisch überragte ein kleiner Wimpel an einem Messingständer den Wust von Papieren, die Flagge mit dem züngelnden schwarzen Doppeladler und der Aufschrift Kosova auf leuchtend rotem Grund. Den rechteckigen Tisch rahmten Polstersessel aus braunem Plüsch. Es war Tariq, der die Unterhaltung eröffnete, nachdem er nach draußen ein Zeichen gegeben hatte, Kaffee zu bringen.

»Ich freue mich immer, wenn du uns besuchst. Du weißt doch, uns Albanern geht die Gastfreundschaft über alles.« Und wie sie das wusste. In den Bergen der Nachbarrepublik Albanien, aber vereinzelt auch im Kosovo, galt noch der Kanoun, ein schriftlicher Kodex, den viele Albaner als ihr eigentliches Gesetz ansahen. Lin hatte dieser von der modernen Welt fast völlig unberührte Landstrich schon immer sehr fasziniert. In manchen Dörfern konnte man in das 19. Jahrhundert hineinsehen. Das Land der Skipetaren, das klang schon verheißungsvoll, ganz anders als Albanien. In den Gegenden des Kanoun standen dessen mitunter grausame Verhaltensvorschriften über jedem weltlichen Gesetz. Zu ihnen gehörte auch die Blutrache. Sie konnte Familien über viele Jahrzehnte ausweglos aneinanderketten. Nach dem Kanoun musste ein Mord durch einen Gegenmord an einem Mitglied der Mörderfamilie gesühnt werden. Frauenfreundlich war der Kanoun nicht, im Gegenteil. Frauen galten bei der Blutrache nicht als vollwertige Wesen. Mit ihrem Opfer konnte kein Mann gerächt werden. Wo der Kanoun galt, mussten die Menschen besonders vorsichtig und kontrolliert leben. »Ein albanisches Haus gehört Gott und dem Gast«, lautete ein Satz aus dem Regelwerk. Solange ein Gast im Haus war, durfte auch keine Blutrache vollzogen werden.

Lin verstand Tariqs Anspielung. In Bajram Curri, dem albanischen Ort, an dem er fast umgekommen war, wirkte dieser Kanoun noch besonders stark. Auf eine Weise gehörten diese Vorschriften für Lin zu den Geheimnissen der Skipetaren. Sie glaubten an die Vorstellung, man könnte die unzähligen Schattierungen menschlichen Verhaltens mit einem einzigen Verhaltenskodex abdecken. Aber tatsächlich war der Kanoun hart und erbarmungslos zugleich, aus ihm gab es kein Entkommen. Lin erinnerte sich an einen Roman des albanischen Schriftstellers Ismail Kadare, in dem es vor allem um Blutrache ging: *Der zerrissene April.*

Tariq wusste, dass Lin die kleine Anspielung verstanden hatte. Sie lächelte, ihr gefielen diese Art von abtastenden Eröffnungen.

»Mir geht's gut, danke der Nachfrage. Du siehst auch gut aus, laufen die Geschäfte?«

»Ach, sie könnten besser laufen. Der Laden ist jeden Abend voll, aber irgendwie kommt dieser Kosovo nicht vom Fleck. Was führt dich hierher? Interessierst du dich für den Deutschen, der tot bei Kukës gefunden worden ist?«

»Nein«, antwortete Lin, »obwohl ich gerne wüsste, warum man ein Bein und seinen Schwanz in Ferizaj gelassen hat, bevor man ihn nach Kukës gefahren hat. War der Van nicht groß genug für die ganze Leiche?«

»Doch, ich denke schon. Aber vielleicht wollte man seiner Familie ein Zeichen zurücklassen, es hieß, er sei ein Geschäftsmann, aber er soll ein Falschspieler gewesen sein. Wenn du dich für ihn nicht interessierst, wem bist du dann auf der Spur?« Tariqs Blick ruhte forschend auf ihr. Edle Pferde können noch so sanft schauen, dachte Lin, während sie versuchte, den Moment von Rührung in sich wegzuwischen. Es gelang ihr nicht ganz. Einen langen Augenblick standen sie einander gegenüber, sahen sich nur an. Unter diesem Blick könnte ich zerfließen, dachte Lin. Tariq rührte sich nicht vom Fleck. Er sah sie einfach weiter an. Wenn ich für immer so stehen bleiben könnte, dachte Lin. Tariq schien ähnlich zu empfinden, aber auch er wusste, wie schwierig die Dinge waren.

Seit sie sich zum ersten Mal begegnet waren, wirkte zwischen ihnen diese unendlich süße Anziehungskraft. Tariq war damals schon verheiratet gewesen, und sie lebte bereits mit Nico zusammen. Wenn es nicht so verdammt schön wäre, dieses Gefühl, dachte sie. Lin spürte, dass sie aussteigen musste. Sie räusperte sich.

»Izmet Varga, hast du den Namen schon mal gehört?«, fragte sie in möglichst neutralem Ton. Tariq brauchte einen Moment, um das Gesicht zu einem Grinsen zu verziehen, dann war der Bann gebrochen.

»Gibt es hier irgendeinen Namen, von dem ich noch nichts gehört hätte? Izmet Varga, ja. Ich weiß, wo er ist. Was willst du von ihm?«

»Feststellen, ob es ihm gut geht. Und nachfragen, was er mit dem Geld gemacht hat, das er hierherbringen sollte.« Die Tür zum Lokal wurde aufgestoßen, der Barmann brachte zwei türkische Mokka auf einem kleinen Messingtablett, stellte es auf dem Tisch ab und ging wieder hinaus.

»Du betrittst vermintes Gelände, weißt du das?«, fragte Tariq. Lin nickte ernst, die Augenbrauen hochgezogen. Tariq fuhr fort: »Izmet Varga vertickt nicht nur Waffen im großen Stil. Izmet Varga hat auch die Unterhaltszahlungen unter Kontrolle, die von den eigenen Leuten im Ausland kommen. Wenn du einfach so zu ihm gehst, bist du tot, ehe du's begriffen hast. Im Ernst, er ist brandgefährlich. Was willst du von ihm?«

Lin deutete ein Lächeln an. »Ich will ihn nur treffen. Das ist alles. Kannst du das für mich arrangieren? Oder mir sagen, wo ich ihn finde? Ich wäre dir unendlich dankbar, Tariq.«

»Bist du bewaffnet?«

»Noch nicht, aber das kann ja noch werden.« Lin grinste breit.

»Das ist meine Lin! Ich rufe dich an, sobald ich mehr weiß, halte dich bereit. Willst du jemanden mitnehmen, oder bist du allein unterwegs?«

»Das wird darauf ankommen«, antwortete Lin, »um was für eine Art Treffen es sich handelt.«

Lin ließ Tariq ihre Koordinaten auf einem Stück Papier, er tippte die Nummern sofort in seinen Blackberry ein. Lin blieb noch eine halbe Stunde, sie plauderten über Joya, Tariqs Frau, die Kinder und über Nico. »Du lebst immer noch mit ihm zusammen?«, fragte Tariq knapp. Lin nickte nur. Sein Blick von vorhin wirkte noch etwas nach in ihr. Am liebsten hätte sie dieses Gefühl tief in sich behütet. Falsches timing, dachte Lin und seufzte unhörbar. »Natën e mirë, gute Nacht«, wünschte sie ihm zum Abschied und ließ ihre Stimme sehr weich klingen.

9

Lin nahm den Fußweg durch die kleinen Gassen hinauf zum Hotel. Wer sich hier nicht auskannte, konnte sich leicht an einem der Mauervorsprünge blutig schrammen. Aber sie war, wie immer, wenn sie unübersichtliche Ecken durchstreifte, hoch konzentriert. Es war, als besäße sie eine Vielzahl verschiedener, unsichtbarer Antennen, die sie gleichzeitig ausfahren konnte. Lin verfügte über ein ausgesprochen feines Gehör. Das Huschen einer Gestalt hinter ihr entging ihr deshalb auch nicht. Ebenso wenig das Glasklirren, das aus einem Hauseingang vor ihr zu kommen schien. Der Huscher war kein Zufall, da war Lin sich sicher. Er kam nicht näher, verringerte den Abstand zwischen ihnen beiden nicht. Ein wirklich sehr talentierter Schattenmann, dachte Lin. Sie überlegte einen Moment, sich plötzlich umzudrehen und ihm entgegenzugehen. Laut schreiend zum Beispiel. Aber dann musste sie auch in Kauf nehmen, was auch immer als weitere Stufe der Eskalation geschah. Vielleicht sollte dies auch nur ein wortloser Hinweis sein, ein Fingerzeig.

Lins Hang, jede Situation so schnell wie möglich unter Kontrolle zu bringen, bewahrte sie auch diesmal davor, Angst zu bekommen. Sie atmete tief, versuchte sich zu entspannen. Meistens gelang ihr das, so auch dieses Mal. Während sie ohne Hast weiterging, überlegte sie, wer diesen Schattenmann hinter ihr hergeschickt haben könnte. Wollte Tariq, dass sie sich Hilfe suchend in seine Arme flüchtete? So dumm würde Tariq nicht sein, dachte Lin, er wusste, dass sie kampfsporterfahren war. Könnte es vielleicht jemand gewesen sein, der sie aus der Bar hatte kommen sehen, ein zufälliger Verfolger? Unwahrscheinlich, dachte sie. Wer zufällig verfolgt, will irgendetwas bekommen, nicht nur warnen. Fest stand aber, dass dieser Typ ihr nichts tun wollte, er wollte sie nur warnen. Aber warnen wovor?, fragte sich Lin. Auf dem Weg hinauf zum Hotel begegnete ihr kein Mensch.

Je näher Lin dem Hotel kam, desto deutlicher schien der Huscher zurückzubleiben. Es waren nur noch knapp hundert Meter bis zum Hotel. An der Rezeption saß um die Zeit niemand mehr.

Vor ihrer Tür lehnte Florim an der Wand, die Augen geschlossen, als schliefe er im Stehen. Er sagte kein Wort, als sie vor ihm stand, sondern öffnete mit der Rechten ihre Zimmertür. Das war mehr als nur ein Huschen, und auch mehr als nur ein Fingerzeig.

Der Kerosingeruch stammte von der Flüssigkeit, die über alles im Zimmer gegossen worden war. Ein einziges Streichholz konnte das Zimmer in eine lodernde Brandbombe verwandeln. »Jetzt weißt du, warum es gesünder ist, Nichtraucher zu sein«, bemerkte Lin trocken. Sie öffnete den Schrank und fand die aufgehängten Kleidungsstücke unbeschädigt. Ihr Bett, der Teppich, der Schreibtisch und auch der Fernseher müssten ausgetauscht werden. »Bei mir sieht es genauso aus«, sagte Florim leise. »Ich habe schon alle anderen Türklinken runtergedrückt, ein Zimmer ist noch frei, wir könnten es uns teilen. Was meinst du?« Lin nickte. »Genau das machen wir. Von den Leuten, die dieses Hotel hier führen, lässt sich vor morgen früh sowieso keiner mehr blicken. »UNMIK-Polizei?« Lin verzog das Gesicht. »Bestimmt nicht! Jedenfalls nicht jetzt.«

Sie gossen eimerweise Wasser auf die Kerosinlachen in ihren Zimmern, ehe sie sich in dem neuen Zimmer unter ihren Mänteln zum Schlafen verkrochen. Angst machen, erschrecken, das konnten sie, so wie sie früher Häuser angezündet hatten. Anonym, klammheimlich, feige. Irgendjemand will uns von hier vertreiben, dachte Lin, kurz bevor sie einschlief. Im Vertreiben waren nicht nur die Serben Meister gewesen, die Albaner im Kosovo hatten ihnen in nichts nachgestanden. Lin sah die johlenden Massen entlang der Straßen noch vor sich, als die Serben auf Pferdewagen ihre Heimat verließen. Alte und Frauen. Lin tippte noch eine kurze SMS an Nico in ihr Handy. »Alles okay. Du fehlst mir so. L.« Als sie die winzige Taste für »Senden« drückte, war ihr, als sei sie mehr als nur ein paar Flugstunden von Nico getrennt. Einen Augenblick lang fühlte sie sich wie nicht geerdet, verloren. Ich muss morgen unbedingt Nicos Stimme hören, dachte Lin, ich werde ihm alles erzählen. Darüber schlief sie ein und hörte nicht mehr, wie Florim auf der anderen Betthälfte sein nicht angemeldetes Schnarchkonzert orchestrierte. Florim bekam auch nicht mit, wie Lin im Schlaf mehrmals den Namen Nico murmelte. Ihr Traum handelte allerdings von Tariq.

Lin ahnte auch nichts von dem, was in dieser Nacht in Tariqs Büro hinter der *WonderBar* vor sich ging. Nach einem erregten Telefonat hatte Tariq in sein Handy gebrüllt: »Du musst mit ihnen reden, oder mit ihr. Das weißt du genau. Ich will meine Ware, aber ich will keine Toten, verstehen wir uns?« Und nach einer Pause, während der er stumm gelauscht hatte, hatte er mit fast donnernder Stimme hinzugefügt: »Du kennst sie nicht. Was die sich in den Kopf gesetzt hat, das zieht sie auch durch. Wie ein Panzer. Niemand könnte sie jetzt dazu bringen, ihre Recherchen einzustellen. Das ist euer Problem, weißt du.« Danach hatte er sein kleines Telefon so hart vor sich auf den Polstersessel geknallt, dass es wieder herausfederte und auf dem harten Boden aufschlug. »Lin, du ahnst nicht, wie sehr du mit deinem Leben spielst«, hatte Tariq vor sich hin gemurmelt. Es gab nur einen Weg, Lin zu helfen. Er musste sie zu Izmet Varga begleiten. Um sie vor sich selbst zu schützen und vor Vargas Schlägern.

Am nächsten Morgen stand Lin leise auf, um Florim nicht zu wecken. Sie verzichtete auf das Frühstück im Hotel und machte sich gleich auf den Weg in den unteren Teil der Stadt.

Sie überquerte die Mutter-Teresa-Straße und den Platz neben dem Grand Hotel und wandte sich auf der nächsten vierspurigen Straße nach rechts, zum Hauptquartier der UN-Police. Dem Posten am Eingang reichte sie ihren UN-Press-Pass, der gerade noch gültig war, und verlangte, Tom Weicker zu sehen, den Ermittlungschef für Organisierte Kriminalität und Menschenhandel. Lin hatte ihn während ihrer journalistischen Zeit im Kosovo kennen- und schätzen gelernt. Weicker, ein geborener Berliner, sah aus wie ein Wiesel, und er kannte alle Schliche. Der Posten meldete ihren Namen ins Telefon und winkte sie dann durch.

Tom Weicker erwartete sie bereits am Treppenabsatz im zweiten Obergeschoss.

Er war einen Kopf größer als Lin und hager, die welligen Haare hatte er mit Gel am Kopf platt gedrückt. »Na, was führt uns denn mal wieder in diese wunderbare Stadt?«, tönte es ihr mit einer Stimmfülle entgegen, die für zwei Stockwerke gereicht hätte. Als er Lin mit genervtem Gesichtsausdruck zu sich emporsteigen sah, wurde er ernst. »Komm mit in mein Büro.«

Lin kam gleich zur Sache. »Izmet Varga, sagt dir der Name was?«

Weicker blieb still, aber er zog die Augenbrauen hoch.

»Der BND sucht ihn, ich suche ihn, dann gibt der BND eine Leiche als Varga aus. Was wird hier eigentlich für ein Stück gegeben?« Lin ließ Weicker nicht aus den Augen. »Irgendwer spielt hier mit gezinkten Karten«, sagte sie, »jedenfalls verstehe ich nicht, wieso mich der BND partout wieder abziehen will.«

Weicker lächelte sie an. »Lin, du übertreibst ein wenig, wie immer. Niemand heckt hier irgendetwas gegen dich aus. Warum glaubst du immer gleich an eine konzertierte Aktion und hast aber selbst kaum Hinweise darauf. Cool down, wir sind im Kosovo. Schon vergessen?«

Lin sah ihn säuerlich an. Dann sagte sie und betonte dabei jedes einzelne Wort: »Was ist los hier?«

Tom Weicker antwortete ihr auf die gleiche Weise. »Hier wird kein Stück gegeben«, betonte er Wort für Wort. »Aber jetzt sei nicht gleich sauer. Du bist für den BND unterwegs, seh ick det richtig? So ganz offiziell? Denn dann können wir ja als Kollegen agieren, das würde vieles vereinfachen.«

Lin rollte mit den Augen. »Machst du jetzt Unterschiede, als was ich dich um Hilfe bitte?«

Weicker wedelte abwehrend mit den Händen. »Okay, okay«, erwiderte er lächelnd, »also sag mir, was ich für dich tun kann.« Beide kannten sich lange, und sie hatten schon häufiger im Graubereich zwischen Legalität und Illegalität kooperiert. Kriminalkommissar Weicker wusste, dass er sich auf Lin Baumanns Loyalität beinahe blind verlassen konnte. In aller Regel sprang bei Lins Recherchen immer auch etwas für ihn heraus, ein lange Gesuchter, der festgenommen werden konnte, oder ein begründeter Verdacht. »Also, was hast du auf dem Herzen, Lin?«, sagte er ernst. »Kaffee?« Lin schüttelte ablehnend den Kopf.

Dann begann sie: »Sag mir alles, was du über Izmet Varga und sein Unternehmen und die Geldflüsse aus Deutschland sagen kannst.«

»Gut, Lin! Aber es muss klar sein, dass dies hier polizeiliche Erkenntnisse sind, die du außer für deine Recherchen nicht verwenden darfst. Sind wir uns da einig?« Er sah sie prüfend an.

Lin nickte. »Haben wir uns jemals missverstanden oder enttäuscht?«, fragte sie zurück. »Also zum Mitschreiben: Ich weiß, dass ich diskret und sorgfältig mit deinen Erkenntnissen umzugehen habe.«

»Gut. Dann lehn dich zurück. Ich werde dir jetzt einen Vortrag von etwa einer halben Stunde halten.« Weicker erhob sich von seinem Stuhl und wanderte vor Lin auf und ab. »Izmet Varga spricht zwar perfekt Deutsch, seine eigentlichen Wurzeln liegen aber hier im Kosovo. Er hatte sich mithilfe seines familiären Clans, einer Familie mit Ablegern hauptsächlich in Ferizaj und Gjakova, nach oben gearbeitet.

Er war erst so eine Art Leibwächter für Mehdin Taruzzi, den bekannten Nachtclubbesitzer und UCK-Kommandanten. Dann wurden ihm selbstständige Geschäfte übertragen: einen Waffenhandel zu organisieren, zwischen Durres in Albanien und Budapest. Oder dort ein paar Kilogramm Rauschgift die Durchreise von Montenegro nach Skopje zu erleichtern. Er war so eine Art aufstrebender Pate von morgen, kannst du folgen?«

Lin nickte. »Es überrascht mich nicht, was du vorträgst. Ehrlich gesagt hatte ich auch selbst schon meine Zweifel daran, dass es hier nur und ausschließlich um einen verschwundenen BND-Mitarbeiter gehen sollte. Das wäre sehr viel Aufwand gewesen«, sagte Lin. »Mit dem BND ist es doch immer das Gleiche. Entweder sie mauern mit dem, was sie wissen, oder sie versuchen, andere für sich zu funktionalisieren.«

Weicker sah sie fragend an. »Ich war noch nicht fertig.«

Lin seufzte: »Okay, mach weiter, Tom.«

»Es kam die große Zeit der UCK, und es folgte der Nato-Einsatz über Serbien. Plötzlich fand es die ganze Welt eine tolle Sache, dass eine selbst ernannte, nationalistische Armee die Streitkräfte derjenigen angriff, denen das Land de jure gehörte – den Serben. Das ist ungefähr so, als würde die Welt auf einmal der kurdischen PKK als Friedensbotin zujubeln. Später ließ man die Albaner für den Kosovo sogar den Euro als halboffizielle Währung einführen und erleichterte damit zugleich die Großkriminalität. Die Summen konnten jetzt einfach so zwischen dem Balkan und Deutschland hin- und hergleiten. Dabei hatte der Kosovo mehr mit Gaza oder Pakistan gemein als mit Europa, das kann ich dir aus Erfahrung sagen.«

»Izmet Varga stieg also auf zum Geldbeschaffer der UCK mit exzellenten Kontakten ins Schmugglermilieu?«, fragte Lin. Sie ahnte, worauf die Sache hinauslief.

Tom nickte. »Gut kombiniert, Lin. Varga schaffte es, sämtliche Unterstützungszahlungen von Albanern in Deutschland und der Schweiz in die Finger zu bekommen, indem er seine eigenen Geldboten einschleuste. So gelang es ihm auch, die ihm anvertrauten Gelder bis auf minimale Reste an die Helfer der UCK für Drogengeschäfte umzuleiten. Die Profite daraus flossen dann in Form von Waffen in den Krieg. Wir reden hier von Größenordnungen von zehn Millionen Euro im Monat. Varga war plötzlich der Warlord. Wer sich ihm ernsthaft in den Weg stellte, lebte nicht mehr lange. Das wagten nicht viele.«

Eine junge Beamtin in Uniform streckte den Kopf herein und fragte, ob sie Kaffee wünschten. Beide schüttelten den Kopf. »Nein danke.«

»Wie muss man sich das mit den Waffen konkret vorstellen?«, fragte Lin.

»Nun, Raketenwerfer, automatische Gewehre, Granaten, Flugabwehrraketen, Antipanzer- und Antipersonenminen … Reicht dir das?«

»Also vor allem Kriegswaffen, wenn ich das richtig sehe«, resümierte Lin, »aber davon die volle Dröhnung. Das Zeug braucht ja kein Privatmann für seine Begleitschützer, sondern das sieht nach der Vorbereitung für militärische Aktionen aus. Da fallen mir nur die Befreiungsarmee des Kosovo, UCK, ein, oder deren Nachfolgeorganisationen. Jetzt verstehe ich auch den BND …«, sagte Lin mehr wie zu sich selbst. »Die wissen mehr über den politischen Input dieser Waffenlieferungen für den Fall, dass die Vereinten Nationen für den Kosovo nur eine überwachte Unabhängigkeit und nicht die volle Unabhängigkeit beschließen. Dann droht Gefahr eben auch für unsere Bundeswehr. Wir könnten dann im Handumdrehen in Kriegshandlungen geraten, wie in Afghanistan …«

»Erfasst!«, sagte Tom Weicker nur. »Und wenn du dich von dieser Neuigkeit erholt hast, dann hätte ich da noch eine weitere Überraschung.«

Lin sah ihn erstaunt an.

»Ich führe dich in unsere Arrestzellen im Keller, und dort

kannst du ihn dir abholen …« Er öffnete bereits die Tür zum Flur. »Komm mit. Bei uns unten sitzt dein Izmet Varga in Verwahrung. Du brauchst nur mitzukommen.« Weicker hätte kein weiteres Wort sagen müssen, um fast reflexhaft in Lin ein Gefühl von absolutem Misstrauen auszulösen. Warum hält er mir erst einen langen Vortrag, fragte sich Lin, um mich dann auch noch in die Arrestzelle mitzunehmen? Bei aller Kooperation, aber das hatte es bei Tom Weicker noch nie gegeben. Sein Vortrag sah plötzlich nach einer Inszenierung aus. Aber wohin soll das bei mir führen?, fragte sich Lin etwas ratlos. Steckte Tom hinter dem Schattenmann von gestern Abend? Es wirkte fast wie eine Lektion, die mir erteilt werden sollte, nur was für eine? Eben war Varga noch tot, und jetzt sollte er hier in einer Zelle sitzen? Hier stank doch was zum Himmel!

Tom Weicker ging ein paar Schritte voraus. Allzu oft in ihrer rund zehnjährigen beruflichen Freundschaft war es ihm nicht gelungen, Lin Baumann zu verblüffen. Kein Zweifel, diesmal schon. Mit ungläubiger Miene folgte Lin dem Polizeispezialisten, während sie die Farbkopie aus ihrer Tasche nestelte und im Gehen versuchte, sich das darauf abgebildete Gesicht noch einmal genau einzuprägen.

Zu Fuß stiegen sie hinab zum Trakt der Arrestzellen, der schon zu Zeiten der serbischen Verwaltungshoheit als Verwahrkeller gedient hatte. Kalte, feuchte Luft schlug ihnen entgegen, als Weicker die schwere Tür aufzog. Dahinter nahm ein amerikanischer Polizeiposten der UN Haltung an: »Sir!« Weicker antworte mit einem freundlichen »Good morning« und der Bitte, ihm die Zelle Nummer 11 aufzuschließen. Lin ging hinter den beiden Männern den Flur entlang, auf dessen Fußboden aus Stein exakte weiße Linien verliefen. Amerikanisches System, dachte Lin, die Gefangenen durften nur auf diesen Linien durch die Flure gehen. Sie hatte diese Linien schon einmal im Kosovo in einem Gefängnis gesehen, konnte sich aber nicht mehr erinnern, wo. Die meisten der Zellen schienen leer zu stehen. Während der Posten mit seinem klirrenden Schlüsselbund die Nr. 11 aufschloss, versuchte sich Lin ganz auf das Gesicht zu konzentrieren, das gleich hinter der Zellentür auftauchen würde. Im Inneren der Zelle erhob sich eine träge Gestalt, ein Mann, fast zwei Meter groß, mit dem sehnigen Körperbau eines Fußballspielers. Lin Baumann drängte sich an Weicker und dem Posten vorbei. »Guten Tag, ich bin Lin Baumann. Es freut mich, Sie endlich zu treffen, Herr Varga.«

Lin reichte dem Häftling die Hand, der sah darüber hinweg. Der Mann hatte ein kantiges Gesicht mit eher fülligen Lippen und derben, bäurischen Zügen. Er sagte nichts, sah die Besucher nur lauernd an. Für einen langen Augenblick herrschte völlige Stille in dem Raum. Lin und Tom warteten darauf, dass der Mann das Wort ergriff. »Also ...«, begann Tom Weicker erneut. Der Häftling schien nicht zu verstehen. Irritiert sah er erst zu Lin, dann zu Tom Weicker hin. »What you want?«, stieß er schließlich heiser in schlechtem Englisch hervor, »What? What?« Wie er die Worte aussprach, schwang darin ein leicht singender, italienischer Akzent mit. »Lei è italiano?«, fragte Lin schließlich direkt. Das Nötigste konnte sie auf Italienisch ausdrücken, Nico zu Hause in Berlin beherrschte die Sprache fließend. »Lei è italiano?« Der Mann wirkte augenblicklich wie erleichtert: »Si, signorina, si. Non sono albanese, sono di Bari, sono italiano. Questa è una confusione maledetta, maledetta. Porca miseria ...« Hier stimmt etwas nicht, dachte Lin Baumann. Izmet Varga ist doch in Deutschland zur Schule gegangen. Er müsste jedes Wort von uns verstehen. Was Lin dann sagte, klang wie ein Zischen: »Das ist definitiv nicht unser Izmet Varga!« Wie konnte Tom nur ein so gravierender Fehler passieren. Oder wollte er sie zum Narren halten?

»Signorina«, begann der Häftling erneut, »ho capito bene. Izmet Varga«, er ließ dabei das R in Varga rollen wie eine Perlenkette, »no lo conosco io.« Der Mann hob und senkte die Schultern. Unschuldig, was auch sonst. Alle im Raum kannten diese Pose, beinahe jeder Häftling in jedem Gefängnis der Welt bestand darauf, zu Unrecht eingeschlossen zu sein. Tom Weicker war anzusehen, dass er nach einer Erklärung suchte für das, was gerade geschehen war. Sein Gesicht wirkte äußerst konzentriert. »Das kann eigentlich nicht sein«, sagte er leise zu Lin hin. Seine Augen waren zu schmalen Schlitzen zusammengezogen. »Lin«, sagte er gepresst, »können wir das oben in meinem Büro klären?«

Lin nickte. »Signore, il vostro nome è …?«

»Fabio Delgano«, der Mann presste die Worte regelrecht heraus, als handele es sich um ein Verhör. Wieder sagte er: »Io sono di Bari.«

Lin ließ sich das Geburtsdatum sagen, es war der 03.05.1960, notierte es auf einem Zettel aus ihrer Tasche. Weicker gab dem Posten ein Zeichen, die Zelle wieder abzuschließen. In seinem Büro zwei Stockwerke höher reichte sie Tom den Zettel mit den Angaben hin. Weicker loggte sich ins Datennetz der europäischen Polizei ein, um Fabio Delgano anhand seines Geburtsdatums zu überprüfen. Bis zur Antwort dauerte es nicht lange. »Fabio Delgano, geboren 03.05.1960 in Bari, vorbestraft wegen Handels mit illegalen Waffen, Verstoß gegen das Kriegswaffenkontrollgesetz. Aliasnamen: Pablo Esposito, Guido Falcone, Izmet Varga.«

»Dein Izmet Varga scheint cleverer zu sein, als ich dachte«, sagte Tom Weicker, während seine Finger weiter über die Tastatur seines Rechners glitten. »Er bringt andere dazu, dass sie auch unter seinem Namen auftreten oder sich festnehmen lassen. Für die jeweilige Zeit hat er dann ein Alibi.« Er sah Lin direkt an. Aber irgendetwas an diesem Blick ließ Lin spüren, dass Tom entweder nicht ehrlich war oder dass er sich schämte. Konnte man einen Bullen wie ihn wirklich so an der Nase herumführen? Schwer vorstellbar, dachte Lin. Doch es war ihr, als hätte jemand plötzlich einen trennenden Schleier zwischen sie beide gehalten. Es ist nicht mehr wie früher, dachte Lin. Aber vielleicht täusche ich mich auch nur. Tom war über Jahre ein wirklicher Freund gewesen. So etwas kann nicht über Nacht einfach verschwinden.

Weicker mühte sich weiter um Aufklärung: »Wir hatten vor Jahren in Frankfurt am Main mal so einen Fall, es war schwer, ihm seine Verbrechen wirklich nachzuweisen. Das ist wie bei dem Hasen und dem Igel.«

»Der Izmet Varga, nach dem ich suchen soll, ist dieser Mann hier jedenfalls nicht.« Lin suchte in ihrer Tasche nach der Farbkopie aus den Unterlagen des BND und hielt sie Weicker hin: »Der auf dem Foto sieht jedenfalls ganz und gar anders aus als euer Häftling. Das heißt also, dass wir einen Italienisch-Übersetzer besorgen und ihr ihn ordentlich befragt. Denn irgendwann muss er mit jemandem Kontakt gehabt haben, der ihm zumindest gesteckt hat, als Izmet Varga aufzutreten und sich festnehmen zu lassen. Vielleicht ist der Typ gar nicht so einfach gestrickt, wie er sich eben gegeben hat.« Weicker nickte zustimmend. Lins freundschaftliche Offenheit schien wie weggeblasen. Du verschweigst mir doch etwas, dachte sie.

Sie versuchte es noch einmal: »Tom, mal ehrlich. Wie kann es sein, dass man dir einen falschen Verdächtigen unterschiebt?« Lin spürte, wie Wut in ihr hochstieg. »Ausgerechnet dir? Du hättest doch nur das Fahndungsfoto ansehen müssen. Ehrlich gesagt sind mir das insgesamt ein paar Zufälle zu viel. Was ist los?«

Weicker hatte sein Gesicht abgewandt, während sie sprach. Jetzt drehte er sich zu ihr um, ganz ernst: »Du und deine Verschwörungstheorien! Nichts ist los, gar nichts. Ich wollte dich mit etwas überraschen, und das ging nach hinten los. Mehr ist nicht, Lin. Auch ein Genie kann mal irren, oder?« Es klingt falsch, wie er das sagt, dachte Lin enttäuscht. Was ist nur mit ihm los? Will er mir damit etwas beweisen?

»Okay, vielleicht übertreibe ich ja«, versuchte sie einzulenken. Zugleich dachte sie: Tom ist nicht mehr mein Bündnispartner, so wie er es bisher gewesen war, und vielleicht auch nicht mehr mein Freund. Der Gedanke tat weh. Wer konnte so viel Macht haben, diesen ausgefuchsten Kriminalkommissar dazu zu bewegen, für mich eine solche Show abzuziehen? Lin schwor sich, diesen Fall vollständig aufzuklären. Sie beschloss auch, Tom nicht zu zeigen, wie sehr sie ihm ab jetzt misstraute.

»Wir müssen uns nur etwas beeilen, ewig können wir den Verdächtigen nicht einfach da unten wegsperren«, hörte sie Tom sagen.

Lin erhob sich. »Ich werde tun, was ich kann. Du hast wie immer etwas bei mir gut. Ich könnte dich dieser Tage zum Essen einladen, ich weiß leider nur noch nicht genau, wann. Wärst du mit einer so vagen Verabredung einverstanden?« Weicker nickte und wedelte sie freundlich mit der Hand hinaus, während er sich schon auf das konzentrierte, was er auf dem Bildschirm vor sich sah.

10

Lin fühlte sich gar nicht gut. Unklare Situationen verunsicherten sie ohnehin, aber dies war mehr als eine bloße Unklarheit. Ein bitteres Gefühl stieg in ihr hoch. Lin versuchte dagegen anzukämpfen. Als sie das Hotel betrat, kam ihr Florim entgegen. »Ah, Madame hat ihren Freund Tom besucht, aber ich habe uns in der Zwischenzeit neue Zimmer besorgt, in einem Haus, das etwas besser bewacht wird«, feixte er.

»Lass mich raten«, entgegnete Lin, »im Elyra am Hügel oben, wo früher die UCK ihre Leute hatte.«

»Ganz genau. Das Hotel hat immer noch Videoüberwachung, und kein Brandstifter würde sich da hineintrauen, glaub mir.«

Lin grinste. Sie kannte Florims Faible für dieses Hotel, das wie eine Festung gesichert war. »Unser Gepäck ist schon oben, es ist alles fertig, wir können gleich rauffahren.« Auf dem Weg, den Hügel hinauf ins Elyra, erzählte Lin Florim von ihrem Treffen mit Tom Weicker und dem falschen Izmet Varga. »Operettenreif, sage ich dir!«, rief Lin.

Florim war anderer Ansicht. »Ich will dich nicht unnötig beunruhigen, Lin«, antwortete er, »aber diese falschen Identitäten werden hier oft einfach verkauft, für viel Geld. Der Betreffende weiß gar nichts über den echten Namensträger. Durchaus möglich, dass euer Italiener Varga noch niemals im Leben gesehen hat, obwohl er als Varga durch die Welt ging.«

Lin konterte, ohne zu zögern: »Das mag durchaus sein. Aber warum lässt sich ein ausgefuchster Kripomann aus Deutschland so einen Bären aufbinden? Oder anders gefragt: Wer hat Tom womit gedungen, mir diesen Italiener als Varga vorzuführen? Das ist hier die Frage!«

Florim versuchte gar nicht erst, Lin zu widersprechen.

Im Elyra hatte Florim zwei nebeneinanderliegende Zimmer im zweiten Obergeschoss genommen. Lin hatte gerade ihres angesehen, als das Handy in ihrer Handtasche klingelte, ein durchdringendhelles Brrr in der stoischen Eintonlage britischer Büroapparate der Zwanzigerjahre. Es war Tom Weicker: »Lin, sorry, ich fürchte, du musst noch einmal hierher zurückkommen. Unser Kellerjunge ist doch gewiefter, als er getan hat. In einer abgelegten Datei, die ich auf seinen Namen durchforstet habe, habe ich Glück gehabt. Er hat, beinahe genauso wie dein Varga, seine Schulzeit in, na rate mal … verbracht.«

Lin war nicht nach Raten zumute. Aber es gab eigentlich nur eine Möglichkeit: »In Deutschland …«.

»Genau!« Weicker hatte offensichtlich auch seine gute Laune wiedergefunden. »Der Kerl verarscht uns. Er hat genau verstanden, was wir gesagt haben …«

Lin griff bereits nach dem Schlüssel für den Jeep, obwohl sie der Italiener überhaupt nicht interessierte. Tom sollte denken, dass sie ihm glaubte. Vielleicht sollte Florim mitkommen, dachte Lin und pochte an dessen Zimmertür. Je mehr Leute um ihn herumstehen würden, desto besser, es würde nur den Druck erhöhen. Florim musste ihren Gedanken bereits erraten haben, er hatte seine Jacke schon an. Zehn Minuten später fuhren sie mit dem Jeep vor dem Gebäude der UN-Police vor. Weicker hatte an der Pforte Bescheid gegeben, dass er sie erwartete. Lin und Florim hinterließen ihre Personalausweise bei dem Posten. Der wies sie an, in den Keller zu den Arrestzellen zu gehen. Dort werde Tom Weicker sie erwarten. »Denk an das, was ich dir gesagt habe«, zischte Lin Florim zu, während sie in den Keller hinabstiegen, »Operette! Alles Operette.« Florim grinste.

Der Spezialist für organisierte Kriminalität, Weicker, wollte sich den Eröffnungszug in diesem zweiten Versuch mit Delgano nicht nehmen lassen. Delgano wirkte überrascht. Unaufgefordert sprang er von seiner Pritsche auf, als diesmal der Zivilist Weicker die Tür aufschloss und Lin hinter ihm die Zelle betrat, gefolgt von Florim. Als könnte er riechen, dass seit dem letzten Besuch irgendetwas geschehen war. »Ah, la signorina tedesca«, versuchte Delgano seine Eröffnung, Lin Baumann antwortete nicht einmal mit einem Anflug von Lächeln. Stattdessen sprach Tom Weicker.

»Dachten Sie, wir würden es nicht herausfinden, Herr Delgano, ja?«, begann er, mit Hohn in der Stimme. »Ihr Problem ist, dass wir heute Computer und Dateien haben, mit denen wir ganz, ganz schnell feststellen können, wen wir vor uns haben. Also, Herr Delgano, was können Sie uns sagen über Izmet Varga?« Delgano zog unmerklich die Augen zusammen und schwieg.

Lin ergriff das Wort: »Herr Delgano, was, glauben Sie, würde Ihre Familie dazu sagen, wenn sie erfahren würde, dass Sie in Pristina in einen Spitzel der UN-Police umgedreht worden sind? Wenn ich das richtig sehe, dann könnten Sie sich dort nicht mehr blicken lassen, oder?« Delgano schluckte, aber er sprach nicht.

»Lasst uns gehen!«, unterbrach plötzlich Florim in autoritärem Ton die Stille, es klang fast wie ein Befehl. Florim war derjenige der drei Besucher, den Delgano am wenigsten einschätzen konnte. Dass Florim Arifi aus der Region stammte, konnte Delgano mit bloßen Augen sehen, doch nicht, für wen er stand. Und es gab alte Seilschaften der Albaner im Kosovo, die in solchen Fällen nicht lange fackelten. »Lasst uns gehen, wir regeln das später ...« Florims Ankündigung konnte alles bedeuten.

»Herr Delgano«, versuchte es Lin noch einmal, »wir sind doch gar nicht an Ihnen interessiert. Wir wollen nur Izmet Varga treffen, das ist alles. Machen Sie es sich doch nicht unnötig schwer. Denn verstehen können Sie mich ja, nicht wahr, Sie sind doch in Deutschland zur Schule gegangen ...«

Da begann Delgano zu sprechen. »Wer sagt mir denn«, sagte er in fast akzentfreiem Deutsch, »dass Sie nicht falschspielen?«

Lin erwiderte ihm sofort: »Bis jetzt, Herr Delgano, waren

Sie es, der hier falschgespielt hat, damit das klar ist. Wo finden wir den echten Varga? Wenn Sie uns das sagen, dann sind wir mit Ihnen fertig. Dann werden wir uns dafür verwenden, dass Sie zur Verfolgung Ihrer Straftat nach Italien oder nach Deutschland überstellt werden. Also, was ist?«

Delgano ließ sich einige Sekunden Zeit für seine Antwort. »Ich vertraue Ihnen«, sagte er und wies mit dem Kopf in Richtung Lin. »Aber das ist es nicht allein. Ich will selbst raus aus dem Geschäft. Es ermöglicht mir kein eigenes Leben, keine Familie, verstehen Sie?«

Lin nickte ihm zu.

»Sie müssen mir Ihr Wort geben, dass alles so läuft wie eben besprochen. In einem Knast hier im Kosovo wäre ich schnell ein toter Mann. Aber ich sage Ihnen auch: Wenn Sie nicht einhalten, was Sie versprechen, sind Sie tot. Ich habe Freunde. Sie wollen wissen, wo Varga ist, ich sage es Ihnen. Selbst ich bin Izmet Varga nur ein einziges Mal begegnet, in Gjakova, dort lebt ein Onkel von ihm mit seiner Familie. Damals hat er mich gebeten, unter seinem Namen aufzutreten, wenn ich Straftaten begehe, damit die Urheberschaft verschleiert werden kann. Wir haben dieselbe Körpergröße und dasselbe Gewicht, in etwa. Dafür hat er mich bezahlt. Nicht nur mich, übrigens. Es sind mindestens sechs oder sieben Vargas da draußen unterwegs.« Er deutete mit einer Geste an, dass er etwas notieren wollte. Lin gab ihm einen Zettel und einen Kugelschreiber. »Hier«, Delgano reichte ihr das Papier zurück, »so etwa kommt man zu dem Haus des Onkels in Gjakova, das andere ist Izmets Handynummer.« Eine Nummer mit Schweizer Vorwahl.

»Hat doch gut geklappt, unser kleines Rollenspiel«, feixte Tom Weicker auf dem Weg nach oben. Lin nickte, während sie den rechten Mundwinkel zu einem schiefen Lächeln verzog. Tom glaubte offenbar, mit diesem zweiten Akt hätte er ihr Vertrauen wiedergewonnen. Schweigend ließen sich Lin und Florim von Weicker zur Pforte bringen.

»Danke!« Lin umarmte Tom. »Gib auf dich acht.«

»Du auch.«

Florim hatte sich, als sie die Zelle wieder verließen, von Lin den Zettel mit der Skizze ausgeborgt. Florim kannte Gjakova. »Das könnte hinhauen«, meinte er. »Aber wir sollten sehr vorsichtig sein. Es könnte sich auch um eine Falle handeln.« Er reichte ihr den Zettel zurück: »Wir sollten gleich morgen hinfahren.«

»Oder gleich jetzt«, sagte Lin. »Die Sachen können im Elyra bleiben, falls wir dort übernachten. Falls nicht, sind wir in eineinhalb Stunden von dort wieder hier.«

11

In Gjakova waren während des serbisch-albanischen Konflikts seltsame Dinge passiert. Lin erinnerte sich an eine Familie, die im Fernsehen verfolgte, was in der eigenen Stadt vor sich ging, Brandstiftungen, Plünderungen, Morde, während sie selbst in ihrem Haus und inmitten dieses Geschehens völlig unbehelligt blieb. Es gab Zonen, die bis auf die Grundmauern verwüstet wurden, und solche, die den Krieg und das Morden unangetastet überstanden. Nach welchem Plan die Brandstifter vorgingen, war auch später, im neuen, UN-überwachten Frieden nie aufgeklärt worden. Wie die Kampfzonen verteilt waren, wo die UCK schoss und wo die serbischen Soldaten und paramilitärischen Banden, wollte später ebenfalls keiner mehr so genau wissen. An Aufklärung schien man im Kosovo nicht interessiert. Lin hatte in ihrer Zeit als Journalistin auf dem Balkan immer wieder die Erfahrung gemacht, dass sich die Menschen wenig für die Wirkmechanismen ihrer Umgebung interessierten, wenn ihr Land sehr klein war. In so winzigen Staatsgebieten nahmen die Einheimischen ihr Land eher wie ein Gewirk von Großfamilien wahr und weniger als ein von ihnen unabhängig existierendes, soziales oder politisches Gebilde. Es wurde einfach immer weitergewurschtelt. Jeder kannte schließlich jeden, oder zumindest einen aus dessen Familie. Lin fiel ein, wovon ein Polizist der UN in Pristina ihr berichtet hatte. Es sei kaum möglich, in Fällen von Kapitalverbrechen Zeugen für Schutzprogramme zu gewinnen, weil der Kosovo dafür zu klein war. Die Kriminellen wussten das, von Zeugen hatten sie wenig zu befürchten. In diesem winzigen Land blieb niemand auf Dauer unerkannt, Untertauchen unmöglich. Das musste auch für Varga gelten.

Diesmal steuerte Florim den Wagen, sie fuhren wieder Richtung Ferizaj und von dort in die Berge hinauf nach Suva Reka. Lin hasste diesen Ort, weil sie dort einmal während der Kriegsnachwehen in eine Schießerei geraten war. Wo die Passstraße nach unten auf Suva Reka zuführte, waren einer ihrer Journalistenkollegen, sein Fotograf und der Fahrer des Wagens erschossen worden. Wer sie getötet und ihren Mercedes gestohlen hatte, wurde nie zweifelsfrei ermittelt. Auch so ein Fall von fehlendem Aufklärungsinteresse, dachte Lin. Der Fall war ihr nahegegangen. Nicht nur, weil sie zwei der Opfer gekannt und noch ein paar Tage zuvor in Skopje getroffen hatte. Sie hatte nur ein paar Stunden zuvor mit Florim die gleiche Stelle passiert.

»Soll ich an der Stelle halten?«, fragte Florim leise.

»Nein«, Lin schüttelte den Kopf, »ich denke auch so an die drei. Wir sollten versuchen, nicht allzu spät in Gjakova anzukommen.«

Lin versuchte, ihre Wehmut abzuschütteln. Es hätte von Pristina auch eine direkte Strecke nach Gjakova gegeben, aber Lin wollte gern den Weg über Prizren nehmen, um zu sehen, wie es im Land voranging, an den Orten, die sie gut kannte. Man sah, dass Geld im Kosovo war, doch die Ortschaften wirkten zugleich verloren. Die Provinz war nie reich gewesen und auch kein Hotspot kultureller Aktivitäten, sondern weites, flaches und eher karges Bauernland mit Familien, die sich Häuser gebaut hatten vom Geld ihrer Angehörigen in Deutschland oder der Schweiz. Suva Reka war irgendetwas zwischen einem Straßendorf und einer schmucklosen, sozialistisch geprägten Kleinstadt. Hässlich und abgerissen, zumindest in einer Zwischensaison wie dieser mit Regen und Windböen, die alles zerzausten. Reflexhaft sah sich Lin nach allen Seiten um, während sie die Hauptstraße entlangfuhren. »Dieser Ort wird mir bis an mein Lebensende unheimlich bleiben«, sagte sie.

Florim nickte. Für ihn waren die Ermordeten Fremde gewesen, das prägte die Erinnerung auf andere Weise. Lin hatte sich damals wie in der Neuauflage eines winzigen Wilden Westens gefühlt. Jeder verfolgte nur seine ureigensten Interessen. Lin erinnerte sich, dass sie diese urzeitlich wirkenden albanischen Bauern mit ihren weißen Hauben und den einfachen Gewehren mochte. Der gesamte Balkan war ein Winkel der Welt, in den zuvor kaum westliche TV-Kameraaugen hineingespäht hatten. Die Menschen waren stolz und sehr gastfreundlich, manchmal gab es unter ihnen glutäugige Schönheiten, Männer wie Frauen. Damals hatte Lin sich geschworen, in Zukunft nur noch bewaffnet und mit einer speziellen Lizenz in solchen Regionen unterwegs zu sein. Zurück in Deutschland gab sie ihren Job als Reporterin auf und wurde Privatdetektivin.

Sie fuhren die Hauptstraße entlang, weiter Richtung Prizren und bei der Weggabelung rechts nach Gjakova. Das kleine zweistöckige Café an der Kehre der Hauptstraße gab es noch. Sie parkten den Jeep am Straßenrand und gingen hinein. Florim steuerte auf einen Tisch zu, der ein wenig abseits stand. Er bestellte auf Albanisch zwei Kaffee bei der jungen Frau, die sich lächelnd genähert hatte.

»Was willst du tun?«, fragte Florim, als beide ihre Kaffeetassen vor sich hatten. »Sollen wir Varga erst mal anrufen, oder willst du gleich hinfahren?«

Lin war sich nicht sicher: »Beides hat Vor- und Nachteile, aber ich denke, wenn wir anrufen, verlieren wir ihn vielleicht. Er wird sich mit uns nicht verabreden wollen, da würde ihn ein Anruf nur warnen. Wenn wir ihn aber überraschen, gibt es kein freundliches Gespräch mehr. Alles hat seinen Preis.«

»Du hast recht.« Florim sah draußen einem silbermetallicfarbenen Mercedes CL 500 nach, der schnittig nach rechts in den bürgerlichen Teil der Stadt abbog. Ein paar Sekunden lang wirkte die Szene in seinem Bewusstsein noch nach, doch bevor er etwas sagen konnte, kam ihm Lin zuvor: »Du meinst, das war Varga? ...« Florim nickte nur.

Von der Straße aus war nur die hohe, verputzte Mauer zu sehen, eine Mauer mit einer unverschlossenen Tür. Sie gingen hinein. Drinnen erwartete sie eine Idylle wie aus einer anderen Welt. Den eingeschossigen Bungalow rahmte ein gepflegter Garten mit getrimmtem Rasen und üppigen Blumenstauden, die um einen runden Springbrunnen mit drei Telleretagen aus weiß belassenem Gips gruppiert waren. Hinter den Fenstern ahnte man rosafarbene Stores, die sich zu akkuraten Bögen wölbten. Kein Mensch ließ sich blicken. Nur die acht Paar Herrenschuhe rechts von der Haustür ließen darauf schließen, dass jemand im Haus war. Lin betätigte den Messingklopfer. Blitzschnell öffnete sich die Tür, so als hätte man drinnen auf dieses Signal gewartet.

Eine ältere Frau mit Schleier über dem Haar streckte ihren Kopf heraus. Ihre Augen musterten die Besucher mit Argwohn. »Salam alaikum«, begann Florim, »wir möchten gerne Izmet Varga sprechen.« Die Frau antwortete eine Spur zu schnell, ein Lächeln blitzte zwischen den Worten auf. »Alaikum salam.« Weiter reichte ihr Lächeln nicht. »Ich kenne keinen Izmet. Und Izmet wer? Ich kenne den Mann nicht. Wer sind Sie, und was wollen Sie von Izmet?«

»Sagen Sie ihm, ich arbeite für den BND in Deutschland«, schaltete sich Lin auf Deutsch ein, ihr Ton ließ keine Zweifel aufkommen, dass sie wusste, was sie wollte. »Sie verstehen doch Deutsch, nicht wahr?« Die Frau zuckte zurück, als hätte sie sich verbrannt. Blitzschnell verschwand sie im Inneren des Hauses, hinter der Tür, die mit einem satten Knacken ins Schloss fiel.

Sie warteten vor der Tür. Es dauerte einige Minuten. Lin ging die Front des Bungalows ab, um einen Blick nach hinten zu riskieren. Der silbergraue Mercedes war dort geparkt, außerdem ein kastiger weißer Patriot Jeep mit dunkel getönten Scheiben. Ein paar Schritte weiter standen vier junge Männer zusammen, Baseballkappen auf dem Kopf, die Schirme tief in die Stirn gezogen, Blousons und robuste Sportkleidung in billigem Camouflage-Design. Sie rauchten und unterhielten sich. Lin kam gerade noch rechtzeitig zur Haustür zurück, als jemand diese mit energischem Ruck aufriss. Ein alter Herr trat in den offenen Rahmen. Kerzengerade Haltung, weißer, üppiger Schnurbart, eine Figur wie aus Lord Byrons albanischem Tagebuch. Wieder wurden als Erstes die islamischen Begrüßungsformeln ausgetauscht. Dann sagte der Mann mit dröhnender Stimme auf Deutsch: »Darf ich wissen, was Sie von Izmet wollen, Madame?«

Es gab keine Anrede, die Lin mehr hasste als »Madame«. Vor allem die türkischen Obstverkäufer in Berlin schienen dies für das Höchste an sprachlicher Eleganz zu halten. Dabei lag immer auch etwas Abschätziges, Höhnisches in der Art, wie sie das Wort benutzten. Aber diesen Mann ließ Lin gewähren. Sie zog die Fotokopie mit dem Bild von Izmet Varga aus der Tasche und reichte sie ihm hin. »Das ist doch Ihr Neffe, Izmet Varga, nicht wahr? Wir möchten ihn nur sprechen, uns selbst vergewissern, dass er bei guter Gesundheit ist.« Sie lächelte ein wenig ironisch. Der alte Herr versuchte es noch einmal: »Woher wollen Sie wissen, dass Izmet hier ist?«

»Wenn er nicht hier wäre, würden Sie sich mit uns gewiss nicht diese Mühe geben, nicht wahr? Sagen Sie ihm, es dauert nicht lange.« Der Mann zwirbelte seine Bartenden, doch diesen selbstbewussten Ton war er nicht gewohnt. Wie eine Figur auf einer Bühne drehte er sich um die eigene Achse und verschwand im Haus. Dann erschien wieder die Frau: »Kommen Sie morgen wieder, morgen wird er hier sein«, flüsterte sie.

Lin lächelte jetzt nicht mehr. »Wissen Sie, es ist ganz einfach. Entweder Sie holen jetzt Ihren Neffen hierher, oder Sie bringen uns zu ihm. Oder ich rufe meine Kollegen von der UN-Police, und die kommen mitsamt all ihren Wunderkerzen binnen Kürze. Haben Sie mich verstanden?«

Die Frau öffnete die Tür und bat sie hinein. Beide ließen ihre Schuhe vor der Haustür zurück. Die Frau deutete mit der Hand auf ein großes Wohnzimmer, das ringsum mit weinroten Polstersesseln ausgestattet war. Den Boden bedeckten dicke Teppiche. Mindestens vierzig Personen würden hier auf einmal Platz finden. Die Polstersessel gaben dem Raum etwas Herrschaftliches. Eine Glastür führte zum Esszimmer nebenan. »Warten Sie hier«, sagte die Frau, ehe sie wieder verschwand. Kaffee wurde hereingetragen. Das Mädchen lächelte freundlich, Lin sah sie im Esszimmer weitere Gläser auf ihr Tablett laden und es durch eine Seitentür verlassen. »Ich will hier nicht warten, bis alle in Ruhe abgefahren sind«, flüsterte sie Florim zu. »Du hast recht«, flüsterte er zurück, »wir sind hier geparkt worden.«

»Bleib du hier, das wirkt zufälliger«, wies sie Florim an, »ich sehe mir mal diese Seitentür an.« Lin ging hinüber ins Esszimmer und öffnete rasch die Tür. Aus einem Raum weiter hinten waren Stimmen zu hören. Lin klopfte nicht erst. Sie riss die Tür auf und lächelte breit. Eine Gruppe Männer saß um einen Tisch herum, über den Köpfen ballten sich Rauchschwaden. »Herr Varga, warum so schüchtern?«, rief Lin auf Deutsch in den Raum: »Wir sind Kollegen, schon vergessen?« Zwei seiner Leibwächter näherten sich Lin, um sie aus dem Zimmer hinauszudrängen. Ein weiterer hielt eine Schusswaffe in der Hand. Varga hob den nur den Arm. Dann sagte er etwas, das Lin nicht verstand. Seinen Gesten nach sollte es wohl heißen: »Lasst sie. Und lasst mich mit ihr allein.« Die goldene Uhr mit dem extrabreiten Ziffernblatt an seinem rechten Handgelenk, ein Schweizer Luxusmodell, war vermutlich zwanzigtausend Euro wert.

Sie musterten sich schweigend. Izmet Varga war ganz sicher kein Leichtgewicht. Er wirkte kultiviert, selbst in diesem Hinterzimmer. Mediterraner Typ, kurzes, dunkles gewelltes Haar, das Gesicht etwas verlebt. Von Kopf bis Fuß in Schwarz gekleidet, das Hemd hing locker über der Hose. Sein feiner Glanz ließ auf Seide schließen. Weich und hart in einem, dachte Lin, eine Art Al Pacino des Kosovo. Sie schmunzelte bei der Vorstellung. Die meisten Gangster hier in der Region hatten zwar Dreitagebärte, die sexy aussahen.

Aber sie waren oft roh, brutal – ohne Klasse. Meist ehemalige Soldaten, mit reglosen Mienen und kurzen Haaren, die rundum bis über die Ohren hinauf rasiert waren. Frisuren, die für den Nahkampf taugten und sie zugleich verwechselbar machten. Fünf solcher Gestalten nebeneinander, und hinterher fiel es schwer, sich an eines ihrer Gesichter genauer zu erinnern. Lin war davon überzeugt, dass sich ein Mensch auch äußerlich verändert, wenn er ohne Not getötet hatte. Eine solche innere Entgrenzung, im Grunde ein Bruch mit der Zivilisation, prägte sich in die Gesichtszüge ein, das hatte sie immer wieder festgestellt. Es ließ die Konturen nicht härter werden, sondern schwammiger, unkenntlicher. Mit den Entgrenzungen verschwand auch ein Stück des Charakteristischen in den Zügen. Vielleicht war tatsächlich Al Pacino die Brücke zu Varga, Letzterer hatte denselben fadenfeinen Zug von Haltlosigkeit und Degout im Gesicht wie der berühmte Amerikaner. Aber der Schwarzgekleidete vor ihr wirkte nicht wie ein Auftragskiller, sondern eher wie ein Auftraggeber, einer, der töten ließ. Varga ist der Typ Mann, der Macht über andere haben muss, dachte Lin.

Varga schien zu tun, was er wollte und wonach ihm gerade war. Dass er so einfach zu überraschen gewesen war, konnte darauf schließen lassen, dass er sich seiner zu sicher gefühlt hatte. Womöglich war genau das seine offene Flanke, sein schwacher Punkt. »Was gibt es so Dringendes, um mich hier im Haus meines Onkels zu stören?« Seine Stimme klang autoritär und herrisch, aber keineswegs verärgert. Er genießt es auch, dass ich ihn aufgespürt habe, dachte Lin.

Ihre Stimme hatte ebenfalls einen Zug von Härte, als sie ihm antwortete: »Das wissen Sie doch ganz genau, Herr Varga. Sie waren auf der Paylist des BND mit einem ganz präzisen Auftrag und sind denen von der Fahne gegangen. Ich will wissen, warum.«

Varga ließ sich Zeit mit seiner Antwort: »Solche Fragen lasse ich mir von Ihnen nicht stellen. Ich werde Ihnen gar nichts sagen, warum sollte ich das auch tun? Würde der

BND nicht falschspielen, müssten wir uns hier gar nicht unterhalten.«

Das Handy auf dem Tisch begann zu vibrieren, es sah aus, als würde es tanzen. Varga griff danach und erhob sich: »Tung?«, bellte er auf Albanisch in den Apparat, was so viel bedeutete wie Hallo. »Ku? Po…jo… okay. Faliminderit.« Es waren nur Wortbrocken, die er in sein Handy hineinstieß. »Wo? Ja … nein … okay. Danke.« So viel Albanisch verstand Lin gerade noch. Vargas Miene hatte sich verändert, während er zuhörte. Er wirkte konzentriert, alarmbereit. Etwas schien ihn zu irritieren. Eine Komplikation, ganz offensichtlich, irgendwo. Varga drückte den Knopf, um das Gespräch zu beenden. Der Reiz der Unterhaltung mit Lin schien verflogen. Einer seiner Männer streckte den Kopf herein, um eine Weisung entgegenzunehmen. »Wir fahren«, rief Varga in seine Richtung. Dann wandte er sich Lin zu.

Er sah ihr direkt in die Augen. Ein Blick, so kalt wie ein Fisch, kein leidenschaftliches Al-Pacino-Glühen. »Okay, Sie haben mich gefunden. Und ich weiß jetzt auch, wer Sie sind. Sie bleiben hier, bis ich weggefahren bin. Ich möchte nicht, dass Sie mir folgen. … Ach, ja«, seine Augen waren immer noch starr auf sie gerichtet, »und reden Sie doch mal mit Wöller über das, was wirklich passiert ist. Oder sollte ich besser sagen: mit Wiscerovski, dieser Kreatur, Wöllers Mann fürs Grobe? Zum Beispiel über den Toten aus Kukës. Hat er nicht auch Ihnen versucht weiszumachen, ich wäre das gewesen? Fragen Sie doch mal, was ich hier treibe, es sind nun wahrlich keine Geldtransfers.« Varga senkte seine Stimme: »Was Sie nicht wissen können, der Tote war mein bester Freund. Und der BND hat ihn auf dem Gewissen.« Seine Stimme klang heiser. Dann verließ er das Zimmer, die Tür ließ sich nicht von innen öffnen. Fünf Minuten vergingen.

Dann stand Florim in der Tür, durch die Lin den Raum betreten hatte. Florim grinste. »Wunder der Technik, Wunder der Technik«, verfiel er in einen Singsang, »wir müssen uns nicht wirklich beeilen.«

12

Lin verstand sofort. Florim hatte die Zeit genutzt, um an den beiden Wagen draußen kleine Peilsender anzubringen. »Sie werden uns dorthin führen, wohin sie fahren ...«

»Sehr gut!«, lobte Lin, »Das läuft von allein. Bist du sicher, dass sie die Teile nicht finden? Die haben doch sicher Hochtechnologie in ihren Kisten.«

Florim schüttelte den Kopf: »Ich habe sie so platziert, dass niemand sie so schnell findet.« Die Ortungsmelder hatten den Vorteil, dass man über einen Monitor verfolgen konnte, wo die Wagen hinfuhren, ohne selbst bei der Verfolgung bemerkt zu werden. Eine direkte Verfolgung würde schnell auffallen, dafür herrschte auf den Straßen nicht genug Verkehr.

Lin erzählte Florim von dem Gespräch mit Varga. »Zeit also, sich mit Wöller zu unterhalten, Lin.« Sie nickte. Es war kurz nach zehn Uhr, früh genug, um auch bei schlechten Straßen nach Pristina zurückzufahren.

»Sag mal, Florim«, Lin erschrak fast bei dem Gedanken, »hast du auch unseren Wagen abgescannt, ob die uns ...?« Florim gab sich entrüstet: »Bin ich ein Anfänger? Natürlich hab ich den Jeep gecheckt, nichts dergleichen. Ich glaube, Autos abzuhören oder anzupeilen ist nicht unbedingt deren Spezialität. Mit Knarren sind sie besser. Beruhige dich.«

Aber irgendetwas blieb weiter als feine Unruhe bei ihr hängen. Weshalb war Varga so überstürzt aufgebrochen? Und was meinte er mit Wöller und *Mann fürs Grobe*? Im Wagen brachte Lin ihren Bericht über das Gespräch mit Varga zu Ende. Kurz vor Mitternacht waren sie im Hotel.

»Der Fall Varga beginnt interessant zu werden«, tippte sie als SMS an Nico, »wir sind uns begegnet, und es ist nicht schlecht gelaufen. Wie geht es Dir, mein Liebling? Wie läuft dein Verfahren? Melde Dich bald.«

Kurz drauf meldete ihr Handy, dass eine SMS eingegangen war. Nico schrieb: »Du fehlst mir auch, und wie. Aber es gibt eine Neuigkeit, die Dich interessieren wird. Ein Freund, der in Pullach beim BND Abteilungsleiter ist, hat mir erzählt, dass sein Kollege Ferdinand Wöller, ein ziemlich einflussreiches und offenbar auch korruptes Tier, seines Amtes entbunden worden ist, ganz plötzlich. Sein Nachfolger wird nicht sein früherer Assistent Wiscerovski, sondern einer von außen, den ich auch noch nicht kenne. Gegen Wöller und seinen Assistenten wird ermittelt. Ziemlich üble Sache, sie sollen in großem Stil auf eigene Rechnung gearbeitet haben, übrigens vor allem auf dem Balkan. Geldgeschichten, in die sie verwickelt sein sollen. Wenn Du Genaueres wissen willst, sag mir Bescheid, ich könnte versuchen, etwas rauszufinden. Mein Verfahren läuft so lala, der Angeklagte erklärt sich schon seit zwei Verhandlungstagen. Komm bald zurück und pass auf Dich auf. N.«

Lin versuchte es sofort auf Wöllers Mobiltelefon, es meldete sich nur eine automatische Stimme, nicht einmal eine mit seiner Stimme besprochene Box für Nachrichten. Was hatte das zu bedeuten? Wöller ging immer an sein Telefon, das war das Angenehme am Kontakt mit ihm gewesen. Aber vielleicht hatte er Probleme mit dem Akku, oder das Telefon lag vergessen in seinem Wagen. Lin nahm sich vor, es später erneut zu versuchen. Seltsam ist es schon, dachte sie. Sie arbeitete in seinem Auftrag an einem Fall, wie konnte es sein, dass sie plötzlich ihren Auftraggeber nicht mehr erreichen konnte? Aber dies war ja kein Fall von Herrn Wöller, hier ging es um einen Auftrag des BND. Sie musste nur irgendwann Kontakt mit dem Nachfolger Wöllers aufnehmen. Jetzt erst recht, dachte Lin. Angenehmerweise hatten die Herrschaften ihr ja einen großen Geldbetrag im Voraus überlassen.

Lin konnte stur sein und unerbittlich. Sie hasste es, von anderen Bedingungen diktiert zu bekommen. Wer versuchte, sie von etwas abzuhalten, lief Gefahr, dass sie sich genau das zum unbedingten Ziel auserkor. Wenn ich jetzt einpacke, habe ich einen verpatzten Urlaub und noch einen verunglückten Fall dazu. Lin schüttelte den Kopf und presste konzentriert die Lippen aufeinander. Es half ihr beim Denken. In diesem Fall stimmte doch rein gar nichts.

Vielleicht wusste Tom Weicker mehr. Sie wählte dessen Nummer und war überrascht, in seinem Fall nicht an seine Mailbox geraten zu sein.

»Ja bitte?«

Lin entschuldigte sich für die späte Störung. »Hast du das mit Ferdinand Wöller gehört und mit Kevin Wiscerovski?«

Er antwortete schnell. »Ja, hab ich. Und deshalb spreche ich jetzt mit dir auch keinen weiteren Satz. Wir treffen uns morgen, da, wo wir uns immer treffen. Um elf Uhr vormittags, geht das?«

Lin drückte die Aus-Taste. Was war denn mit Tom los? Was ging hier vor?

Der Verdacht lag so nahe, dass Lin gar nicht umhinkonnte, ihn zu erwägen. Wöller, die Ermittlungen gegen ihn, diese seltsame Entwicklung mit Vargas und Toms komischem Delgano, das ergab noch keinen Sinn. Vermutlich war Tom irgendwie verwickelt, das spürte Lin. Der Fall könnte zu groß sein für Florim und mich, überlegte sie. Aber ich bin ausgesprochen ortskundig, bin gut ausgerüstet und habe in Florim einen zuverlässigen Partner, hielt Lin innerlich dagegen, warum sollte ich es nicht schaffen, diesen Fall aufzuklären? Da war es wieder, dieses Genau-das-Wollen, was am schwierigsten erschien. Lins Spezialität. Hätte man Nico zu Lins hervorstechendsten Charaktereigenschaften befragt, so hätte er wörtlich gesagt: Lin gibt niemals auf.

Florim hatte tiefe dunkle Ringe unter den Augen, als er in dem mit hellem Holz ausgestatteten Frühstücksraum auf Lin stieß. »Tung«, seine Stimme klang matt.

»Tung heißt auf Albanisch so viel wie hallo.« Er lächelte schief. »Lass mich raten, Florim, du einziger albanischer Held der Arbeit hast die halbe Nacht über deinem Spezial-Navi zugebracht und genau aufgezeichnet, wo die Herrschaften hingefahren sind, stimmt's?«

»Stimmt!«, Florim strahlte. »Und es war sehr interessant. Die Herren sind nämlich erst nach Pristina zu Flughafen gefahren und dann zur albanischen Grenze, Richtung Kukës. Ein Wagen blieb dort über Nacht, der andere fuhr nach Skopje und wieder zurück nach Pristina, ins Rotlichtviertel. Da war irgendetwas im Gange gestern.«

Sie beugte sich zu ihm vor und strubbelte ihm zart das Haar durcheinander. »Flori, das hast du sehr gut gemacht!« Sie fühlte sich wie seine ältere Schwester, tatsächlich war sie beinahe doppelt so alt wie er. Wenn es hart auf hart kam, ergänzten sie sich als ebenbürtige Partner. Doch als Mann und Frau begegneten sie einander niemals. Keiner passte ins Beuteschema des anderen. Florim hatte ihr in einem schwachen Augenblick einmal gestanden, dass er nur für Frauen eines ganz anderen Typs entflammbar war. Er floss dahin für die dunkle Variante der Barbiepüppchen, so glutäugig und langmähnig und auf so hochhackigen Stöckelschuhen wie nur irgend möglich.

Als Florim von Wöllers neuester Entwicklung erfuhr, reagierte er ungerührt. »Wen haben wir jetzt noch beim BND, auf den man sich verlassen kann?«

Lin zuckte wortlos die Schultern.

»Und in welche Kacke sind wir hier geraten, und welche Rolle spielt Wiscerovski darin?« Sie konnte es ihm nicht sagen. »Alles, was ich weiß«, sagte Lin, »ist, dass Wöller und sein Assistent abgesetzt wurden und wir genauso weitermachen, wie wir es vorhatten.«

»Lass uns mal überlegen«, begann Florim erneut. »Jede

deiner Informationen von Wöller zu Varga erwies sich als falsch. Dann haben wir da den Toten aus Kukës, der nicht Varga war. Wöller bestand aber darauf, es sei Varga gewesen. Dass dem Toten ein Bein und ein Teil seiner Geschlechtsorgane abgerissen waren, deutet auf große Aggressivität hin. Varga seinerseits ist auf Wöller nicht gut zu sprechen. Tariq wiederum warnt vor Varga.«

Lin nahm ihm die Schlussfolgerung ab: »Der Fall ist komplexer und schwieriger, als wir ursprünglich gedacht haben. Offenbar hängen Menschen zusammen, von denen wir das nicht erwartet hatten. Wöller und Tom, Wöller und Varga, vielleicht existieren noch andere Kombinationen.« Sie warf die Haare über die Schultern. »Das wird uns aber nicht daran hindern, allen diesen Rätseln nachzugehen. Oder siehst du das anders, Florim?«

Er schüttelte nur wortlos den Kopf. Dann zog er sich wieder in sein Zimmer hinter seinen aufgeklappten Laptop zurück. Lin erledigte einen Anruf und brach dann auf, um Tom Weicker zu treffen. Sie hatte Tom bei einem früheren Einsatz die kleine katholische Kirche als Treffpunkt vorgeschlagen. Beide kannten den Ort. Im Gegensatz dazu wussten die meisten Kosovo-Albaner gar nicht, dass eine christliche Kirche hier überhaupt existierte. Sie lag am Rande eines Plattenbauviertels, hinter einem schmiedeeisernen Tor. Es gab wenig Besucher, man würde ungestört sein. Vielleicht konnte Tom an einem solchen Ort endlich offen reden.

13

Oberhalb der Stadt, versteckt inmitten von hohen Plattenbauten und umgeben von einem kleinen Garten, lag die katholische Kirche Pristinas. Ordensschwestern kümmerten sich um das Nötigste. Eine Schwester hatte die Seitentür bereits aufgeschlossen, Weicker war demnach schon hier. Lin betrat den dunklen Kirchenraum, kalte, verbrauchte Luft schlug ihr entgegen. Farbige Glassteine verwandelten das hereinfallende Licht in glutwarme Strahlen, vereinzelt flackerten ewige Lichter in weinroten Plastikbechern. Eine Gewohnheit aus Kindertagen ließ Lin im Weihwasserbecken die Fingerkuppen benetzen und sich bekreuzigen, während sich ihre Gedanken völlig auf die Stille im Raum konzentrierten. Tom saß vorn im Männerschiff, gleich am Gang. Er drehte sich nicht um, als sie sich näherte. Komisch, dachte Lin, vielleicht ist er eingenickt. Dann ahnte sie. Mit wenigen Schritten stand sie vor ihm. Er war tot. Ihr Körper begriff schneller als ihr Verstand. Augenblicklich begann ihr Herz zu rasen, die Finger zitterten, ihre Beine konnten sie kaum halten. Das konnte nicht sein! Toms Kopf saß charakteristisch schräg auf seinem Rumpf, ein Genickbruch wahrscheinlich. Ein Mord ohne einen Tropfen Blut. Lin hatte schon einige Tote gesehen, aber dieser hier war ihr Freund. Rasch sah sie sich nach allen Seiten um, umkreiste dann in gebückter Haltung auf Deckung achtend im Laufschritt die Bankreihen. Doch sie war mit Tom allein.

Sein Gesicht wirkte so friedlich, als sei er nur eingenickt, der Tod hatte ihn offensichtlich überrascht. Es konnte noch nicht lange her sein, trotz der Kälte in dem Kirchenraum strahlte der Körper noch Wärme ab. »Tom, Tom!«, rief sie ihn an, wie durch eine Wand. Hilflose Versuche, als könnte ihr Rufen den Toten tatsächlich wieder zum Leben erwecken. Es dauerte einen langen Moment, bis Lin wirklich begriff. »Wenn ich einen Augenblick früher hier gewesen wäre, ich hätte dir doch helfen können«, flüsterte sie. Lin hörte ihre eigene Stimme wimmern: »Das kann doch nicht wahr sein, das kann doch nicht wahr sein. Verdammt, verdammt, verdammt!« Sie spürte, wie sie zu schwitzen begann. Weinen konnte sie nicht, der Schockzustand hatte sie wie hinter eine Nebelwand geschoben. Versuche, einen klaren Kopf zu bewahren, trieb sie sich immer wieder selbst an, vielleicht findest du ja Spuren oder Hinweise auf den Täter. Du musst klar denken!

Lin hatte sich schnell wieder unter Kontrolle. Routiniert untersuchte sie mit wenigen Griffen seine Taschen. Er war offenbar ohne Papiere gekommen, oder Toms Ausweis befand sich jetzt bei seinem Mörder. Dann erst wählte Lin die Notfallnummer der UN-Police und erstattete Bericht. Jetzt konnte sie nur noch warten. Lin rutschte neben Tom in die Bank und hielt ihn umfasst, so gut es ging, bemüht, keine Spuren zu verwischen. Aber welche Spuren auch? Endlich liefen ihr Tränen übers Gesicht. »O Tom, wofür hat man dich bestraft?« Sicher, da war dieser komische Varga, den er ihr präsentiert hatte. Seit diesem Besuch in Pristina hatte sie Tom selbst ja nicht mehr so richtig über den Weg getraut. Das Vertraute zwischen ihnen war nur noch der Form halber vorhanden gewesen. Sie hatte an ihm gezweifelt. Irgendetwas an ihm war diesmal anders gewesen. Wir hätten es doch klären können, dachte Lin. Aber ein Todesurteil? Dies war immerhin ein Polizistenmord.

Anders als sein Gesicht zeigten Toms Hände noch Spuren von einem Kampf. Sie waren zu festen Fäusten geballt und dann wieder halb geöffnet worden. Lin nahm die Rechte mit beiden Händen und versuchte, sie aufzubiegen Die Hand war leer, auch die Linke enthielt nichts. Doch dann fiel Lins Blick auf ein Haar an Toms Ärmel. Etwa fünfzehn Zentimeter lang und blauschwarz. Geradezu klischeehaft, wie in einer amerikanischen Serie, schoss es Lin durch den Kopf. Sie berührte das Haar nicht. Zu dunkel und zu lang, um von Tom zu stammen.

Tausende in Pristina hatten lange dunkle Haare, sagte sich Lin. Aber ein Verdacht hatte sich schon in ihr festgesetzt. Als die Einheit für gewaltsame Todesfälle in weißer Schutzkleidung von draußen in die Stille einbrach, ließ Lin Tom sachte an die Rückenlehne der Bank zurückgleiten und berichtete, auch von dem Haar. Die Männer, alle Kollegen von Tom, hörten ihr schweigend zu. Einer geleitete sie nach draußen, wo das flackernde Blaulicht die ersten Neugierigen angezogen hatte.

Der Überschuss an Adrenalin in Lins Blutbahnen verhinderte, dass sie sich beruhigen konnte. Sie spürte sich nicht mehr. Lin zitterte noch, als sie vor der Kirche Florim unter den Schaulustigen entdeckte. Er stand direkt am Tor, durch das die Polizeifahrzeuge eingefahren waren. Florim legte den Arm um sie und zog sie auf die Straße, wo er den Jeep geparkt hatte.

»Wie geht es dir, Lin?«, frage er als Erstes.

»Ich weiß es nicht, ich fühle gar nichts. Bei mir zeigen sich die emotionalen Reaktionen in ihrer ganzen Wucht sowieso erst später, selten in der Situation. Wenn andere schon dabei sind, zu verdauen oder zu vergessen, bekomme ich Depressionen. Solche, die Monate dauern können. Davor fürchte ich mich.« Sie schüttelte sich bei dem Gedanken. »Aber es muss ja nicht immer so enden. Es war ein ziemlich harter Schlag. Aber sag, wie lange bist du schon hier, was hast du gesehen?« Lin versuchte, sich mit einem angefeuchteten Papiertaschentuch die Spuren der Wimperntusche abzuwischen.

Florim wirkte bekümmert: »Als du im linken Seiteneingang verschwunden warst, habe ich mir die größeren Wagen angesehen, die hier so parkten. Einer kam mir bekannt vor, dem hab ich dann natürlich eine GPS-Wanze verpasst. Es war knapp, ich konnte mich gerade noch hinter dem Mäuerchen in Deckung bringen, da kam der Fahrer aus dem rechten Seiteneingang herausgestürmt. Oder besser, er ging eilig zu seinem Wagen und fuhr weg. Und jetzt willst du wissen, wer es war, nicht wahr?«

Lin sah Florim erwartungsvoll an.

»Er sah aus wie Tariq.« Florim erwartete eine kleine Szene, er kannte die enge Beziehung der beiden.

Lin blieb still. Nur ihre Atemzüge waren zu hören. Nicht auch noch das, dachte sie. Bitte nicht auch noch das! Der Gedanke, Tariq könnte der Täter sein, traf sie wie ein Stich. »Bist du dir wirklich sicher?«

Florim zuckte mit den Schultern: »Er sah so aus. Mehr kann ich nicht sagen. Vielleicht war es auch jemand, der ihm sehr ähnlich sah.« Konnte sie Tariq jetzt auch nicht mehr trauen? Aber warum sollte er so etwas tun?

»Du bist dir sicher, wir meinen beide Tariq Brownshell und nicht einen seiner Brüder?«, fragte Lin fast tonlos. »Bei Tom lag ein Haar, ich muss zugeben, es könnte ebenfalls von Tariq sein. Aber eben auch von etwa 1,5 Millionen anderen Bewohnern des Kosovo. Einen solchen Genickbruch wie den von Tom beherrscht nicht jeder. Tariq war UCK-Kommandant, er wurde im Nahkampf ausgebildet. Aber eben wie etwa zweitausend andere UCK-Soldaten auch.« Still hingen beide ihren Gedanken nach.

Lin brach schließlich das Schweigen: »Deine Theorie würde bedeuten, dass Tom Tariq über unser Treffen informiert hätte. Oder Tariq ist Tom gefolgt, und er wusste gar nicht, mit wem er verabredet war. Auf jeden Fall wurde Tom beseitigt, aber wofür? Ich will einfach nicht glauben, dass Tariq das getan hat. Andererseits spricht vieles gegen ihn, das muss ich einräumen.« Wie mechanisch erwog und verwarf Lin in ihrem Kopf alles, was für Tariq und was gegen ihn sprach. Ihre Fähigkeit, in noch so aussichtslosen Augenblicken die eigenen Gefühle so weit zurückzustellen, dass sie weiterarbeiten konnte, half ihr jetzt.

Vor allem Florims Beobachtung war nicht wegzudiskutieren. Er hätte auch keinen Grund gehabt, Tariq grundlos zu bezichtigen.

»Wie standen Wöllner und Tariq eigentlich zueinander? Sind die sich mal begegnet?« Florims Stimme klang arglos, wie immer, wenn er sich stark konzentrierte.

»Ich weiß es nicht. Könnte es nicht auch sein, dass Varga seine Finger im Spiel gehabt hat?« Florim schüttelte den Kopf. »Eher nicht. Ich hab ihre Routen aufgezeichnet. Varga hat sich seit gestern aus der Grenznähe von Kukës nicht weg-bewegt.« In den folgenden Minuten versuchte Lin das Gefühl in sich zuzulassen, Tariq könnte in Toms Tod verwickelt sein. Konnte sie sich so in ihm getäuscht haben? Was wusste sie schon über die wirklichen Motive von Tätern? Hatte sie, als sie damals Tariq das Leben gerettet hatte, damit indirekt jetzt Toms Ermordung möglich gemacht? Langsam, dachte Lin, dieser Gedanke ist vielleicht zu schicksalhaft. Ich muss erst mal etwas Abstand gewinnen, bevor ich in diesem Tollhaus völlig den Überblick verliere.

Draußen schafften zwei Männer Toms Leichnam auf einer Bahre aus der Kirche, in einer Blechwanne mit gebogener Abdeckung. Lin gab ihm mit den Augen das letzte Geleit. Sie zeigte Florim nicht, wie sehr es sie innerlich zerriss. Das war das Ende einer freundschaftlichen Verabredung, dachte sie. Schuldgefühle krochen in ihr hoch. Ich habe ihn herbestellt, ich, ich. Wenn sie all das noch weiter an sich heranließ, würde sie unweigerlich in eine Depression schlittern. Ich will diesen Fall aufklären, schwor sie sich.

Tom würde nicht im Kosovo, sondern zu Hause in Deutschland beerdigt werden. Er hatte ihr gegenüber einmal etwas von seiner Familie erwähnt, aber sie waren nicht näher darauf eingegangen. Adieu, Tom, was für ein Tod, was für ein Ende. Alles war so schnell gegangen. Lin sah vor ihrem geistigen Auge nicht mehr den lebendigen Tom, den Kom-missar und Freund, sondern nur noch den seltsam daliegen-den Toten. Er hatte friedlich ausgesehen, irgendwie erlöst. Aber wer wusste schon, wie seine letzten Lebensmomente abgelaufen waren. Es war ihm keine Zeit geblieben, um nach seiner Waffe zu greifen.

»Versuch, nicht zu grübeln«, unterbrach sie Florim. »Du weißt, dass das zu nichts führt. Lass uns etwas trinken fahren.«

Lin lächelte gequält: »In der *WonderBar*?«

Florim wandte sich dem Jeep zu: »Warum nicht? Ich muss keinerlei Rücksicht nehmen. Mein Verhältnis zu Tom war in etwa so wie zu Tariq. Aber du müsstest Tariq gegenüber deine Gefühle zurückstecken, Lin.«

Sie verzog das Gesicht: »Stimmt! Wir sollten die *Wonder-Bar* in den nächsten Stunden großräumig umfahren.« Aber ich muss ihn auch bald sehen, dachte Lin. So ein schrecklicher Verdacht muss aufgeklärt werden.

14

Direkt vor einer Café-Bar gegenüber vom Hotel Grand, wie Florim das Grand Hotel gerne nannte, fanden sie einen Parkplatz. Lin ging voran. Sie nahmen am Tresen Platz, Lin bestellte einen doppelten Brandy. Florim gab dem Barkeeper ein Zeichen, dass er das Gleiche nähme. Der Barmann ließ die goldbraune Flüssigkeit in zwei mittelgroße Gläser rinnen und stellte sie vor sie hin. Draußen vor der Tür hielten blaue, rote und weiße Sonnenschirme die Hitze ab. Auf Holzstühlen, die mit grauweißem Segeltuch bespannt waren, saßen modisch zurechtgemachte Freundinnen zusammen, die vielleicht schon selbst Mütter waren. Große dunkle Sonnenbrillen, ausgeschnittene Trägerhemden und Röcke, die nur bis zu den Knien reichten. Aus den Lautsprechern erklang »A Whiter Shade of Pale« von Procol Harum, ein vierzig Jahre alter Welthit.

Lin liebte diese Songs der Sechzigerjahre, auch wenn es eher die Musik der Generation von Nico war. »Unchained Melody« von den Righteous Brothers war auch so ein Titel. Bei Lin drang diese Musik ohne Umweg an ihre tiefsten Gefühle. Ihr schossen die Tränen in die Augen. »Das ist jetzt eher wegen der Musik, Flori«, schniefte sie. Florim legte nur sachte seine Hand auf ihren Unterarm und schwieg. Dann stand Lin auf, suchte nach der Tür zur Toilette und verschwand für zehn Minuten. An die warme Kunststoffwand des winzigen Vorraums gelehnt führte sie ein inneres Zwiegespräch. So als erteile sie sich eine ärztliche Anweisung. Du musst versuchen, deinen Schmerz zu spüren, sonst liegst du übermorgen auf der Nase. »Looking back over my shoulder ...«, drang es aus der Bar herüber. Wenn es Lin schlecht ging, genügte es manchmal, einen solchen Song zu hören.

Der Wirkung dieser Art von sentimentaler Musik konnte sie dann nicht widerstehen. Wie urzeitliche Klagetöne, die ganz tief aus ihr zu kommen schienen, drängten die Schluchzer aus ihr heraus. Lin konnte nicht anders, als ihnen nachzugeben. Wie oft hatten sie in Kneipen in Pristina dieses Lied zusammen gehört. Tom hatte es immer kitschig gefunden, aber sie hatte es verteidigt. Kitsch ist wichtig, weil er den Gefühlen ganz nah kommt, hatte sie argumentiert. Jetzt ist es dein Abschiedslied von dieser Welt, Tom, dachte sie, wo auch immer du jetzt bist. »… I never wanted to say goodbye …« Dein Mörder kam überraschend, und er tötete dich schnell. Du warst lange mein fairer und zuverlässiger Freund. Das, worauf du dich dann eingelassen hast, hat dich umgebracht. Tränen rannen über ihr Gesicht. Sie spürte, dass sie das Weinen auch erleichterte. Es ermöglichte ihr, mit ihrer verzweifelten Trauer eins zu werden, für diesen einen Moment. Lin vergaß für einen Augenblick, dass sie in einer Toilette stand. Sie fühlte sich, als sei sie aus Zeit und Raum gerückt.

Sie vergaß vollkommen, dass Florim draußen auf sie wartete. Der Vorraum der Toilette wurde für Lin zu einem Ort für ihr inneres Reinigungsritual. Niemand störte sie. Als sie schließlich einen kurzen Blick in den Spiegel warf, erschrak Lin. Sie feuchtete Papierservietten an, die gestapelt am Rand des Waschbeckens lagen, und versuchte, damit ihr Gesicht zu kühlen. Was würde aus Toms Familie in Deutschland werden, seiner Frau, seinem Kind? Sie ging zurück in die Bar. Florim blätterte in einer Zeitung, als sie wieder an seinem Tisch Platz nahm. Er vermied es, sie direkt anzusehen. Lin griff nach dem Glas vor sich, trank es in einem Zug leer und schüttelte sich. Der Schnaps brannte sich glühend die Kehle hinab, doch er hinterließ auch einen Schuss wohliger Wärme in ihrem Magen.

»Was glaubst du, Florim«, fragte sie, ihre Stimme klang etwas nasaler als sonst, aber jede Emotionalität schien wie weggewischt. »Wer mag noch von meiner Verabredung mit Tom gewusst haben?«

Florim starrte schweigend vor sich hin, zuckte dann kaum merklich mit den Achseln.

»Also lass uns mal zählen: ich selbst, Tom, du und wer noch? Wir sollten mal bei seinen Kollegen nachfragen.«

Florim nickte.

»Lass uns rübergehen in seine Behörde. Mal sehen, was denen so dazu einfällt.«

Florim schien von der Schnelligkeit, mit der Lin Toms Arbeitsplatz aufsuchen wollte, nicht so begeistert zu sein. »Wäre es nicht besser, ein wenig zu warten, bis sich die Wogen geglättet haben?«, fragte er. »Die Leute sind dann manchmal offener für Wünsche.«

Lin schüttelte den Kopf. »Wir müssen versuchen, die Ersten in Tom Weickers Büro zu sein, die absolut Ersten!« Ihre Stimme klang wieder fest. Die Sonne draußen würde die leichten Schwellungen um die Augen lindern.

Sie ließen den Wagen auf der Mutter-Teresa-Straße stehen. Dann überquerten sie den Platz neben dem Grand Hotel und passierten den UNHCR, den zum eigenen Schutz Stacheldrahtrollen umgaben. Schräg gegenüber hatte sich die UN-Police mit ihrer Zentrale einquartiert. Die Flaggen vor dem Eingang waren bereits auf Halbmast gesenkt. Die Nachricht von Tom Weickers plötzlichem Tod hatte rasch die Runde gemacht. Innerhalb der Behörde war er einer der bekanntesten Polizisten gewesen. Das musste hohe Wellen schlagen.

»Wir möchten Tom Weickers Sekretärin sprechen, sie heißt Gina«, sagte Lin zu dem Polizisten am Eingang, während sie ihre beiden Ausweise vorlegte.

»Ich weiß nicht«, meinte der Mann leise, »ob das heute so ein guter Tag dafür ist.« Lin wurde ungeduldig.

»Hören Sie, ich bin die Person, mit der Tom in der Kirche verabredet war, ich war mit ihm befreundet. Hätten Sie also die Güte, Gina anzurufen?«

Noch bevor der Posten antwortete, klackerten Damenabsätze die Steintreppe herab. Eine Frau, Mitte vierzig, trippelte auf Stöckelschuhen heran, beim Näherkommen sah man ihr verweintes Gesicht. »Gina!« Als Lin laut ihren Namen rief, sah sie auf, in Toms Vorzimmer waren beide einander etliche Male begegnet. Lin zog die andere am Arm beiseite. »Können wir kurz reden? Im Café, draußen?« Gina nickte müde.

Sie gingen zu dritt in ein kleines, nur von Planen umgebenes Café an der Ecke. Blitzblanke weiße Taxis mit breiten gelben Leuchten auf dem Dach wie in New York fuhren vorbei. Florim rückte Gina den Stuhl zurecht, sie ließ sich auf die Sitzfläche sacken.

»Wissen Sie, wer sonst noch von unserer Verabredung wusste?«, fragte Lin ohne Umschweife.

Gina dachte eine lange Minute nach. »Tom natürlich und Sie, ich, ja und Jens Müller, Toms Mitarbeiter. Sonst eigentlich niemand.«

Lin wartete mit ihrer Antwort nicht lange: »Aber Sie haben eine Person vergessen, Toms Mörder. Er wusste auch davon. Sagen Sie, Gina, ist Toms Schreibtisch schon untersucht worden? Wurde irgendetwas beschlagnahmt?«

Gina schüttelte den Kopf. »Behördenmühlen mahlen langsam, Lin. Wenn Sie beide mit mir zurückgehen, können Sie sich die Sachen ansehen, solange kein anderer danach fragt. Ich vertraue Ihnen. Tom hat Sie sehr gemocht.«

Lin ließ sich die Rührung nicht anmerken, die in ihr aufstieg wie ein Reflex.

Zusammen gingen sie in die Polizeizentrale zurück, Gina sprach mit dem Wachpolizisten. In Toms Büro streiften sich Lin und Florim Plastikhandschuhe über, die sie von Gina erbeten hatten. Lin sah sich jeden Zettel an, der auf Toms Schreibtisch lag, und jede Notiz. Sie gingen Eintrag für Eintrag seines Telefonverzeichnisses durch und drückten die Wahlwiederholungstaste, aber am anderen Ende einer Nummer, die unterdrückt war, nahm niemand ab. Florim sah hinter alle Poster und gerahmten Drucke in Toms Büro, Lin hob den verblichenen Orientteppich hoch. Florim entdeckte

Toms Aktentasche hinter einer Schranktür und darin dessen Laptop.

Er ließ den Rechner hochfahren, knackte das Passwort ganz nebenbei, »Elkemarie«, der Vorname seiner Frau. Dann lud Florim alle Daten, die ihm interessant erschienen, auf den Speicherstick, den er immer am Schlüsselbund trug.

Gina erschien in der Tür: »Der Behördenleiter hat gerade angerufen, die kommen gleich hier vorbei. Vielleicht sollten Sie ...«

»Wir sind schon weg«, antwortete Lin.

Fünf Minuten später sahen beide den Behördenleiter mit seiner Entourage aus dem Aufzug kommen, während sie über die Treppen dem Ausgang entgegenstrebten.

Ich liebe es, wenn ein Plan funktioniert, zitierte Lin in Gedanken Hannibal, den Chef des A-Teams aus der berühmten amerikanischen Fernsehserie. Wie durch ein Wunder war Toms Filofax in ihre Tasche gelangt.

15

Sie fuhren nicht ins Hotel, sondern direkt zu der Wohnung, in der Tom gelebt hatte. Lin erinnerte sich, dass sie an der Straße hinauf zum Hauptquartier der KFOR lag, das Haus an der letzten Straßenbiegung. Ein graues zweistöckiges Gebäude, in dem der Polizist die obere Etage gemietet hatte. Weit und breit war niemand zu sehen, keine Lampe brannte. Florim brauchte nicht lange, um die Tür zu öffnen. Die Schlösser in Pristina hielten selten, was sie versprachen. Rasch stiegen sie die Steinstufen in den ersten Stock hinauf, Florim benötigte auch hier keine dreißig Sekunden, bis sich die Tür mit den verhängten Glasscheiben nach außen öffnen ließ. Als das Licht aufflammte, sahen sich beide staunend um. Der Polizist Tom Weicker hatte auf ziemlich großem Fuß gelebt. Designermöbel in weichstem, cremefarbenem Leder, den Boden bedeckten Teppiche, in denen die Füße einsanken. Allein der Plasmafernseher an der Wand und die Anlage darunter überstiegen im Wert auch bei einer Führungskraft wie Tom ein Jahresgehalt.

Den Abend verbrachten sie über die Datensätze gebeugt und über die Notizen, die auf dem Schreibtisch verstreut gelegen hatten. Florim hatte nach ihrer Rückkehr ins Grand Hotel in der Bar noch eine Flasche Brandy besorgt und es sich auf dem Teppichboden vor der Couch bequem gemacht, vor sich den kleinen Couchtisch, auf dem sein Laptop aufgeklappt stand. Im Sessel gegenüber legte Lin schweigend die Notizzettel von Tom immer wieder vor sich hin, als seien es Tarotkarten, die Geheimnisse preisgeben könnten. Doch Toms Hinterlassenschaften hatten nichts preiszugeben. Kein Geheimnis, keine rätselhafte Botschaft, nichts. So als wäre der

Elitebulle Tom Weicker ausschließlich mit Verwaltungsakten befasst gewesen. »Akte kommen lassen« stand da auf einem Zettel, oder »Akte Remini überprüfen«, der Name sagte Lin gar nichts. Toms Filofax enthielt nur harmlose Verabredungen, zum Badminton zum Beispiel, oder am Schießplatz zum Absolvieren der Pflichtstunden. Toms Handy konnten sie nirgends entdecken, es war vermutlich bei der Leiche am Tatort gefunden und als ein Beweisstück eingetütet worden. Ich muss Gina bitten, es zu besorgen, dachte Lin. Der Gedanke daran, dass Tom sie auch betrogen hatte, stieg erst jetzt in ihr Bewusstsein auf. Ich habe dir vertraut, flüsterte sie leise, hundertprozentig.

Kurz vor Mitternacht waren beide eingeschlafen, Florim auf dem Teppichboden, den Kopf auf einen der Sessel gebettet, Lin auf der Couch ausgestreckt. In der Brandyflasche schimmerte nur noch ein bernsteinfarbener Bodensatz. Gegen zwei Uhr wachte Lin kurz auf, löschte die Lampen, breitete die Überdecke ihres Bettes über Florim aus und rollte sich auf ihrem Bett unter die Decke. Der nächste Tag würde furchtbar werden.

Kaffeegeruch ließ Lin am nächsten Morgen wieder zu sich kommen. Vor ihr stand lächelnd Florim, mit einer Tasse in der Hand. »Wir müssen weitermachen«, sagte er nur. Sie beschlossen, ihre Anrufe aufzuteilen. Lin die Pathologie bei der Bundeswehr, Gina, Kollegen von Tom, die UN-Police, die den Fall untersuchte. Florim checkte die Passagierlisten der Bundeswehrflüge und kontrollierte die Überwachungsprotokolle der Wanzen von Varga und dessen Truppe. Nichts Außergewöhnliches.

Mittags hängten sie das »Bitte-nicht-stören«-Schild außen an die Türklinke. Lin sprach wenig, aber es war ihr anzusehen, dass sie sich das Gehirn zermarterte. »Wonach suchst du?«, fragte Florim. »Stört es dich, dass er auf Papier so gar nichts hinterlassen hat? Seine Dateien sehen auch kaum anders aus. Tom Weicker war offensichtlich ein äußerst vorsichtiger Mann, der an seinem Arbeitsplatz kaum Spuren hinterlassen wollte.« Für einen erfahrenen Kriminalpolizisten zwar ungewöhnlich, aber durchaus im Rahmen des Möglichen.

Es war etwas ganz anderes, das Lin beschäftigte. »Lass uns rekapitulieren«, sagte sie leise. Florim sah fragend zu ihr auf. »Woran hat Tom zuletzt gearbeitet, nach allem, was wir wissen?« Die Frage war rein rhetorisch gemeint.

Lin fuhr fort: »Der Fall Varga. Tom hatte Delgano eingefangen und glaubte, Varga vor sich zu haben. Also war Varga nicht sein Komplize. Delgano sitzt vermutlich noch immer im Keller der Polizei. Tom könnte aber für einen anderen Auftraggeber tätig gewesen sein, für Tariq oder für Wöller zum Beispiel. Dann verabredete er sich mit mir, das geschah am Telefon. Ich hatte ihn angerufen, das Treffen fand auf meinen Wunsch statt.« Lin setzte sich im Sessel auf und tippte sich an die Stirn. »Wieso bin ich darauf noch nicht gekommen, Flori, er oder ich wurden abgehört. Hättest du die Güte, mal nachzusehen?« Florim war bereits aufgesprungen und machte sich an ihrem Handy zu schaffen. »Dieses scheint sauber zu sein, wenn man von dem kleinen GPS-Sender hier absieht«, sagte er und hielt triumphierend einen winzigen silbernen Knopf hoch. »Eines der neuesten Modelle von GPS-Sender, Respekt. Aber hiermit konnte man nur deine Wege verfolgen, nicht abhören. Dein Handy war es also nicht, das irgendetwas verraten konnte, aber vielleicht hat man ja ein Telefon von Tariq abgehört.«

Lin ärgerte, dass sie den Knopf in ihrem Telefon übersehen hatte. »Ich hätte wissen müssen, dass man immer wieder versuchen würde, unsere Wege zu kontrollieren«, sagte sie. »Vielleicht war das auch der eigentliche Grund für den Brandanschlag in unserem vorigen Hotel. Wir mussten zweimal hierherfahren. Ich hatte mein Handy zwischen den zwei Fahrten im Zimmer liegen lassen, weil es geladen werden musste. Verdammt!« Sie klang fast tonlos. »Am Ende habe doch ich Toms Mörder zu ihm geführt. Es ist nicht zu fassen.« Florim reichte ihr wortlos ein Wasserglas, das zur

Hälfte mit Brandy gefüllt war. Lin kippte es in einem Zug hinunter. » Wir müssen Varga finden, denke ich. Da liegt unser Schlüssel. Wofür auch immer Tom mit dem Leben bezahlt hat, sein Tod am Ort unserer Verabredung sollte auch eine Warnung an mich sein, davon kann ich ausgehen. Und wer will uns partout nicht sehen? «

» Varga! «, riefen beide wie aus einem Mund.

Ein Zufallstäter konnte es nicht gewesen sein, dafür waren die Informationen über die beteiligten Personen nur einer zu kleinen Gruppe von Leuten bekannt. Wer geht schon in eine Kirche, um zu töten? Ein Muslim, den ein Gotteshaus nicht schert? Oder einer, der genau diesen Eindruck erwecken will.

Ein albanischer Clan würde sich wohl kaum auf so etwas einlassen, die Risiken weiterer, unkalkulierbarer Verwicklungen waren zu groß. » Ein beliebiger Täter, der aus der Situation heraus gemordet hat, kommt wohl auch nicht infrage «, dachte Lin. » Es muss jemand gewesen sein, den ich schon kenne, der vielleicht schon irgendwie verwickelt ist. « Den Rest des Abends durchforstete Florim ihr gesamtes Gepäck, die ganze Technik, die sie dabeihatten.

Lin besuchte die *WonderBar*. Sie wollte Tariq zur Rede stellen. Stammte das Haar am Tatort wirklich von ihm? Allein der Gedanke verursachte ihr Herzklopfen. Konnte er wirklich der Unbekannte gewesen sein, den Florim am Tatort wegfahren sah? Konnte sie sich so sehr in ihm täuschen? Es war die Frage, die Lin am meisten bewegte. Sie hatte sich in der rauchgeschwängerten Luft durch die engen Reihen der Gäste schon bis zum Tresen durchgezwängt, da tippte ihr eine Hand auf die Schulter. Lin ahnte, wer hinter ihr stand.

Sie deutete ein Lächeln an, sie konnte nicht anders. Dann schnellte sie herum und sah Tariq direkt in die Augen. Es entging ihr nicht, dass er ihrem Blick offen begegnete. Konnte er sich so gut verstellen? War das alles nur Show? Ihr fiel auf, dass seine Gesichtsfarbe eine Spur fahler wirkte als sonst. Er schlang die Arme um sie und flüsterte: » Schön, dich zu sehen. « Lin schob ihn von sich und trat einen Schritt zurück.

Er kann es nicht getan haben, das kann nicht sein, dachte sie, drängte den Gedanken aber gleich beiseite. Stattdessen ging sie lautstark zum Angriff über: »Fühlt es sich so an, Tariq, wenn man einem Menschen das Leben genommen hat? Ist man dann ein bisschen desorientiert, ein bisschen blass um die Nase, so wie du jetzt?« Lin konnte ihre Stimme verletzend klingen lassen. Tariq erstarrte augenblicklich, er schien nicht zu verstehen. Dann versuchte er ein Lächeln, das nur schief gelang. Der Barbetrieb war laut, aber nicht laut genug, um mit Geschrei kein Aufsehen zu erregen. Ein paar der Gäste hatten sich zu ihnen umgedreht, andere sahen neugierig in ihre Richtung. Tariq legte Lin wortlos die Hände auf die Schultern und schob sie am Tresen vorbei nach hinten in sein Büro.

Er wartete noch, bis er die Tür geschlossen hatte. Dann bemerkte Lin, dass sein Gesicht weiß war vor Wut. »Wen soll ich ermordet haben?«, schrie er. »Bist du völlig von Sinnen, Lin? Du schreist es in meinem Lokal in die Welt hinaus, ohne vorher mit mir zu reden? Wer ist tot, der es gestern noch nicht war?« Er sah Lin herausfordernd an. Sie spürte, dass da eine Unstimmigkeit in seiner Stimme war. Er versuchte, abzulenken. Was hielt er zurück?

Sie antwortete sofort: »Tom Weicker, das weißt du doch genau. Ihm wurde gestern in der katholischen Kirche das Rückgrat gebrochen, Tariq. Und ich wette, die Haarspur, die man bei der Leiche gefunden hat, stammt von deinem Kopf. Das wird man feststellen können. Dein Haar enthält deine DNA, das wirst du doch wissen.« Während sie so im hämmernden Anklägerton zu ihm sprach, spürte Lin, wie sie selbst den Verdacht kaum aushielt, unter dem er jetzt stand.

Tariq hielt jetzt die Arme über der Brust gekreuzt, als halte er sich selbst fest. Er sah aus, als würde er jeden Augenblick in sich zusammenfallen. Tariq litt, aber weshalb?

»Okay. Erzähl mir etwas Neues, Lin«, presste er schließlich heiser hervor. Etwas, das wie Resignation klang, schwang in seiner Stimme mit.

Lins Stimme klang immer noch hart: »Wo warst du gestern? Sag es mir, bitte. Tariq, hast du Tom Weicker getötet oder töten lassen? Bist du Wöllers Mann in Pristina? Wöllers Vollstrecker?« Lins Stimme klang jetzt fast bittend, so als müsse er ihren Vorwurf nur mit Nachdruck überzeugend bestreiten und alles wäre wieder gut. Nichts wurde wieder wie zuvor. Aber ganz anders, als sie gedacht hatte.

Lin setzte sich ihm gegenüber, nach vorn gebeugt, sah ihn an. »Ich warte immer noch auf eine Antwort«, sagte sie leise. Sie konnte spüren, dass Tariq mit sich rang. Sie wusste auch, dass es keinen Sinn hätte, ihn jetzt zu bedrängen. Er will mir etwas sagen, er soll den richtigen Moment dafür bestimmen, dachte Lin. Die Zeit schien stillzustehen. Von ganz fern drangen die Geräusche der Bar zu ihnen herein, Löffel, die silbern auf Tellern klirrten, Fetzen von Musik. Je länger sie in der Stille saß, desto stärker meldete sich ihre Erinnerung an Tom wieder in ihrem Bewusstsein zurück. Lin fühlte sich wie ein einziger wunder Trauerkörper. Es tat so weh, sich noch einmal Tom in der Kirchenbank vorzustellen. Tom, der mit ihr verabredet war und jetzt auf einer Bahre aus Stahl in der Rechtsmedizin lag. Lin schluchzte innerlich, nach außen war ihr nichts anzumerken, keine Träne rann über ihr Gesicht. Sie fühlte sich wie zerrissen zwischen den beiden Männern.

Als sie wieder zu Tariq hinübersah, wurde ihr bewusst, dass er sie schon länger beobachtete. Seine Augen verströmten jetzt wieder die warme, zärtliche Weichheit, die sie in inneren Aufruhr versetzen konnte. Konnte er zwei Seiten haben, wie Jekyll und Hyde? Wenn sich das herausstellt, dann bin ich mit meiner Menschenkenntnis am Ende. Tariq räusperte sich, dann begann er zu sprechen.

16

»Lin, versprich mir, dass du jetzt versuchen wirst, mich zu verstehen und keine falschen Schlüsse ziehst, bevor du mich zu Ende angehört hast.« Tariq sah ihr eindringlich in die Augen. Lin nickte zögerlich. Seine Stimme klang jetzt fest. »Erstens, ich habe Tom nicht umgebracht, du wirst es gleich verstehen. Zweitens, ich weiß, in wessen Auftrag dieser Mord geschehen ist. Das war ein klassischer Fall von Notwehr, eine Notwehrtötung gewissermaßen.« Lin wollte widersprechen, doch er gab ihr mit der Hand ein Zeichen, dass sie schweigen solle. Tariq schluckte, bevor er fortfuhr: »Es gibt etwas, was du nicht wissen kannst, weil du noch nicht wieder lange genug hier im Kosovo bist. Tom Weicker war nicht mehr nur der, für den du ihn gehalten hast.«

Tariq ließ einen Augenblick verstreichen, dann fuhr er fort: »Tom Weicker hat auf zwei Schultern getragen. Auch wenn es für dich schwer zu verdauen sein wird: Er war vor allem Wöllers Mann auf dem Balkan. Auch Wöller hat angefangen, ein falsches Spiel zu spielen, deshalb hat man ihn jetzt in Berlin entmachtet. Aber hier hat er nach wie vor seine kriminellen Geschäfte fortgesetzt. Wöller ist ein Schwein. Er hat sich hier eine zweite Existenz aufgebaut, mit Waffen und anderen dubiosen Geschäften. Und Varga war ihm von der Fahne gegangen. Du hast ihn, ohne etwas von diesem Kontext zu ahnen, für Wöller wiedergefunden. Indirekt gewissermaßen. Dein Freund Florim hat Vargas' Fahrzeuge verwanzt. Jetzt hat Wöller, mit einem ähnlichen Gerät wie dem von Florim, sich diese Bewegungsdaten ebenfalls zunutze machen können, weil er denselben Frequenzzugriff hatte. Wusstest du, dass so etwas möglich ist?«

Lin schüttelte den Kopf. »Ich verstehe nur nicht, warum ich einfliegen musste, für eine solch billige Hilfsaktion. Warum konnte ihn niemand anderes hier finden, in diesem winzigen Land?«

»Du weißt doch, dass hier alle irgendwie mit drinhängen, in allem, was es an Geschäften gibt. Wöller ist angesehen hier im Kosovo, aber auch in den Nachbarländern bei den Familienclans. Niemand hätte sich in eine solche Fehde anders eingemischt als auf Wöllers Art. Jemand wie du, der sich auskennt hier, musste kommen, um den Job zu erledigen. Der lautete: Varga für ihn unschädlich machen, damit er dessen Skalp in Berlin vorzeigen kann, verstehst du?« Tariq fuhr fort: »Aber du warst zu schnell, es zeichnete sich ab, dass du aus dem Ruder laufen würdest. Wöller hatte sich das anders vorgestellt. Er dachte wohl, du würdest jemanden vom BND niemals infrage stellen.« Er legte den Arm um ihre Schultern: »Schau, in Wahrheit ist Tom für Wöller in die Kirche gekommen, um dich, Lin Baumann, auszuschalten. Wöller hat mir diesen Plan am Telefon angedeutet. Weicker hat sich mit dir verabredet, weil er wusste, er wäre mit dir allein und nichts wäre draußen zu hören. Es war alles nur Berechnung. Glaub mir doch, er hätte dein Verschwinden mühelos irgendeinem Albanerclan anhängen können …«

»Was du mir präsentierst, sind Glaubensfragen. Und warum sollte ich dir auch nur ein Wort glauben?« Lin spürte Wut in sich aufsteigen. »Das kann auch nur deine Version der Geschichte sein. Wer sagt mir, dass stimmt, was du erzählst? Du scheinst doch selbst einer von denen zu sein. Sonst könntest du die Zusammenhänge gar nicht kennen.« Etwas in ihr wollte ihm glauben. Doch ihr Verstand siegte. »Beweise, Tariq, Beweise. Hast du Belege für das, was du sagst? Und wer hat dann Tom getötet? Wöller selbst?«

Tariq wartete geduldig, bis sie wieder still war: »Versteh doch endlich, Lin. Ich habe es nicht getan. Die Haare, die man am Tatort gefunden hat, können nicht von mir stammen. Weil ich nicht am Tatort gewesen bin, wie Florim glaubt. Aber wenn ich den Ablauf nicht umgedreht hätte, wärst jetzt du nicht mehr am Leben. Du hättest in der Kirche getötet werden sollen, verstehst du?« Und er setzte leiser hinzu: »Dein Leben ist mir viel zu kostbar.«

Lin wagte es nicht, ihn jetzt anzusehen. Es war nicht so sehr die Tatsache, mit dem Tode bedroht worden zu sein, ohne es zu wissen. Die Situation war ihr vertraut. Aber dass Tom ungefragt an ihrer Stelle gestorben war, um ihr Leben zu retten, traf sie tief. Es verwickelte sie in einen Zusammenhang, gegen ihren Wunsch und Willen. Sie war plötzlich zum Objekt geworden, etwas, das sie nicht steuern konnte, wurde mit ihr gemacht. Und nun hatte auch noch Tariq ihr Leben gerettet. Sie waren also quitt. War das sein Motiv gewesen? Lin lachte auf, es klang höhnisch. Tatsächlich fühlte sie sich sehr müde. »Du hast mir also das Leben gerettet, ich danke dir dafür.« Sie neigte den Kopf in Tariqs Richtung wie zu einer kleinen Verbeugung. Er reagierte darauf nicht. Es war nicht der Moment für Dankesfeiern.

Beide schwiegen für einige Augenblicke. Dann sagte Lin: »Ich verstehe, du warst es nicht selbst, aber es war einer von deinen Männern, nicht wahr?« Tariq sah sie nur an. Als könnte er mit seinem Blick eine Verbindung zu ihr schaffen, in der es keine Missverständnisse gab. Doch Lin wandte sich ab. Tariq konnte so überlaufen vor Gefühlen. Sie ahnte, wie die Sache abgelaufen war. »Wer war der Initiator für diesen Mordauftrag?«, fragte sie. »Wer wollte mich erledigen? Bevor du beschlossen hast, die Fakten umzudrehen?« Ihre Stimme klang beinahe mechanisch.

Tariq sah sie nur an. Dunkle Augen wie Bergseen, dachte Lin automatisch, als sie seinen Blick erwiderte. Sie wäre ihm gerne nähergekommen, aber das hätte alles noch komplizierter gemacht. Sie musste wissen, woran sie war. Der Augenblick taugte auch nicht für Sentimentales. Noch einmal versuchte sie es mit lauter, fester Stimme: »Wo leben wir eigentlich, dass Frauen beschützt werden, indem man falsche Freunde erledigt?«

»Falsche Freunde? Lin, ich fürchte, du verkennst die Situation«, jetzt erhob Tariq die Stimme. »Ich habe mit Tom gesprochen, und ich habe ihn angefleht, es sein zu lassen. Er hatte sogar Skrupel. Glaub mir. Ihr hattet ja über lange Zeit immer wieder miteinander zu tun, wart Freunde. Aber der wirkliche Tom war ein anderer als der, den du kanntest. Er verfolgte seine eigenen Interessen, arbeitete auf eigene Rechnung. Diese ganze lächelnde Fassade, dieses Solidarisch-Kumpelhafte, das war alles nur Show. Er wollte wieder zurück nach Deutschland, das war alles. Und dafür brauchte er die Gunst von Wöller ...«

Lin unterbrach ihn: »Wie wollte Tom es bei mir machen?« Ihr schauderte bei dem Gedanken, um ein Haar völlig naiv in Toms Falle gelaufen zu sein. Die Kirche war der Treffpunkt, den Tom ausgesucht hatte. »Er hatte eine Nylonschnur dabei ...«, sagte Tariq leise.

Lin schwieg, um den Schreck in sich selbst niederzuringen. »Das kann nicht sein«, sagte sie ein wenig atemlos. »Es gilt dasselbe wie vorhin. Hast du Beweise für das, was du da behauptest?«

Tariq drehte sich entschlossen zu seinem Schreibtisch um und zog mit einem festen Ruck eine Schublade auf. Wortlos griff er hinein, entnahm ihr einen Minirecorder, an dem seitlich zwei Kabel herunterhingen. Lin kannte diese Art Gerät, sie hatte mit ähnlichen Modellen oft Telefonate aufgezeichnet. Tariq öffnete den Kassettendeckel: »Hier liegt dein Beweis, ich werde ihn dir vorspielen.« Er ließ den Deckel wieder zuschnappen und drückte die Play-Taste. Erst war nur Rauschen zu hören. Dann sprach deutlich eine Stimme, die Aufzeichnung hatte offenbar mitten in einem Satz begonnen.

»... wirst doch kein Idiot sein wollen, Tariq. Tu, was ich dir sage. Die Frau ist doch ohnehin erledigt. Entweder du tust es, oder Weicker wird es tun. Ich will nicht, dass sie nach Deutschland zurückkehrt, verstehst du. Wie ich höre, gibt es da ein kleines Treffen in einer Kirche, ein idealer Ort, findest du nicht? ...«

»Das ist Wöllers Stimme«, sagte Lin in die Aufnahme hinein, »aber, wer sagt mir, dass das nicht auch eine manipulierte Kassette ist?« Was konnte man mit Tonbändern und Computern nicht alles erzeugen. Sie wusste es von zahlreichen eigenen Versuchen. »Auf Magnetbändern kann man alles fälschen«, sagte Lin in einem Ton, der keinen Widerspruch erlaubte.

»Mag sein«, Tariq reichte ihr die Kassette, »ich gebe sie dir, lass Florim untersuchen, ob die Aufzeichnung echt ist.«

Sie steckte sie ein, ohne Kommentar.

Tariq ging die paar Schritte zu ihr hin und nahm sie sacht in den Arm. Lin ließ es einfach geschehen. Sie hatte zu verdauen, dass Tom an ihrer Stelle ermordet worden war. Und dass Tariq wie ein Richter darüber entschieden hatte, dass nicht sie, sondern er sterben musste. Was bin ich nur für eine Idiotin, dachte Lin. Tom ist tot, und ich lasse mich von dem Mann umarmen, der ihn hat umbringen lassen. Aber Tom war auch ein Verräter gewesen, wer weiß, wie lange schon. Sie musste es sich nur immer und immer wieder klarmachen.

»Ich konnte nicht anders, und du hättest nichts anderes tun können, Lin«, sagte Tariq in ihr Haar hinein, »Tom kannte das Risiko. Er hätte wissen müssen, dass ich dich in diese Falle niemals hätte rennen lassen.«

Lin löste sich aus seiner Umarmung. »Was wird jetzt mit dem wirklichen Täter?«, fragte sie. »Er entkommt jetzt im Schoße der Familie? So kann ein Rechtssystem doch nicht funktionieren. Wie im Kanoun regeln die Familien das untereinander, was?«

Tariq sah sie ernst an: »Du wirst es verstehen, eines Tages, glaub mir. Das hat mit Kanoun nichts zu tun. Dieser Fall war speziell.«

Ihre Antwort kam schnell: »Sehr speziell sogar. Mein Auftraggeber, der Führungskraft in einer deutschen Behörde war, wird zum Auftraggeber für meine Ermordung. Wenn das nicht speziell ist. Ist Wöller eigentlich noch hier?«

Tariq zuckte mit den Achseln. »Und wenn, dann ist er jetzt hinter Varga her.«

»Wir werden ihn finden«, sagte Lin mit Härte im Blick. »Er muss aus dem Verkehr gezogen werden, das ist klar.«

Tariq griff in eine Schublade und reichte ihr einen automatischen Schlüssel: »Dann nimm wenigstens einen von meinen Wagen, einer, der dir mehr Schutz bietet als eure Schrottmühle. Hier, ein Mercedes, er steht vor der Tür. Dunkelblau. Nimm einfach das Auto, das aufblinkt, wenn du die Fernsteuerung betätigst.«

Lin nahm den Schlüssel und vermied es dabei, Tariqs Hand zu berühren. »Danke. Du bekommst ihn zurück«, rief sie ihm zu und war auch schon aus der Tür. Tariq blieb unbeweglich stehen und sah ihr noch nach, als sie schon längst verschwunden war. Mit zusammengezogenen Augenbrauen. Er sah angespannt aus.

Lin fand den Wagen ein paar Schritte von der Bar entfernt am Straßenrand. Sie setzte sich hinein, stellte den Sitz und die Spiegel ein. Dann griff sie nach ihrem Handy und rief Nico an. Sie erzählte ihm, was geschehen war. Lin hörte an seiner Stimme, wie beunruhigt er war. »Lass alles stehen und liegen und komm zurück«, suchte er drängend, sie zu überzeugen, »das ist alles eine Nummer zu gefährlich. Du bist weder angestellte Journalistin noch Polizistin. Niemand schützt dich dort. Wenn dir etwas geschieht, gibt es nur einen Leidtragenden: mich. Bitte, Lin, das Risiko mit Wöller ist viel zu groß. Er wird versuchen, dich fertigzumachen. Und es ist nicht immer ein Tariq zur Stelle, um dich zu retten.«

Lin versuchte einen Einwand: »Tariq ist auf meiner Seite, glaub mir. Ich bin mir sicher, dass ich mich auf ihn verlassen kann. Ich weiß, du machst dir Sorgen, aber ich kann hier nicht das Feld räumen, ehe dieser Typ gefasst ist. Und er muss gefasst werden.« Lin wunderte sich selbst, wie selbstverständlich sie Tariq inzwischen Vertrauen einräumte. Dabei war mehr Instinkt als Verstand im Spiel. Konnte ihr Feind sein, wer sie vor dem Tod bewahrte? Selbst dann, wenn er einem anderen den Befehl gab, dafür zu töten? Im Augenblick sprach nichts weiter gegen ihn. Ich habe mich offenbar wirklich entschlossen, Tariq zu glauben, dachte Lin.

Nico hatte seine Gründe, eindringlich auf sie einzureden. »Was nützt es uns beiden, wenn du dabei draufgehst, Lin?«, versuchte er sie zu überzeugen.

»Du hast ja recht, mein Liebling. Aber ich kann hier nicht einfach weg. Ausgeschlossen! Ich sag's mal so: Unser beider Vorstellung von Moral ist doch die, dass die Bösen gefasst werden, und nicht, dass man vor ihnen davonläuft. Ich weiß, du findest, die Polizei sollte das tun und nicht ich. Aber ich habe wirklich eine Chance, ihn zu kriegen.«

Sie hätte stundenlang so weiter argumentieren können. Nico wusste das. Er stieß einen Seufzer aus. In dieser Verfassung war sie kaum noch umzustimmen. Er kannte diesen Zustand bei ihr, diese Mischung aus Adrenalin und Sturheit pur war typisch für sie. Resigniert bat er: »Liebling, pass auf dich auf. Und melde dich täglich, hörst du?«

»Ich liebe dich«, flüsterte Lin und versuchte, ihrer Stimme einen zartschmelzenden Klang zu geben. Dann beendete sie das Gespräch, es hatte 38 Minuten gedauert. Ihre Gefühle für Tariq waren unerwähnt geblieben. Die gingen Nico nichts an.

Auf dem Weg zurück zum Hotel bog sie von der Hauptstraße ab und steuerte den Mercedes zu der Kirche, in der Tom gestorben war. Die hohe Flügeltür, durch die sie ihn hinausgetragen hatten, stand offen. Jemand hatte ewige Lichter auch auf die Stufen zum Altar gestellt. Vielleicht zu Gedenken des Menschen, der hier gestorben war. Lin trat ein, benetzte ihre Finger mit Weihwasser, wie sie es als Kind gelernt hatte, und setzte sich an den Rand der Bank, an der noch die Kreidemarkierungen hafteten und die dunkelbraunen, eingetrockneten Flecken. Toms Blut vielleicht. Lin erinnerte sich nicht mehr, ob überhaupt Blut geflossen war. Das rot-weiße Plastikband, das zunächst den Tatort umspannt hatte, lag an einigen Stellen am Boden. Niedergetreten vermutlich von der Spurensicherung. Kein Mensch weit und breit. Lin war allein. Es roch kühl, mit einer Spur Weihrauch darin, wie es nur in Kirchen möglich ist. Nur christliche Kirchenräume bergen in ihrer gewaltigen, Ehrfurcht gebietenden Stille eine Vorstellung vom völligen Stillstand der Zeit. So als gäbe es einen Vorgeschmack auf die Ewigkeit.

Lins Blick näherte sich der Stelle auf der Bank, wo Tom so sonderbar verrenkt halb gesessen und halb gelegen hatte. »Was hast du nur getan, Tom?«, murmelte Lin halblaut, als säße er vor ihr, »wolltest du mich wirklich töten? Hättest du das tun können?« Wut stieg in ihr auf. Wenn er jetzt vor ihr stehen würde. »Mann, wir waren doch Freunde ...« Lin schossen Tränen in die Augen. »Warum hast du Wöller geholfen und nicht mir? Wie konntest du das tun?« Ihre Stimme ging in ein leises Schluchzen über. Wie in einem zurückgespulten Film sah sie die schönen Erinnerungen mit Tom vor sich, ihre langen abendlichen Essen in Pristina, die vertrauten Gespräche. Erinnerungen, die allesamt vor diesem einen Tag lagen. Ich habe dir vertraut, flüsterte sie, verdammt, ich habe dir vertraut. Sogar als du mir den falschen Varga präsentiert hast, dachte ich, dass es sich nur um ein Versehen handelt. Es kam mir komisch vor, aber an deiner Integrität hätte ich so schnell nicht grundlegend gezweifelt. Der Schlag tat weh. Aber wenn stimmte, was Tariq erzählte, dann hatte ihr Leben gegen seins gestanden. »Tom, du hättest mich kalt über die Klinge springen lassen«, sagte sie leise, »erdrosselt, mit einer Nylonschnur.« Sie schüttelte sich. Dann stand sie auf und verließ die Bank. »Adieu, Tom«, sagte sie in einer Art kühlen Trauer an die Stelle mit den Kreidemarkierungen hin, bevor sie mit gestrafftem Körper das Kirchenschiff Richtung Ausgang wieder verließ. Adieu!

Florim pfiff anerkennend, als sie mit dem Mercedes am Hotel vorfuhr. Er hatte die wichtigsten Sachen zusammengepackt und wartete bereits vor der Tür. Vorsichtshalber wollte er den Mercedes abscannen, aber Lin winkte ab. »Lass, selbst wenn es so sein sollte. Es ist Tariqs Wagen, und er ist auf unserer Seite. Ich werde dir gleich alles erzählen. Steig schon ein.« Er sah sie überrascht an, machte aber keine Bemerkung, auch keine zu ihren geröteten Augen. »Soll ich?«, fragte er, mehr der Höflichkeit halber, er wusste, dass Lin am liebsten selbst am Steuer saß. Sie wollte nach Prizren zur Bundeswehr, um dort, wenn möglich, zwei schusssichere Westen auszuleihen. Selbst bei ihren blendenden Kontakten würde sie dafür alle ihre Überredungskünste brauchen. Unterwegs brachte sie Florim auf den letzten Stand.

»Wöller!« Florim sagte nur dieses eine Wort, es hörte sich an, als spucke er es aus, es klang wie »Ratte« oder »Schwein«. Tariqs Rolle kommentierte er nicht. In Florims Welt war es normal, dass man die Seinen schützte, wenn nötig auch mit allen Mitteln. Dass Tariq Lin dazu zählte, verstand sich für Florim von selbst. Er sah ja, dass zwischen beiden ein ganz besonderes Verhältnis bestand. Die Straße hinauf in die Berge erlaubte kein Tempo, einige der Schlaglöcher klafften dafür zu tief.

Lin kam nicht umhin, auf der Fahrbahn einen engen Slalom zu fahren; nur einen zu tiefen Krater übersehen und die Achse des Wagens war hinüber. Der Kosovo hatte keinen ADAC, dessen Pannenhilfe binnen einer Stunde zur Stelle wäre. Hier kam ihnen niemand entgegen, es sei denn, einer dieser Luxusjeeps der Vereinten Nationen zischte vorbei, so schnell er eben konnte, doch dessen Chauffeur fürchtete sich selbst vor einem Überfall. Eine Geschwindigkeit von 30 Stundenkilometern war viel zu schnell für diese Art Straße, Lin schaffte gerade einmal zehn. Je mehr sich das Licht zurückzog, desto schwieriger waren die Löcher in der Fahrbahndecke auszumachen. Kettenfahrzeuge der Serben wie Deutschen, Italiener wie Amerikaner waren während des letzten Krieges hier entlanggerattert. Offenbar war niemand für die Schäden aufgekommen. Wer achtete in Kriegszeiten schon auf Straßendecken?

»Verdammt!«, fluchte Lin, beinahe wäre sie in einen Krater gesackt, den sie fast übersehen hatte. »Das Fernlicht bringt gar nichts«, schimpfte sie. Florim kannte solche Situationen mit ihr. Er wusste aus Erfahrung, dass mit Reden bei ihr jetzt überhaupt nichts auszurichten war. Lin war sauer. Sie würde sich ganz von allein auch wieder beruhigen. Er konnte gar nicht anders, als unentwegt auf die Fahrbahn starren wie sie.

17

Die bulligen, schwarzen Jeeps bemerkten sie erst, als es schon zu spät war. Die Zeitspanne, die beide brauchten, um sich einen Reim auf die quer stehenden Wagen zu machen, war zu lang. Florim stieß nur ein nervöses: »Was soll das denn?« aus, auf das er keine Antwort erwartete. Lin schwieg, während ihre Gedanken im Kopf ratterten. Entweder eine Vendetta, die mit uns nichts zu tun hat, dachte sie, oder das Ganze gilt wirklich uns. Nach vorn gebeugt beeilte sich Florim, im Funzellicht der Autoarmaturen seine Pistole zu laden. Lin versuchte, den Wagen zu wenden. »Das hat man dann von solchen Riesenschüsseln«, fluchte sie, »sie sind in dieser beschissenen Kraterlandschaft nicht zu gebrauchen.« Während sie schrie, überlegte sie fieberhaft nach anderen Wegen, aus der Situation zu entkommen. Anhalten und weglaufen wäre schon wegen möglicher Minen, die noch herumlagen, viel zu riskant. Der Unterboden schepperte krachend, als der Mercedes mit einem der Hinterräder in ein Loch absackte. Lin hatte keine Angst, sie war wütend. Dann ging alles ganz schnell.

Schüsse zerschlugen das Scheinwerferlicht. Es wurde stockdunkel. Jemand stieß Lins Fahrertür auf. Ein muskulöser Mann mit tief in die Stirn gezogener Baseballkappe packte sie an der Schulter. »Out! Out!«, befahl er in einem Ton, der keinen Widerspruch duldete. Die vom Rauch gegerbte Stimme und der Akzent in seinem Englisch klangen nach Balkan. »You come with me!« Für Florim schien er sich gar nicht zu interessieren. »No problem, you stay here!«, rief er ihm nur zu. In der Linken hielt er eine Pistole, großes Kaliber, mit aufgeschraubtem Schalldämpfer. Lin wusste, dass es besser war, dem Befehl zu gehorchen. Florim saß wie gelähmt auf seinem Sitz. Lin schob sich zwischen Florim und den Mann. Sie verdeckte mit ihrem Körper absichtlich jede Schussperspektive. Eine Kugel, aus welcher Richtung auch immer, hätte unweigerlich auch sie getroffen. Florim konnte ihr nicht helfen. Dabei gehörte es zu seinen Aufgaben, ihr zu helfen, auch mit der Waffe, wenn nötig. Tatsächlich beschützte Lin meist ihn. Sie hatte anfangs darüber oft Witze gemacht. Der bullige Typ mit der Baseballkappe hatte Lin aus dem Wagen gezogen und zu einem der Jeeps gezerrt. Florim überlegte fieberhaft, wie er einen Peilsender am Wagen des Bulligen anbringen könnte. Doch es ergab sich nicht einmal der Hauch einer Chance. Jeder falsche Schuss konnte Florims Leben kosten – und das von Lin.

Florim versuchte, sich Einzelheiten der Szene genau einzuprägen. Die beiden Jeeps vom gleichen Typ sahen aus wie Chrysler Grand Cherokees. Die gut beleuchteten Kennzeichen versuchte er gar nicht erst zu entziffern, wer fuhr schon zu solchen Einsätzen mit echten Schildern? Stattdessen merkte sich Florim die Größe des bulligen Typen und seine Konturen, aber auch die Umrisse des zweiten Mannes, der im rechten der beiden Geländewagen am Steuer saß. Gedrungen, bäuerliche Gesichtszüge wie der erste. Beide waren etwa Anfang vierzig. Florim fielen die deformierten, platten Nasen beider auf, vom Boxen oder von einer Schlägerei vielleicht. Mehr hatte er in den wenigen Sekunden im Licht der Scheinwerfer nicht ausmachen können. Beide Männer wirkten wie eine Mischung aus Bodybuilder und Leibwächter. Sie sehen aus, wie die meisten Ex-UCKler hier aussehen, dachte er, verzweifelt darüber, dass ihm nichts Unverwechselbares an ihnen auffiel. Entschlossene Gestalten, denen man einen Spezialauftrag erteilen konnte.

Florim kannte diesen Typus. Auf dem Balkan fanden sich solche ehemaligen Freiheitskämpfer inzwischen im Umfeld wichtiger Geschäftsleute oder Politiker. Als gewissenlose Kraftprotze waren sie eine Art Allzweckwaffe. Trainierte Typen mit stoischen Mienen, denen die Gleichgültigkeit gegenüber allem Lebenden eingeschrieben war. Aber diese hier schienen nur aufgeblasene Helfer zu sein, Subalterne. Solche, die nicht auf eigene Rechnung im Einsatz waren, sondern im Auftrag anderer. Florim hatte Lin noch einen winzigen Sender anheften wollen, sich aber nicht rechtzeitig dafür entscheiden können, um sie nicht unnötig in Gefahr zu bringen. Sie verschwand aus seinem Blickfeld, ohne jede spätere Ortungsmöglichkeit. Diese Typen spaßten nicht, hoffentlich war sich auch Lin darüber im Klaren.

Verdammt! Warum waren wir auf eine solche Situation nicht vorbereitet, dachte Lin, während sie der Mann mit schnellen Schritten zur Hintertür des rechten Jeeps schob. Er zog eine schwarze Haube aus seiner Jackentasche und reichte sie ihr: »Put it on, over the head! Now!« Lin bemerkte, dass es weicher schwarzer Stoff war, als sie mit den Fingern nach einer Öffnung suchte. Sie zog die Haube über den Kopf, der blickdichte Stoff machte jede Sicht unmöglich, er reichte bis zu ihrem Halsansatz hinab. Diese Typen sind wie dumpfe Bullen, die einer losgelassen hat, dachte Lin. Nur wer? Wer wollte sie und nur sie entführen? Wöller vielleicht? Wohl kaum, Wöller konnte sie auf der Straße liquidieren lassen, wenn er das wollte.

Entschlossene, kräftige Finger banden ihr hinter dem Rücken Plastikstreifen um die Handgelenke, so fest, dass sie aufschrie. Plastikstreifen, wie sie in Deutschland statt Handschellen bei der Polizei verwendet werden, dachte Lin. Erstaunlich! Aber die deutschen Einheiten der UN-Police hatten sicher die gleichen Streifen. Dann wurde der Jeep gestartet und raste in hohem Tempo davon. Lin konnte nicht einmal mehr die Himmelsrichtung ausmachen. Die schwarze Haube über den Augen und das wackelige Hin- und Herkreuzen des Jeeps auf der Straße hatten sie völlig irritiert. Als der Wagen etwa dreißig Minuten später abrupt bremste, wurde Lin von der Wucht auf ihrem Sitz nach vorne geschleudert. Jemand riss die Tür auf, zerrte sie unsanft hinaus. Lin versuchte zu erspüren, ob sie sich in bewohnter Umgebung befand. Es war still rundum, aber der Schall der Schritte klang nach befestigten Straßen. Irgendwo heulte ein Hund. Wir sind in einem Ort, dachte Lin. Sie zählte etwa zwanzig Schritte, dann ging es drei Stufen hinab in einen Raum, der deutlich kühler war. Sie wurde auf einen Sitzplatz gestoßen, die unnatürlich hinter dem Rücken zusammengebundenen Arme schmerzten. Eine schwere Tür fiel ins Schloss. Dann war Stille.

Wie gelähmt war Florim auf dem Beifahrersitz zurückgeblieben. Wie blutige Anfänger haben wir uns aufgeführt, dachte er. Lin genauso wie ich. Mit so etwas hätten wir rechnen müssen, seit der Sache mit Tom Weicker. Die Jeeps entfernten sich zügig. Sie durchfuhren einige der Vertiefungen und schienen nur den ganz tiefen Kratern ausweichen zu müssen. Florim fühlte sich elend. Wieder einmal hatte er als Beschützer versagt. Nichts, aber auch gar nichts hatte er tun können, um Lin zu helfen. Er schämte sich dafür. Die Wirklichkeit ist eben anders als Fernsehserien, versuchte er sich zu beruhigen. Ich hätte beide Typen erschießen müssen. Aber man erschießt nicht einfach zwei Männer, wenn man nicht weiß, zu wem sie gehören. Versuchsweise knipste er am Mercedes das Stellrad für die Beleuchtungen an, nur die Birnchen des Standlichts funktionierten noch.

Florim ließ den Motor an und musste die Strecke wieder im Schritttempo fahren, dreißig mühsame Kilometer den Berg hinab. Unten in Ferizaj funktionierte das Handy wieder. Er rief als Erstes Tariq an und erzählte ihm alles. Tariq zeigte sich außerordentlich beunruhigt. »Wir müssen sie suchen und finden«, sagte Florim bestimmt.

»Wir sollten erst mal darüber nachdenken, wer sie haben könnte und was sie mit ihr wollen«, antwortete Tariq. Er schlug vor, Florim solle zu ihm in die Bar kommen.

Als Tariq aufgelegt hatte, stand er vor seinem Schreibtisch, ohne sich zu rühren. »Wenn du ihr auch nur ein Haar krümmst, Wöller«, flüsterte er hasserfüllt in die Stille, »dann

bist du tot. Tot! tot! tot! Ich finde dich Lin, ich finde dich.«
Zwanzig Minuten später traf Florim ein. Beide sahen sie mit-
genommen aus. Tariq sah sich die Schäden am Wagen an:
»Nichts wirklich Schlimmes.«

»Warum hast du die Augen nicht aufgemacht?«, fragte er
Florim mit heiserer Stimme. Es klang vorwurfsvoller als gemeint. Tariq schätzte den »Kleinen«, wie er Florim manchmal nannte. Sie verhielten sich zueinander wie Brüder, nur
dass Tariq, der selbst Familie hatte, stets auch als Älterer
bestimmte, was zu tun war. Florim mochte den Älteren, er
respektierte ihn auch, was noch wichtiger war. Florim wusste
um die besondere Beziehung Tariqs zu Lin, er schwärmte
selbst ein bisschen für sie. Nie hätte er das zugegeben. Tariq
wollte nun jedes Detail wissen.

»Es gab eben keine Chance, blitzschnell zu wenden und
mit Vollgas davonzurauschen«, versuchte Florim, sein Handeln zu begründen, »ganz zu schweigen davon, ihnen hinter-
herzujagen.« Er berichtete von den Einzelheiten, die er sich
gemerkt hatte: »Nur einer stieg aus, von mir wollten sie gar
nichts. Es waren superteure Jeeps, schwarz und nagelneu.
Was ich sagen will, ist: Sie kann überall sein.«

Tariq widersprach nicht: »Wir müssten die Punkte an-
fahren, die ihr kennt, und schauen, ob sich dort etwas verändert hat. Es kann nur jemand sein, mit dem ihr Berüh-
rung hattet. Irgendein Fremder macht so etwas nicht, wozu
auch?«

Florims Antwort kam so schnell wie ein Pfeil: »Warum
versuchen wir es nicht bei der Familie von Izmet Varga in
Gjakova? Ich begleite dich dahin.«

Tariq antwortete nicht. Die Schwierigkeiten, die er sah,
lagen woanders. Für die meisten Ortschaften im Kosovo
existierten keine präzisen Karten oder Stadtpläne mit ge-
nauen Straßennamen. Das machte die Orientierung so
schwierig und die Möglichkeit, jemanden unbemerkt zu verstecken, so groß. Der Besucher musste die Anreise noch aus
der Erinnerung kennen oder sich mühsam durchfragen.

»Wir müssten alle Luxuskarren verwanzen und verfolgen«, sagte Florim mehr zu sich selbst, »sonst finden wir sie nie.«

Tariq legte ihm die Hand auf die Schulter: »Da hättest du im Kosovo aber viel zu tun.«

18

Nico wird sich schon große Sorgen machen, dachte Lin. Zugleich wunderte sie sich, dass es ihr ferner Lebensgefährte war, der ihr als Erster in den Sinn kam, und nicht Tariq. Wen wird Nico kontaktieren? Wen kannte er überhaupt im Kosovo? Von der Sache mit Tom wusste er, Gott sei Dank. Nico hatte Florims Handynummer, aber wo zum Teufel steckte Florim jetzt bloß? Lin konnte sich kaum noch bewegen. Die Gelenke schmerzten. Nicht lange und die Muskeln in den unnatürlich verrenkten Armen würden mit üblen Krämpfen reagieren. Sie hätte nicht sagen können, wie lange sie schon so dalag. War es eine Nacht gewesen, oder waren es schon zwei? Auf der Seite, die Hände hinter dem Rücken gefesselt, die Haube über dem Kopf. Sie wagte es nicht, zu rufen oder zu schreien. Ihr ausgezeichnetes Gehör versagte, weil es nichts zu hören gab. So in etwa musste sensorische Deprivation vor sich gehen, dachte Lin.

Sie spürte keine Angst, dafür hätte sie die Gefährlichkeit ihrer Gegner genauer kennen müssen. Eher empfand sie eine Mischung aus psychischer Angespanntheit und körperlichen Schmerzen, vor allem in den Schultern und Armen. Etwas in ihr vertraute auf Tariq. Florim würde sich an ihn gewandt haben. Aber warum tauchte keiner von beiden auf? Was, wenn Florim tot war und Tariq von nichts wusste? Lin zwang sich, an etwas anderes zu denken. Lange richtete sie, nur hörend, ihre ganze Konzentration darauf, auch noch das kleinste Geräusch in einem Radius von zwanzig Metern um sich auszumachen. Und worauf lag sie da eigentlich? Es fühlte sich hart an, gab aber auch lautlos nach. Durch den engmaschigen Stoff der Haube konnte sie kaum Gerüche ausmachen. Jeden noch so geringen Anflug von Erstickungsangst wehrte sie ab. Autosuggestiv. Sie besprach sich selbst. Unsinn, Lin, es dringt genug Sauerstoff zu dir herein. Atme tief ein, dann wirst du es selbst erfahren. Sie sog Luft ein, so tief sie konnte. Keine Panik, Lin. Sie spürte, dass beim Atmen keine Enge entstand. Sie werden mich auf jeden Fall hier herausholen, sprach sie sich selbst Mut zu. Sie war ganz gut in Autosuggestion. Während einer schweren Zahnbehandlung hatte sie ein Konzert in ihrem Kopf durchgespielt, so gut sie konnte, und damit fast vollkommen den Schmerz des Eingriffs aus ihrem Bewusstsein verdrängt.

Ewig konnte es doch so nicht weitergehen. Vielleicht lag es an der hinten festgezurrten Haube, die sich auch mit viel Rütteln nicht vom Kopf schleudern ließ. Oder am ausbleibenden Essen, man hatte ihr auch nichts zu trinken gebracht. Das Ausgeliefertsein macht dir Angst, analysierte sie, und diese Angst lässt dich nicht los. Jeden Augenblick kann einer hereingestürmt kommen und mir den Rest geben, dachte sie. Lin kramte in ihrem Gedächtnis nach dem, was sie über Geiselnahmen wusste, und darüber, wie andere versucht hatten, ihre Zwangslage zu bewältigen. Das Mentale war das Wichtigste. Es darf kein Gefühl von passivem Ausgeliefertsein entstehen. Sie musste das Gefühl von Verzweiflung zurückdrängen. Ich muss versuchen, peu à peu wieder Herrin der Situation zu werden. Zumindest innerhalb meiner selbst.

Sie beschloss, sich mental anders einzustellen. Warum sollte das mit dem Konzert nicht auch hier funktionieren? Chopins Erstes Klavierkonzert in e-Moll, gespielt von Maurizio Pollini, wie sehr hatte sie dieses Musikstück früher geliebt. Chopin hatte es mit zwanzig Jahren komponiert. Sie versuchte sich genau zu erinnern. Der perlende Klang der Töne. Ich muss versuchen, die Klangfolgen in meiner Erinnerung abzurufen, dachte Lin. Kurzes konzertantes Vorspiel, dann schmelzende Geigen fast solistisch, Orchester, wieder Geigenschmelz und zweimal hintereinander dramatischer Orchestereinsatz. Es folgen unter anderem Hörner, wieder

Geigen, Flöten, Orchester. Dann der starke, fast gehämmerte Eröffnungsakkord des Pianisten. Tam, da tam, tam tam, tam, tam, tam. Und da waren sie plötzlich, die Töne aus einem Konzert, das sie einmal gehört hatte. Töne, die von oben herabperlten wie an einer Schnur. Nur Pollini konnte so spielen. Kostbare, lyrische Tontropfen.

Natürlich erinnerte sie sich nicht an das gesamte Konzert, wohl aber an längere Passagen. Maurizio Pollini – sie hatte ihn in Frankfurt am Main einmal in der *Alten Oper* selbst erlebt – konnte diese feinsten Töne erzeugen, die sie jemals gehört hatte. Eine Stunde vielleicht konnte sie sich mit der Vorstellung von Chopin ablenken, dann kam die unerträgliche Unruhe wieder. Warum bin ich hier? Warum hat man mich nicht gleich erschossen? Dabei hätte man mich leicht töten können, dort auf der einsamen Straße im Dunkeln. Sie vermutete, dass ihre Entführer etwas mit den BND-Leuten zu tun hatten. Wieso sonst haben sie mich geschnappt und nicht Florim? Aber was war jetzt mit ihm? Vielleicht hatten sie ihn ja getötet. Bis dahin hatte sie auf einen schnellen nächsten Schritt gehofft, einen, der sie selbst in die Lage versetzte, zu agieren. Aber das Warten dauerte schon zu lange. Warum kommt denn keiner? Das Gefühl, ausgeliefert und nichts mehr wert zu sein, meldete sich wieder, diesmal mit voller Wucht. Sie musste dagegen ankämpfen. Lass es nicht zu, Lin. Sie wollen dich kleinkriegen, deshalb behandeln sie dich so. Lass es nicht zu!

Sie versuchte, an das Violinkonzert von Max Bruch zu denken. Sein einziges Violinkonzert. Manchen war es zu süßlich, zu pathetisch. Ein äußerst gefühlvolles Stück mit einem schmelzenden Geigenpart, der sie jedes Mal aufs Neue zu Tränen rühren konnte, so tief wirkte er bei ihr. Bestens geeignet auch für Trauerfeiern. Doch an Tod wollte sie jetzt nicht denken. Noch lebe ich ja, dachte Lin. Und noch gibt es etwas in mir, das ich gegen ein völliges Durchdrehen in Anschlag bringen kann. Dann hörte sie das leise Scharren. Irgendwo draußen, an einer Wand oder einer Tür. Sie konzentrierte sich darauf. War da jemand? Sie gab ihre Zurückhaltung auf und rief so laut sie konnte: »Wer ist da, is somebody there, please, I am hungry, help me.« Sie zuckte zusammen, als etwas sie am Ärmel zupfte und dann eine Schüssel neben ihr auf dem Boden abgestellt wurde. »I take plastic off for ten minutes«, sagte die Stimme leise, sie klang wie eine Kinderstimme, »you eat, and I fix again. But: do not lift hat when I'm here. You promise? Okay?« Es war eine feine Stimme, die allerdings einer Person zu gehören schien, die genau wusste, was sie wollte. Ein selbstbewusstes Kind, dachte Lin, eher ein Mädchen als ein Junge. Das Kind nahm Lin die Handfessel ab und ging mit leicht schleifenden Schritten hinaus.

Erst als sie die Tür schnarrend ins Schloss fallen hörte, gelang es Lin mit einiger Mühe, die schwarze Haube bis über die Augen hochzuschieben. Ihre Arme schienen ihr nicht mehr zu gehören. Lin massierte die schmerzenden Stellen. Währenddessen blickte sie sich um. Was sie sah, ließ sie noch ratloser werden. Sie befand sich in einer Art gemauertem Stall, vielleicht acht Quadratmeter groß, mit weiß getünchten Wänden. Am Boden lag Stroh, wie man es Vieh unterschiebt. Das Etwas, auf dem sie gelegen hatte, entpuppte sich als sehr fest aufgeblasene Luftmatratze, die mehrere Stofflaken umhüllten. Jetzt, wo sie es sehen konnte, roch sie auch das Stroh, das den Boden bedeckte, es schien an manchen Stellen feucht zu sein. Das junge Mädchen hatte ihr einen Teller mit einer Art Ragout aus Fleisch und Gemüse gebracht, dazu Fladenbrot. Kein typisches Lebensmittel für Slawen. Sie war also in einem albanischen Haus gelandet. Dazu würde auch das Kind passen. Lin wusste, dass eine albanische Familie zu einem einzigen, undurchdringlichen Körper zusammenschmelzen konnte, wie ein Uhrwerk, in dem jedes noch so kleine Teilchen seine Rolle spielte. Wer in einer solchen Familie den Ton angab, herrschte über eine kleine, absolut loyale Einheit. Lin entdeckte neben dem Teller eine Anderthalb-Liter-Flasche Mineralwasser, eine italienische Sorte, originalverpackt. War dies Izmet Vargas Haus? Sein Keller vielleicht? Der fensterlose Raum hatte zwei Türen, eine davon schien ins Haus zu führen, eine andere größere nach draußen. Bevor sie das Essen kostete, sprang Lin zur Außentür, um sie nach einem Schloss oder nach Türangeln abzusuchen. Alles fest verrammelt. Ein Metallriegel verlief diagonal über die Tür, mit einer Kette und einem Schloss versperrt. Die einzige Luftzufuhr kam durch die Türritzen.

Lin bewegte sich rasch zu dem Essen zurück, sie schlang das Ragout herunter, fast ohne es zu kauen. Es schmeckte gar nicht so schlecht. Vielleicht Rind oder Huhn, dachte sie. Sie nahm auch ein paar Schlucke von dem Wasser. Ihr Blick fiel auf ein Klosettbecken in der Ecke, ein Plumpsklo ohne Wasserspülung, wie es früher einmal auch in ländlichen Gegenden der Bundesrepublik zu finden gewesen war. Schnell, bevor das Mädchen zurückkommt! Hinter dem wackligen Toilettenbecken aus weißem Steingut zeigte die Wand groben, rissigen Putz und auch feine Spalten. Lin fuhr mit einer Hand darüber, während sie sich entleerte. Sie schaffte es gerade noch bis an ihr Lager zurück und zog rasch die Haube wieder über den Kopf.

»You want toilet?«, fragte das Mädchen. Lin schüttelte den Kopf. »Please don't put the plastics on again«, sagte sie in flehendem Ton. »You must plastic!«, sagte die Kleine jedoch entschieden, fast autoritär. Lin hatte ihre Haube so über das Gesicht drapiert, dass ein winziger Spalt offen blieb. Durch ihn konnte sie hinausspähen, wenn sie den Kopf leicht nach hinten bog. Lin sah, dass es sich tatsächlich um ein Kind handelte, das wie ein Bauernmädchen aussah. Braune Haare hingen ihr ins Gesicht. Ein schmaler Körper, die verwaschenen Jeans ein wenig schmutzig. Ein stolzes, willensstarkes Kind, vielleicht zwölf oder dreizehn Jahre alt. Die Kleine schien um den Ernst ihrer Aufgabe genau zu wissen. Sie legte Lin die Plastikfessel wieder hinter dem Rücken an und strich mit den Fingern die dunkle Haube wieder ganz nach unten. Die Dunkelheit kehrte zurück. Ich habe sie gesehen, sagte Lin leise zu sich. Ich habe sie gesehen! Für umsichtige Geiselnahmen musste man wohl älter sein.

Nach wie vor zwangen die Fesseln Lin, ausschließlich auf der Seite zu liegen. Sich auf die andere Seite herumzuwerfen, kostete einige Mühe. Was um alles in der Welt sollte diese Entführung? Und warum geschah nichts? Wöller war doch hier, man musste nicht lange auf ihn warten. Vielleicht war sie auch nur eine Figur in einem Spiel, in dem es um ganz andere Dinge ging. Das Ganze ergab keinen rechten Sinn. Angst stieg wieder in ihr auf, wie ein heißer, ätzender Strom, der sich ausbreitete. Angst, die ihr Herz schneller klopfen ließ. Lin spürte, wie ihr der Schweiß ausbrach. Sie durfte die Nerven nicht verlieren. Wenn die Angst jetzt überhandnahm, würde sie keinen klaren Gedanken mehr fassen können. Es muss mir gelingen, sie zurückzudrängen, dachte Lin. Mit anderen Gefühlen, anderen Erinnerungen. Lin fing an zu singen, leise. Jon Bon Jovi, » It's my life «. Sie erinnerte sich, dass sie über eine Zeile des Songs immer geschmunzelt hatte: » My heart is like an open highway … like Frankie said, I did it my way … I just want to live while I'm alive. It's my life. « Lin sang die Zeile mit dem Open Highway mindestens zehnmal und musste lächeln, als sie versuchte, sich das Herz als eine offene Autobahn vorzustellen.

Es gab doch so viele Erinnerungen an Lieder, die ihr einmal wichtig gewesen waren. Georges Moustaki fiel ihr ein, einer der großen Helden aus Nicos französisch-existenzialistischer Phase in den Sechzigerjahren, und sein Chanson » Ma Solitude «, meine Einsamkeit. Der Sänger spricht die Einsamkeit an wie eine Geliebte, auch » une douce habitude «, eine süße Gewohnheit. Lin war zwar in den Sechzigerjahren erst geboren worden, aber den Text einiger dieser Lieblingslieder von Nico kannte sie auswendig. Jahrelang hatte er die schwarzen Platten gesammelt. Sie konnte sich an Moustakis Stimme erinnern, daran, wie das Chanson von der Platte damals geklungen hatte. Jedes Mal, wenn sie die massige

Stimme des französischen Griechen hörte, brachte sie etwas darin in erregtes Schwingen. Über den Erinnerungen dämmerte sie ein.

Lin schlief fest, als tief in der Nacht die Tür aufging und zwei Personen den Raum betraten. Sie näherten sich ihr, aber sie sprachen nicht. So als würden sie sich nur vergewissern wollen, dass sie wirklich eine Frau als Gefangene hielten. Sie nickten einander nur zu.

Lin wachte sehr früh auf. Sie spürte, dass es noch früh war, hätte aber nicht sagen können, warum. Sofort war die Angst wieder bei ihr, das Herz begann wieder, schneller zu schlagen. Ihr emotionales Gegenprogramm schien nicht lange vorzuhalten. Lin schreckte nur der Gedanke, die Angst könnte sich als Vorbotin einer Depression erweisen. In den Achtzigerjahren hatte sie fast ein ganzes Jahr an dieser Krankheit gelitten. Eine Depression würde sie völlig lahmlegen. Ich muss etwas dagegen tun, dachte Lin. Die Musik wirkt zwar nicht lange genug, aber sie wirkt. Ich muss damit wieder anfangen. Sie rollte ihren Körper auf die linke Seite, versuchte ein wenig, die Hände, die Finger zu bewegen, der rechte Arm war ihr eingeschlafen. Nach ein paar Minuten dämmerte sie wieder ein. Das Geräusch eines Schlüssels im Schloss weckte sie auf. Sofort spürte Lin wieder diese klammernde Angst in sich aufsteigen wie einen Reflex. Aber es war nur das Mädchen, das mit Essen kam. Fesseln ab. Diesmal schob Lin die Haube ein wenig hoch, während die Kleine noch neben ihr stand. Sie schien es nicht zu bemerken, zumindest protestierte sie nicht dagegen.

Das Frühstück bestand aus Fladenbrot und weißem Joghurt. »What's your name?«, fragte Lin die Kleine. Keine Antwort. Bevor sie ging, sagte sie in energischem Ton zu Lin: »No name!« Es klang wie der Ton einer Soldatin. »I'm Lin«, erwiderte Lin mehrmals hintereinander: »I'm Lin, my name is Lin, I'm Lin, I'm Lin ...« Die Tür fiel ins Schloss. Dass Kinder schon so erbarmungslos sein können, dachte Lin. Die

Kindersoldaten in Darfur fielen ihr ein, es gab Berichte, dass sie noch schneller und erbarmungsloser töteten, gerade weil sie sich nichts dabei dachten. Lin war nicht entgangen, dass die Kleine schneller hinausgelaufen war, als beabsichtigt. Vielleicht doch nicht so abgebrüht, dachte Lin. Das Brot und der Joghurt hatten sie gesättigt und wieder schläfrig gemacht. Doch die schwächenden Gedanken kamen wieder. Warum sucht mich keiner? Warum will mich keiner finden? Ihr fiel das leichte Violinkonzert ein, das sie selbst zu Hause über längere Zeit geübt hatte.

Sie kannte es natürlich auswendig, Ton für Ton und Bindung für Bindung. Sie summte es vor sich hin. Erste Stimme. Zweite Stimme. Dann versuchte sie, beide zusammenzubringen, summte beide parallel, erst die eine, dann die andere. Es beschäftigte sie eine Weile. Danach durchforstete Lin ihre Erinnerung wieder nach Popsongs von früher. Ihre stilbildenden Jahre waren vor allem die Achtziger gewesen. »Blueprint«, zum Beispiel, der sanft-helle Hit von den Rainbirds. Ein Freund hatte es ihr damals fast andächtig vorgespielt. Er war mehr an der Musik als an ihr interessiert gewesen. Diese engelhafte, ganz leicht angeraute Mädchenstimme: »I sneak around the corner with a blueprint of my lover, with a blueprint of my life, I would better run for cover. Yeah ...« Ein absolutes Gute-Laune-Lied. Andere Songs fielen ihr ein. »Here Comes the Rain Again« von den Eurythmics, die melodiöse Powerstimme von Annie Lennox: »Here comes the rain again, falling on my head like a memory. Falling on my head like a new emotion.« Später heißt es dann: »Raining in my head like a tragedy. Tearing me apart like a new emotion ...«

Oder Madonna mit ihrem Gute-Laune-Lied »Holiday«. Lin konnte sich nur noch an eine Textzeile erinnern: »Holiday. Celebration, come together in every nation.« Die Ansage hätte mit ihrem Rhythmus auch als Sprechchor zu einer Demonstration gepasst. Lin erinnerte sich bei jedem der Lieder an Momente aus ihrem Leben, gewisse Augenblicke, besondere Stimmungen. Sie überließ sich ihnen, spazierte träumend an diesen Erinnerungen entlang, so weit sie nur konnte. Als das Kind mit dem Essen wiederkam, hatte Lin ihr Innenleben wieder weitgehend ausbalanciert. Die Angst war jedenfalls zurückgewichen. Sie schwitzte nicht mehr.

19

Florim spürte, wie ihn die Ungewissheit allmählich zu lähmen begann. Sie werden Lin töten, und wir wissen nicht einmal, wo sie ist, dachte er verzweifelt. Er hatte alle Peilwanzen kontrolliert, die er an den Limousinen von vermeintlichen Varga-Leuten angebracht hatte. Die Autos fuhren hierhin und dorthin. Florim hatte sich an die jeweiligen Grundstücke herangepirscht, ohne Erfolg. Keine Spur von Lin. Er hatte Nico angerufen, ihren Lebensgefährten in Berlin, der war natürlich außer sich gewesen vor Sorge. Er wollte sofort anreisen, aber Florim riet ihm ab. Er sollte besser über die Botschaft versuchen, Kontakte zu Polizei und Staatsanwaltschaft in Pristina herzustellen. Vielleicht hatten die ja eine Idee. Sein Handy klingelte, Florim nahm das Gespräch eher mürrisch an. »Was gibt's?«

Es war Tariq. Ohne größere Vorrede schrie er: »Verdammt, wo steckt sie bloß? Florim, ich werde fast verrückt.«

Florim ließ einen tiefen Seufzer hören. »Ich weiß es nicht, wirklich nicht«, antwortete er deprimiert. »Wenn ihr nur nichts zustößt. Keine Ahnung, was ich noch tun soll.«

Tariq donnerte zurück: »Sie finden, Mann! Sie finden, verdammt! Beweg deinen Arsch hierher. Wir müssen systematisch die Gegend durchkämmen. Ich habe auch schon angefangen, Leute zu fragen, die ich in anderen Clans kenne. Der Kosovo ist ja nicht Amerika, Lin muss doch irgendwo sein.«

»Wenn sie noch am Leben ist«, wandte Florim ein.

»Sie ist am Leben, glaub mir«, versuchte Tariq ihn zu beruhigen. »Du kennst sie doch. Es wird ihr schon etwas einfallen. So leicht ist Lin nicht unterzukriegen.« Dabei machte er sich selbst die größten Sorgen. Es durfte einfach nicht sein, dass ihr irgendetwas zustieß. Nicht Lin!

Tariqs Worte schienen bei Florim zu wirken, er fing sich ein wenig: »Ich wüsste einfach gerne, wer davon profitieren soll, dass Lin in der Gewalt von irgendjemandem ist. Varga? Wöller? Aber dann müssten die doch irgendwo zu finden sein. Das Haus der Vargas in Gjakova wirkt wie ausgestorben, nur die alten Leute und ihre Enkeltochter sind da. Bei einer Entführung müssten doch Leute die Gefangene bewachen oder zumindest aufpassen, dass sie nicht abhaut.«

Tariq zog die Achseln hoch und ließ sie fallen. »Ich kann mir denken, wer da drinhängt«, sagte er.

»Wer?«, fragte Florim. »Sag schon, wer hängt da drin?

Tariq schluckte, dann begann er zu sprechen.

»Du erinnerst dich doch an Wöller, den BND-Mann, der Lin hierhergeschickt hat?« Florim nickte. »Nun, er ist ein Komplize des Mannes, den ihr für ihn ausfindig machen solltet. Varga kontrolliert unter anderem die Geldtransfers der Emigranten.« Florim versuchte, seine Überraschung zu unterdrücken. Tariq fuhr fort: »Es fließt viel, viel Geld durch seine Finger. Und Wöller ist sein eigentlicher und alleiniger Boss, der BND-Job ist nur seine zivile Tarnung.«

Florim sagte nichts. Er hatte selbst kürzlich in der Zeitung gelesen, dass albanische Banden bis zu 80 Prozent allein des Heroinschmuggels in den Fingern hatten. Man munkelte, dass einiges davon den kosovarischen Staatshaushalt finanzierte. Was auch sonst? Er seufzte. Aber Wöller? Das war eine andere Nummer. Ein hoher Beamter des deutschen Geheimdienstes und von der Fahne gelaufen? Lin hatte Florim schon erzählt, dass in Deutschland gegen Wöller ermittelt wurde. Warum sollte ausgerechnet er Lin entführt haben? Die Frau, die er selbst engagiert hatte?

Tariq antwortete, als könnte er Florims Gedanken lesen. »Das ergibt dann einen Sinn, wenn er Lin entweder dazu benutzt hat, eine falsche Fährte zu legen, oder wenn sie ihm unbewusst anderweitig behilflich war, und er sie jetzt nicht mehr braucht, sie ihm sogar lästig geworden ist. Denk nur an

Weicker, das hätte ja so auch nicht passieren sollen. Weicker sollte Lin erledigen.«

Florim seufzte noch einmal auf. »Ich weiß, ich weiß. Eins ist klar: Wir sollten systematisch vorgehen. Du sammelst ein paar deiner Leute, denen du vertrauen kannst, und ich versuche, die Wagenpeilungen wieder aufzufrischen. Wir müssen uns erst mal an sie hängen, weil wir keine andere Spur haben. Vielleicht handelt es sich bei den Entführern auch um völlig Unbekannte, um Typen, die mit Lin noch eine Rechnung offen hatten. Was denkst du? Wir müssen die beteiligten Clans identifizieren und uns über Peilung an sie hängen. Davon merken sie ja nichts.«

Tariq war einverstanden. »Ich werde ein paar Leute anrufen.«

Er hatte Florim nichts darüber gesagt, woher er das alles wusste. Nichts darüber, dass er selbst zu den Beteiligten an dieser Art von Geschäften gehörte. Auf Mord stand auch im Kosovo lebenslang.

Florim wirkte nicht so, als würde er irgendetwas ahnen.

Tariq hatte schon vor einiger Zeit klammheimlich die Notbremse gezogen und sich unauffällig mit einem zuverlässigen Ermittler getroffen. Mit dessen Hilfe hatte er die Seite gewechselt, und nun war er dadurch selbst in Gefahr. Seit der Sache mit Weicker schien Florim zu spüren, dass Tariq etwas für Lin empfand. Er sprach es nicht aus. Doch er vertraute Tariq, er verließ sich auf ihn.

Kurz darauf klingelte Florims Handy erneut. Ohne Umschweife bat ihn Tariq zu sich in die *WonderBar,* »subito, wenn's geht«.

Eine Stunde später beugten sich beide über das spärliche Kartenwerk der Region. Man musste nur die tonangebenden Führer der politischen Parteien auf ihre Familien herunterrechnen. Wer einflussreich war, gehörte mit Sicherheit zu den politisch Mächtigen oder hatte zumindest eine – wiederum familiäre – Verbindung dorthin.

»Also die Osmanis, die Rexhepis, die Hoxhas, die Vargas.« Tariq fielen noch weitere Namen ein, aber Florim stoppte den Redefluss mit einer Handbewegung. »Diese vier Clans sind die wichtigsten hier in Kosova. Wir sollten mit ihnen beginnen. Peilwanzen, Bewegungsdiagramme über 24 Stunden. Checken der Häuser, so weit das geht.«

Tariq nickte zustimmend. »Gut. Aber was, wenn sie Lin in irgendeinem Schuppen weit draußen auf dem Feld eingesperrt haben?«

Florim schüttelte den Kopf. »Das glaube ich nicht. Lin muss im Grunde rund um die Uhr bewacht werden. Sie muss essen, aufs Klo gehen, es darf sie niemand finden, weil sie Geräusche macht. Das gelingt am einfachsten, wenn eine ganze Familie beteiligt ist. Irgendwo draußen würde es Bewegungen mit dem Wagen nötig machen und Hin- und Hertransport von ich weiß nicht was. Nein. Sie ist irgendwo in oder bei einem Haus, da bin ich mir fast sicher.«

Das Team mit Tariq und dessen Freunden war für Florim wie eine neue Familie. Schon nach dem ersten Treffen hatte er sein Gleichgewicht und den alten Kampfgeist wiedergefunden.

Es wurde gerade dunkel, als vier Zweierteams von Tariqs Männern mit ihren Wagen in Richtung Gjakova, Peja und Ferizaj starteten. Florim steuerte allein den Jeep. Sie platzierten Bewegungsmelder unter der Karosserie sämtlicher Hochklassefahrzeuge, die in unmittelbarer Nähe der Häuser standen, in denen sie mögliche Beteiligte vermuteten. Florim hatte ihnen die nötigen Anweisungen erteilt. Ihm gelang es sogar, bei den Vargas das Schloss der Außentür zum Hof mit einem Dietrich zu öffnen und sich an der Mauer entlang zu den zwei Geländefahrzeugen zu schleichen, die neben dem Haus geparkt waren. Beide versah er mit den flachen runden Metallwanzen, die wie Hälften großer Druckknöpfe aussahen. Niemand nahm ihn wahr, als er den Innenhof verließ und die Tür von außen wieder verschloss.

Tariq folgte seinem eigenen Plan, Lin zu finden. Einer Idee, die er lieber für sich behielt. Nicht weit von der Stelle, wo man in Ferizaj das abgerissene Bein des Toten von Kukës gefunden hatte, befand sich ein Haus, das den Vargas gehörte, das aber nur von der verwitweten Schwester von Izmet Varga, Zamira, bewohnt wurde. Tariq kannte Zamira, sie waren Nachbarskinder und einmal die erste Liebe füreinander gewesen, so unschuldig, wie man es sich nur vorstellen kann. Zamira würde ihn nicht anlügen können, da war Tariq sich sicher. Selbst wenn sie wüsste, dass er mit Izmet und seinem Kumpan Wöller gebrochen hatte, würde sie ihn nicht verraten.

Vorsichtig drückte er in Ferizaj den Knopf der metallenen, ockerfarben gestrichenen Tür zum Innenhof des Hauses, das zurückgesetzt, etwas abseits von den anderen Häusern lag. Die Tür öffnete sich mit einem feinen Quietschen, über das Tariq ein wenig erschrak. Er quittierte es damit, dass er die Lippen zusammenpresste und die Luft anhielt, bis das Quietschen wieder verstummte. Ein Hund hätte ihn längst entdeckt. Im Haus brannte Licht. Nur ein Fahrzeug, ein Jeep, älteres Modell, stand auf der Parkfläche neben dem Haus. Vielleicht war Zamira sogar allein. Tariq schlich sich seitlich an eines der beleuchteten Fenster, um hineinzuspähen. In dem Zimmer, einem Wohnraum, war niemand auszumachen. Plötzlich klickte neben ihm der Sicherungshahn eines Gewehrs. »Komm raus, du Perverser«, fauchte eine herbe Frauenstimme.

Tariq drehte sich zu ihr um. »Tariq?« Zamiras Gesichtsausdruck konnte die Überraschung nicht verbergen. »Warum schleichst du dich an wie ein Spanner? Warum klopfst du nicht an der Tür? Komm herein, Tariq. Sei Gast in meinem Haus.« Sie ließ das Gewehr sinken und ging vor ihm die Schritte bis zur Haustür. Eine schöne Frau mit langem welligem Haar, das ihr bis über die Brust reichte. Tariq hatte sie sehr geliebt, als sie noch Kinder waren. Dann war Zamira mit 14 Jahren einem Mann versprochen worden. Als sie siebzehn wurde, heirateten die beiden. Zamira hatte Tariq einmal erzählt, dass sie ihren Mann erst kurz vor der Hochzeit persönlich kennenlernte. Es wurde keine sehr glückliche Verbindung. Zamiras Mann starb früh an Krebs. Seither lebte sie allein, jedoch im Schutz der Großfamilie.

»Komm, komm«, winkte sie ihm zu. Tariq steckte der Schreck darüber noch in den Gliedern, dass sie sich so lautlos hatte anschleichen können. »Ich will mit dir reden, deshalb wollte ich erst mal sichergehen, dass du allein bist«, raunte er ihr halblaut zu. Zamira lächelte. Mit ihrer Waffe hatte sie wie Jeanne Moreau ausgesehen, eines der beiden gleichnamigen Flintenweiber in dem berühmten Louis-Malle-Film »Viva Maria«. Stolz, selbstbewusst, ein wenig zu herb vielleicht. Es fehlte nur das tief ausgeschnittene rosa Kleid. Zamira lächelte Tariq an. »Keine Angst, ich bin allein. Lass uns hineingehen.« Am Eingang streifte sie die Stiefel ab und schlüpfte in warme Hausschuhe. Auch Tariq ließ seine Schuhe vor der Tür zurück.

Sie führte ihn in den Wohnraum, wo auf den rundherum platzierten Polstercouchen bis zu fünfzig Menschen Platz gefunden hätten. Zamira wies Tariq mit der Hand in die rechte Ecke, wo er sich setzen sollte, und ging in die Küche. Den auf stumm gestellten Fernseher, auf dem gerade eine amerikanische Serie zu sehen war, nahm Tariq wahr, achtete jedoch nicht weiter darauf. Vor dem Gerät war die Rückseite eines gemütlich wirkenden alten Sessels mit hoher Rückenlehne zu sehen.

»Worum geht es?«, rief Zamira neugierig aus der Küche herüber, während sie heißen Tee in zwei Gläser füllte. Damit kam sie zurück, reichte ihm eins und nahm neben ihm Platz. Tariq kam ohne Umschweife zur Sache: »Es geht um eine entführte Frau, die ich gut kenne. Eine deutsche Privatdetektivin. Sie wurde oben auf dem Bergkamm aus ihrem Jeep verschleppt.« Tariq entging nicht, dass Zamiras Wimpernschlag schneller wurde, während sie ihm weiter direkt in die Augen sah. Sie wusste etwas oder hatte etwas gehört.

Zamira hatte sich wieder völlig unter Kontrolle, auch ihr Wimpernschlag hatte sich wieder entspannt. Ihre Stimme klang streng, fast schrill, sie zitterte nicht: »Mein Lieber, ich habe Izmet seit zwei Wochen nicht gesehen. Ich weiß nicht, wo er ist, und auch nicht, was er treibt.« Während sie sprach, lächelte sie. Tariq schien es, als lächele sie eine Spur zu perfekt, ein wenig verkrampft. Wir haben uns entfremdet über die Jahre, stellte er insgeheim mit Bedauern fest, sie begegnet mir reserviert, beinahe wie eine Fremde. Es scheint kein Band mehr zwischen uns zu existieren, so wie früher einmal. Tariq spürte, wie Trauer in ihm hochstieg. Man kann nicht alles für immer behalten, dachte er. Hier geht es um Lin.

»Wie viele Wohnsitze hat dein Bruder im Kosovo und in der Umgebung, Albanien oder Mazedonien?«, fragte er. Zamira schien zu überlegen. »Hier in Ferizaj einen, in Gjakova, wo meine Eltern leben, in Pristina hat er eine Wohnung und in Tirana. In Skopje hat er nichts, soweit ich weiß.«

»Könntest du mir die Adressen geben oder beschreiben, wie man hinkommt?«

»Was ist das für eine Frau, für die du dich so einsetzt? Ist sie deine Freundin? Woher kennst du sie, dass du dich so sehr für sie ins Zeug legst? Bist du nicht verheiratet?« Tariqs Engagement schien Zamira zu kränken.

»Ich bin verheiratet, das weißt du genau. Diese Frau ist keine Freundin und keine Geliebte, Zamira. Ich bin ihr aber zu Dank verpflichtet. Sie hat mir einmal in Albanien das Leben gerettet. Ich schulde ihr etwas, ihr und ihrem Mann in Berlin. Verstehst du das?«

Zamira wollte alles ganz genau wissen, jede Einzelheit von Lins damaliger Aktion. »Ein mutiger Einsatz, wirklich. Du wirst aber verstehen, dass ich die Adressen, die du haben willst, nicht aus dem Kopf weiß. Ruf mich in zwei Stunden noch mal an, vielleicht kann ich sie dir dann geben.« Damit schien die Sache für sie erledigt. Sie erkundigte sich nach Tariqs Familie, plauderte über gemeinsame Bekannte. Tariq entging nicht, dass Zamira des Öfteren zur Uhr sah, die in dem Wohnraum auf einem der Tischchen stand.

»Erwartest du jemanden?«, fragte er. Sie schüttelte den Kopf und lächelte, wieder so hermetisch wie zuvor.

»Nein, ich muss zu bestimmten Zeiten Medikamente einnehmen und möchte das nicht vergessen, das ist alles.« Tariq fragte gar nicht erst nach der Art der Krankheit, er glaubte ihr die Geschichte ohnehin nicht. Im Haus schien eine tiefe Stille zu herrschen. Aus den anderen Räumen drang kein Geräusch herein.

»Hattet ihr nicht Kinder, dein Mann und du?«, fragte Tariq.

»Ja, einen Sohn, Sedat«, antwortete Zamira. »Er lebt mit seiner Familie in Tirana. Er hat selbst schon drei Kinder. Die Älteste, Aurora, ist acht Jahre alt. Sie verbringt oft ihre Ferien hier bei mir.« Sie griff zu den aufgestellten Fotorahmen neben sich auf dem Tisch und reichte Tariq einen davon, auf dem ein hübsches Kind ungezwungen lächelte. Aber irgendetwas an diesem Kinderlachen wirkte falsch. Der ungezwungene Ausdruck hatte etwas Dargestelltes, beinahe Maskenhaftes.

»Du fragst dich, was mit ihr ist?«, sagte Zamira leise. »Nun, sie ist ein überaus aufgewecktes Kind, das eine große Zukunft vor sich hatte.« Zamira schwieg einen Moment. Dann sprach sie weiter: »Aber sie ist sehr krank, sie hat Leukämie. Sie wird wahrscheinlich nicht besonders alt werden.« Ihre Stimme wurde immer leiser, während sie sprach. Sie streichelte sacht mit dem Daumen über das Bild.

»Das tut mir leid, Zamira. Sehr, sehr leid. Wenn ich etwas für dich oder die Kleine tun kann, lass es mich wissen.« Tariq erhob sich. »Ich muss weiter. In zwei Stunden werde ich anrufen, okay?« Zamira nickte. Er umarmte sie herzlich. Zamira geleitete ihn bis zur Metalltür in der Mauer. »Natën e mirë«, rief sie ihm nach. Gute Nacht.

Zamira blieb noch einige Minuten im Garten, dann ging sie wieder hinein. »Was bist du doch für ein braves Mädchen, Aurora«, rief sie und ging auf den Fernsehsessel zu. Ihre schmächtige Enkeltochter hatte sich tief ins Polster geschmiegt und war so völlig unbemerkt geblieben. Sie wirkte wie ein Kind, bis auf den Blick aus großen, dunklen, sehr ernsten Augen. Augen, die keine offenen, lachenden Kinderaugen mehr waren. »Du bist mein Herz«, sagte Zamira, während sie der Kleinen sanft über die Wangen strich. »Gut, dass er dich nicht gesehen hat. Es war besser so, glaub mir. Er hätte dir nur unbequeme Fragen gestellt. Ich mache dir jetzt deine Medizin zurecht.« Aurora nickte stumm, griff nach der Fernbedienung und stellte sich eine Kindersendung ein. Eine Insel mit vielen Tieren, die sprechen konnten. Gebannt verfolgte sie das Geschehen.

Auch Tariq blieb noch einen Augenblick nach innen gekehrt am Steuer seines Wagens sitzen, ehe er losfuhr. Was war das gewesen? Sie war reserviert gewesen, fast distanziert. Die Geschichte mit ihrer Krankheit und ihren Medikamenten wirkte nicht stimmig. Aber würde sie etwas zurückhalten, wenn sie wusste, dass es für ihn wichtig war? Tariq beschloss, an einem anderen Abend noch einmal im Schutz der Dunkelheit nachzusehen, wie Zamira sich verhielt, wenn sie alleine oder mit anderen zusammen war. Diesmal würde er zuvor die Türscharniere ölen. Aber erst einmal sollte sie die Adressen besorgen.

20

Lin war von Stille umgeben. Es war keine erholsame, sondern eine belastende Stille, die sie als drückend empfand und in der eine unerträgliche Spannung mitschwang. Jedes plötzliche Knistern konnte zu einer für sie todbringenden Waffe gehören. Was hatten die mit ihr vor? Wer wollte sie quälen? Bisweilen hörte sie in der Ferne Geräusche, die zu schnell verklangen, um zugeordnet werden zu können. Ich muss mich dem Gefühl des Ausgeliefertseins widersetzen, dachte Lin einmal mehr, ich muss es versuchen. Die unzähligen Songs, die sie sich in Gedanken vorgesungen hatte, schienen nicht mehr als Gegengewichte zu wirken. Das ständige Nebeneinander von angestrengtem In-die-Stille-Lauschen und Ablenkenwollen durch Musikerinnerungen machte sie bleiern müde. Du musst dich entscheiden, Lin, entweder Kontrolle oder Gleichgewicht. Dieses Nebeneinander macht dich nur fertig. Sie stöhnte auf.

Dann fasste sie einen Entschluss. Was nützte es schon, den ersten Laut der Waffe zu hören, mit der sie kamen, um sie zu töten? Sie konnte sich kaum rühren. Sie musste handlungsfähig sein in dem Augenblick, in dem sich eine Chance ergab zu entkommen. Innere Balance war, was sie nötiger brauchte, als diese *alerte permanente,* diesen Zustand unentwegter Alarmbereitschaft. Gleichgewicht bedeutete, wieder und weiter zu singen. Lin hatte Popmusik geliebt, als sie sechzehn, siebzehn Jahre alt gewesen war. Über deren Rolle in unterschiedlichen Ländern oder Generationen hatte sie ihre eigene Theorie entwickelt. Popmusik vereinte nicht wirklich, sondern nur scheinbar.

Wie oft hatten sie im *ChaCha* zusammen Popmusik gehört und sich der jeweils eigenen wilden Jahre erinnert. Aber sie hatte die Erfahrung gemacht, dass die Musik für die albanischen Freunde etwas anderes bedeutete als für sie. Die Option auf Freiheit zum Beispiel, die sie längst genoss, den Zugang zum Westen, die Popmusik als Ausweis ihrer eigenen Fortschrittlichkeit. Für Lin dagegen hatte dieselbe Musik den Protest gegen die eigenen Eltern begleitet. Derlei wäre den albanischen Freunden niemals in den Sinn gekommen. Sie lebten bei den Eltern, so lange sie nur irgend konnten. Jedes Land hatte seine eigenen Ziele, jede Generation ihre eigenen Träume. Es gibt gar keine Weltmusik, dachte Lin. Und ich kann in meiner Lage nicht einmal einen Gedanken notieren. Verdammt!

Wenn es nur gelänge, die Haube nach oben zu streifen. X-mal war sie schon mit dem Kopf an einer Wand entlanggeschabt, um den Stoff ein Stückchen nach oben schieben zu können. Die Haube saß zu straff. Das verdammte Ding bewegte sich keinen Millimeter, als wäre es ein Strumpf. Aber es saß nicht so dicht um den Kopf wie ein Strumpf. Ein Pulloverärmel vielleicht. Lin rollte sich zu der Seite, wo sie eine Mauer vermutete. Ihr war gerade eine Idee gekommen.

An der Wand drehte sie den Kopf zur Mauer hin und versuchte, den Stoff mit der Nase von unten nach oben zu schieben und gleichzeitig mit der Zunge durch den Stoff hindurch die Gleitfähigkeit der Wand zu minimieren. An der nassen Wand blieb der Stoff vielleicht besser hängen. Hoffentlich handelte es sich nicht um eine weiß gekalkte Wand, dann würde die Bewacherin ihren Versuch sofort bemerken und einschreiten. Sie schabte und schabte, immer wieder drückte sie die Nase an die Mauer. Bis sie über die Bewegung herausfand, wie sie den Stoff ins Rutschen brachte. Sie musste das Gesicht an der Wand abrollen und dabei ihre eigenen Gesichtsmuskeln durch Grimassieren bewegen. Der Stoff ließ sich ein paar Millimeter nach oben schieben. Lin presste ihr Gesicht an die Wand, rieb ihren Kopf an ihr, spuckte durch den Stoff hindurch, rieb die Haube daran. Der Kopf tat ihr weh. Muskelkater im Gesicht, eine Premiere, dachte sie voller Sarkasmus.

Je mehr sie presste, rieb und drückte, desto mehr gab die Haube nach. Der Stoff glitt leichter, als sich von selbst ein Wulst gebildet hatte, durch den der Stoff nach oben rollte. Als die Augen zur Hälfte frei lagen, legte Lin den Kopf in den Nacken und konnte so den Raum zum ersten Mal bei Tageslicht sehen. Ihr erster Eindruck bestätigte sich leider, der Raum hatte nur ein kleines Fenster, zu winzig, um sich hindurchzuzwängen.

Ein Stall oder eine Werkstatt, eine Garage vielleicht. Mehr als einen Wagen hätte er nicht aufnehmen können. Die Wände waren weiß, offenbar gestrichen, nicht gekalkt. Jedenfalls schienen sie nicht abzufärben. Sie konnte das am Ärmel ihrer Jacke ausprobieren. Bis auf das Stroh deutete nichts darauf hin, ob es sich um einen Bauernhaushalt oder etwas anderes handelte. Das Stroh, eine einfache Toilettenschüssel, eine Tür. Lin taten die Knochen weh, als sie sich an der Mauer aufzurichten versuchte, die am Rücken gefesselten Arme fehlten als Stabilisatoren ihrer Bewegungen. Alles ging nur ruckhaft vor sich. Es gelang ihr, sich aufzurichten und in Richtung Toilette zu gehen. Hier hatte sie schon einmal bemerkt, dass winzige Spalte zwischen den grob verputzten Steinen nach draußen führten. Auf dem Boden lagen Reste von Pappe und Papier mit schreiend bunten Farbaufdrucken, wie sie auch zum Verpacken von Klopapierrollen benutzt wurden. Lin ließ sich neben der Toilette an der Wand hinab und versuchte, mit den Händen ein paar Papierfetzen aufzuklauben. Vielleicht kann ich eine Nachricht rausschmuggeln, dachte sie.

Als der Schlüssel im Schloss schnarrte, hatte sie sich schon wieder auf ihre Luftmatratze gelegt, bäuchlings, den Kopf seitwärts nach unten gebeugt. Das Mädchen sollte nichts bemerken. Die Kleine stellte beinahe geschäftsmäßig die Schüssel ab und eine frische Flasche mit Mineralwasser. Ganz vorsichtig löste sie mit einem Gerät, das sie in der

Hand hielt, die Fessel am Rücken und schob Lins linken Arm nach vorn, schob auch den rechten Arm vor den Bauch, um eine neue Plastikfessel anzubringen. Lin hatte ihr die Arme ein wenig entgegengestreckt, jedoch ohne Zeichen des Aufwachens zu erkennen zu geben. Sie hatte das Gerät erkannt, mit dem die Kleine ihre Fessel entsperrt hatte. Ein Werkzeug, wie es die Polizei in Deutschland für ihre Einwegfesseln benutzte. Das ist Polizeizubehör!, dachte Lin. Irgendwer hatte ihre Entführer damit versorgt. Tom Weicker, zum Beispiel. Oder Wöller?

Sie hatte das Mädchen keuchen gehört, so sehr hatte es sich anstrengen müssen. Ein merkwürdiger Geruch ging von der Kleinen aus. War es Erde, war es Chemie? Lin vermutete, dass es Ausdünstungen des Mädchens selbst waren, sie erinnerten an das Unangenehme in Krankenhäusern, an starke Medikamente. Dann tappte das Mädchen auch schon wieder davon, ohne weiter nach Lin zu sehen. Sie nahm offenbar an, dass sie schlief. Lin konnte jetzt die Haube mit den eigenen Händen nach oben schieben und bei Bedarf auch wieder nach unten ziehen. Das hatte die Kleine offenbar nicht bedacht. Oder wollte man ihr mehr Bewegungsfreiheit einräumen? Zur Nacht zog sich Lin die Haube wieder vors Gesicht. Der Geruch, den die Kleine verströmte, hielt sich noch lange in der Luft. Lin kannte das von schwer kranken Menschen, Menschen, die Krebs hatten. Säuerlich von dem Schweiß, der Pillen und Infusionen wieder aus dem Körper hinausbefördert.

Sie schlief besser in dieser dritten Nacht ihrer Gefangenschaft. Die Lage sah nicht mehr ganz so hoffnungslos aus. Lin träumte von Nico und Tariq, die freundschaftlich miteinander rangen. Es war draußen noch dunkel, als sie von etwas aufwachte, das sie irritierte. Etwas Beißendes drang in ihre Lungen, etwas, das wie Autoabgase roch. Sie schob den Stoff nach oben, aber es war nichts zu sehen. Ein Motor lief draußen auf hohen Touren, doch das Fahrzeug schien zu stehen. Die Abgaswolken drangen aus zwei Richtungen ein. Systematisch, als hätte jemand an zwei Stellen Ventile aufgedreht. Lin wurde von einem Hustenanfall geschüttelt. Der Raum füllte sich mit den weißgrauen Schwaden. Lins Verstand begriff schneller als ihre Intuition. Es war Gas. Allein der Gedanke brachte ihr Herz zum Rasen. Warum ließ da einer vor der Tür den Motor auf vollen Touren laufen? Das konnte kein Zufall sein. Irgendwer leitete Autoabgase hier herein. Wollte man sie als Deutsche speziell in Anspielung auf die Verbrechen der Nazis treffen? Dann würden es keine Albaner sein, denn die sprachen doch noch heute mit Hochachtung von »baba« Hitler.

Der Raum füllte sich immer mehr mit dem Nebel der Abgasschwaden. Sie wollen, dass ich ersticke, dachte Lin entsetzt. Panik sprang sie an. Sie spürte, wie ihr der Schweiß ausbrach. Jemand will mich umbringen. Schlagartig war sie hellwach und äußerst konzentriert. Was kann ich tun? Sie überlegte fieberhaft. Die Haube saß zu fest. Auch die Handfesseln waren so schnell nicht zu lockern. Zitternd tastete sie nach den Pappfetzen, die sie unter dem Stroh versteckt hatte, und bog sie blind zu schmalen Röhrchen. Das musste klappen. Sie versuchte solange es ging, die Luft anzuhalten.

Neben der Toilette, keinen halben Meter über dem Boden, befand sich der Spalt, durch den die beiden Röhrchen passten. Er reichte durch das Mauerwerk nach draußen, in den Windschatten der Motoren mit den Abgasen. Jeweils ein Ende steckte sie sich in den Mund wie zwei Strohhalme zum Trinken, die andere Seite stieß sie durch den winzigen Spalt nach draußen. Sie schloss die Augen und presste mit den Fingern die Nase zu. Es kam Luft herein, die sie einsaugte, frische kühle Luft. Aber nicht genug. Lin schob sich näher an die Wand mit den Mauerspalten. Sie ertastete mit der Zunge die Risse und presste die Lippen darauf, um Luft einzusaugen. Einatmen, einmal, zweimal. Ein Hustenreiz erfasste sie. Rasch den Mund an die Stelle in der Mauer. Sie konnte sich in der Stellung nicht lange halten. Verdammt, ich will nicht ersticken. Sie tastete erneut nach den Pappröhrchen. Gott sei Dank stand der Wagen mit dem laufenden Motor nicht auf dieser Seite des Hauses. Da kann man sehen, wie Kino bildet, dachte Lin in einem Anflug von Galgenhumor, als sie schon viele Atemzüge getan hatte. Sie erinnerte sich nicht mehr an den Film, in dem dieser Röhrchentrick zum Einsatz gekommen war. Wo ihre Lippen die Pappe berührten, begannen die Röhrchen, sich aufzulösen von der Speichelfeuchtigkeit. Haltet durch, flehte Lin, bitte, haltet durch! In einem Western hatten Indianer auf ähnliche Weise überlebt, indem sie untertauchten und durch hohle Schilfrohre atmeten. Aber was waren Pappröhrchen, nicht einmal so groß wie Trinkhalme, gegen Schilf?

Ihr war übel, rasende Kopfschmerzen pochten gegen ihre Schläfen, lähmten sie fast. Lin vermutete, dass um die zwanzig Minuten vergangen sein mussten, als die Motorengeräusche plötzlich verstummten. Sie zog noch ein paarmal Luft von draußen ein, schob die Röhrchen unter ihr Shirt und klemmte sie unter dem rechten Träger ihres BHs fest. Dann kroch sie zurück auf die Luftmatratze. Wenn sie kontrollieren wollen, ob es geklappt hat, dann müssten sie jetzt bald kommen, dachte sie. Kurz darauf wurde tatsächlich die Tür aufgestoßen, zwei Männer mit weißen Tüchern vor Mund und Nase betraten den Raum. »Es ist noch zu viel Gas hier, komm, lass uns später wiederkommen«, sagte der eine auf Deutsch, »wir kümmern uns später um sie. Die ist hin, glaub mir.«

Lin erkannte die Stimme nicht.

Keiner der beiden kam zu ihr, um aus der Nähe zu prüfen, ob sie noch am Leben war. Mit polternden Schritten verließen die Männer den Raum, die Tür fiel krachend ins Schloss. Lin robbte zu der Stelle neben der Toilette und fing wieder an, durch die Röhrchen zu atmen. Es dauerte eine lange Minute, ehe Lin begriff, was ihr soeben als Erkenntnis durch den Kopf geschossen war: Die Tür war zugefallen, aber es hatte niemand einen Schlüssel im Schloss umgedreht. Die

Tür ist nicht abgeschlossen, dachte sie. Lin bemerkte, wie sich ihr Puls beschleunigte und eine Welle Adrenalin durch ihre Adern zu strömen schien. Blitzschnell war sie auf den Beinen, schob sich mit den Händen die Haube bis über die Augen und näherte sich der Tür, eng an der Wand entlang. Ihre Ohren schienen zu riesigen Empfängern zu wachsen, Lin lauschte auf jedes noch so winzige Geräusch. Das Adrenalin verlieh ihr neue Kraft, Gespanntheit und Entschlossenheit zugleich.

Es gelang ihr, die Türklinke einige Zentimeter herunterzu-drücken, ohne einen Laut auszulösen. Lin spürte, wie ihr der Schweiß auf die Stirn trat. Sie drückte die Klinke tiefer, hielt sie dann mit beiden Händen unten und öffnete die Tür einen Spalt. Der Raum, in den sie blickte, war dunkel, kein Ge-räusch zu hören. Und wenn das nun eine Falle ist, dachte Lin. Ihre Lebenserfahrung sprach dagegen. Man versucht nicht, einen Menschen mit Abgasen zu töten, und lockt ihn dann in eine Falle. Sie glauben, ich wäre tot, dachte sie. Des-halb sind sie hinausgestürmt. Sie glauben, sie brauchen nur noch meine Leiche zu entsorgen. Sie zog das Türblatt mit einem Ruck so weit auf, dass ihr Körper durchpasste. Dann schloss sie die Tür hinter sich und stand in einem stockdus-teren Flur. Wohin jetzt? Lin schlich an der Mauer entlang, die Fingerspitzen am Mauerwerk, um sich zu orientieren. Zugleich musste sie vorsichtig sein, ein versehentlich herun-tergerissener Gegenstand könnte alles zerstören. Ihr fiel auf, dass der satte, zugleich unangenehm chemische Geruch wie-der in der Luft hing. Sie verscheuchte jeden weiteren Gedan-ken daran.

Lin presste ihr rechtes Ohr an die nächste Tür, dahinter herrschte absolute Stille. Vielleicht die Tür zum Hof? Ich muss es einfach versuchen, dachte sie. Dann ging alles sehr schnell. Lin drückte die Klinke hinunter und zwängte sich vorsichtig auf die andere Seite. Dieser Gang führte ins Helle, das war eindeutig. Unter der Ausgangstür blitzte Tageslicht. Ein Hahn krähte irgendwo. Sonst kein Laut. Die beiden

Männer schienen wie vom Erdboden verschluckt. Vielleicht haben sie sich wieder hingelegt, hoffte Lin, sie haben jetzt keinen Grund mehr zur Eile. Diesmal war es ein runder Knopf zum Öffnen der Tür. Lin atmete tief durch. Der Knopf ließ sich fast lautlos bewegen. Doch diesmal quietschten die Angeln leise, als Lin das Türblatt zu sich zog. Eins, zwei, drei, sie zählte in Gedanken, dann streckte sie den Kopf in das Licht. Sie orientierte sich rasch. Niemand zu sehen. Zur Rechten ein Haus, daneben eine Parkbucht für Fahrzeuge, ein gepflegter Garten, eine grüne Metalltür in der Mauer. Da musste sie hin.

Lin nahm die kürzeste Strecke, auf Strümpfen konnte sie sich auf dem erdigen Pfad fast geräuschlos bewegen. Wo bin ich hier nur?, dachte sie. Die Metalltür ließ sich nicht öffnen. Lin sah sich um. Es hing kein Schlüssel an einem Haken. Sie holte noch einmal tief Luft und zog mit aller Kraft an der Tür, einmal, zweimal. Die Tür gab mit lautem Quietschgeräusch nach. Lin drehte sich noch einmal zu dem Haus um, dann schlüpfte sie durch die Mauer nach draußen. Sie begann zu laufen, gleichmäßig, so wie sie früher immer gejoggt war. Zu beiden Seiten der Straße lagen Wohnhäuser, die verlassen wirkten, umgeben von Mauern, einige unverputzt. Jenseits der Straße sah man Wiesen, von irgendwoher schrie ein Esel. Dies war nicht Pristina, sondern ein Dorf. Instinktiv lief sie in Richtung der Fahrzeuggeräusche in der Ferne, vielleicht befand sich dort eine Straße. Jemand, der sie mitnehmen könnte.

Dann kam ihr eine andere Idee. Ein paar Hundert Meter von dem Haus mit der grünen Tür entfernt sah sie eine ältere Frau in traditioneller Kleidung, langen Röcken, den Kopf von einem weißem Tuch aus gazeartigem Stoff eingehüllt, das bis auf die Brust herabhing. Sie schien auf ein Haus zuzugehen. Lin zögerte erst einen winzigen Augenblick, könnte diese Frau mit ihren Entführern unter einer Decke stecken? Sie schüttelte den Gedanken als unrealistisch ab und lief zu ihr hin. »Mirëdita!«, grüßte Lin auf Albanisch, lächelte die

Frau an und sah ihr direkt in die Augen. »Mirëdita! Mirëdita!«, antwortete die Frau mit einem kindlichen Altfrauen-
lächeln, für das die Zahnlücken in ihrem Mund verantwortlich waren. Die vielleicht vierzigjährige Frau sah damit
mindestens zwei Jahrzehnte älter aus. Sie schien gespannt,
wie die Situation jetzt weiterginge.

»Ndihmë«, sagte Lin so eindringlich sie konnte, »please
help me!« Die Frau griff entschlossen nach Lins linkem
Oberarm, warf noch einen Blick nach beiden Seiten der
Straße und zog sie rasch mit sich ins Haus.

»Sind Sie Deutsche?«, fragte sie. »Mir ware in Stuttgart.«
Verblüfft registrierte Lin, dass die Frau Schwäbisch sprach.
Sie fragte, wie der Ort hieß, in dem sie jetzt sei. »Des hier
isch Ferizaj«, antwortete die Frau. »Was isch passiert nur
mit Ihnen?« Lin wedelte mit den Händen: »Ich erkläre Ihnen
alles später, okay?« Die Frau zuckte mit den Achseln: »Scho
recht.« Dann fragte Lin nach einem Telefon. Sie musste so
schnell wie möglich Kontakt aufnehmen. Die Frau wies auf
einen Apparat, der wie ein Spielzeugtelefon aussah. Lin hob
den Hörer ab und wählte die Handynummer von Florim.
Statt des Freizeichens schaltete sich die Mailbox ein.

»Florim, hier ist Lin, es geht mir gut. Ich bin erst einmal
unter folgender Festnetznummer zu erreichen«, sie las die
Nummer von einem kleinen weißen Stück Papier an der Vorderseite des Telefons ab.

»Könnte ich noch einmal kurz telefonieren?«, fragte sie
die Frau.

»Ja, kein Problem.«

Lin wählte die Handynummer von Tariq. Noch vor dem
zweiten Summen antwortete er. Lin erklärte ihm, wo sie war
und wie er sie finden konnte. »Ich komme sofort!«, sagte er
entschlossen. »Rühr dich nicht vom Fleck, bitte.« Ihre Antwort wartete er nicht ab. Das Gespräch war beendet. Lin
wählte noch einmal, und wieder meldete sich nur eine
Maschine. Jetzt zitterte ihre Stimme ein wenig, als sie sprach:
»Hallo, Nico, es geht mir gut. Ich war in Geiselhaft. Hier in

einem Haus in Ferizaj. Man hat versucht, mich mit Autoabgasen umzubringen. Mit mir ist alles in Ordnung, mir ist nichts passiert. Ich vermisse dich. Ruf mich bitte an. Ich liebe dich.« Es ertönte ein schriller Pfeifton. Punktlandung, sagte Lin leise zu sich und grinste vor sich hin. Sie hatte exakt so viel gesagt, wie der Anrufbeantworter aufzeichnen konnte.

21

Lin setzte sich zu der Frau in die Küche und erzählte ihr in groben Zügen, was geschehen war. Dass man sie entführt und in Ferizaj festgehalten hatte. Die Frau schüttelte ungläubig den Kopf. Als Beweis hielt Lin ihre gefesselten Hände hoch. »Könnten Sie die bitte aufschneiden?« Die Frau nickte. Lin war für sie wie eine Botin aus einer Welt, die sie ungern wieder verlassen hatte. Deutschland, bei Stuttgart. Der Ort, wo sie ihr bäuerliches Deutsch gelernt hatte. Ihre Augen leuchteten, als sie den Namen Stuttgart aussprach. Lin wusste, dass dort viele Kosovo-Albaner lebten. Mit einer sachten Bewegung legte die Frau die Stelle der Fesseln frei, wo beide Enden ineinandersteckten. Dann bat sie Lin, ihre Arme auszustrecken. Sie blickte darauf, verschwand aus der Küche und kam mit einer feinen Handsäge zurück.

Geschickt sägte sie die Plastikfessel auf, als kenne sie sich aus mit dieser Art von schwierigem Material. Lin fragte nicht nach, rieb sich nur die wund gewordenen Handgelenke. Vielleicht hatten Familienmitglieder sie schon einmal gebeten, deren Handfesseln aufzubrechen. Oder sie hatte mit Polizei oder Gefängnis zu tun. »Warsch du verhaftet?«, fragte die Frau und hielt ihre Handgelenke über Kreuz. »Im Knascht?« Lin begriff, dass die Frau von ihren Erklärungen kein Wort verstanden hatte. Offenbar glaubte sie, Lin sei der Polizei entkommen, schien damit aber auch kein Problem zu haben.

Dann kam plötzlich eine silberfarbene Mercedeslimousine die Straße heraufgeschossen und hielt vor dem Haus.

Tariq stürmte herein: »Alles okay?«

Sie nickte: »Alles in Ordnung.«

Er schlang seine Arme um Lin und zog sie an sich. »Ich hatte solche Angst um dich!«, flüsterte er ihr zu. Dann lockerte er die Umarmung und warf Lin seine Jacke um. Den Arm um ihre Schulter gelegt, führte er sie hinaus auf die Straße. Lin drehte sich noch einmal um, bevor sie zu ihm auf den Beifahrersitz stieg und winkte der Frau zu, von der sie nicht einmal den Namen wusste: »Faleminderit shumë!« Die Frau lächelte und winkte zurück.

Am besten verschwanden sie so schnell wie möglich von hier. Kurz bevor sie die Hauptstraße nach Pristina kreuzten, fasste Lin Tariq am Arm: »Auch wenn du mich für wahnsinnig hältst, ich muss noch einmal zu dem Haus, wo ich festgehalten wurde. Ich muss wissen, wem es gehört.«

Er fuhr an den Straßenrand, stellte aber den Motor nicht ab: »Ich denke, ich weiß bereits, wo du festgehalten worden bist.« Lin sah ihn fragend an, mit erstaunt hochgezogenen Augenbrauchen. »Zamira wohnt dort, die Schwester von Izmet Varga. Ein Haus mit grüner Metalltür. Willst du da unbedingt noch einmal hin? Es ist nicht ungefährlich ...«

Lin sah ihn an: »Ich weiß. Aber ich darf vor einem solchen Ort auch nicht fliehen.«

Bevor er den Wagen wendete, klappte er das Handschuhfach herab und griff nach zwei Waffen. Er reichte Lin die Glock, legte die Beretta auf die Konsole zwischen die beiden Sitze. »Ich fühle mich so besser«, sagte er. Lin überprüfte das Magazin, es war voll geladen.

Tariq fuhr zurück durch den Ort. An der grünen Eisentür hielt er an. Er sah ernst aus, als er Lin fragte: »War es hier?« Sie nickte. »Mir reicht es aus, zu wissen, wem das Haus gehört. Ich muss da nicht noch einmal rein«, sagte sie. »Damit sollen sich andere befassen.« Dann bemerkten sie den schmutzig weißen Jeep. Ihren eigenen Wagen. Nur Florim konnte ihn hierhergefahren haben. Vielleicht hatte er die Nachricht noch nicht abgehört und suchte noch nach ihr? Tariq fuhr nah heran. Sein Wagen nahm fast die ganze Breite der Gasse ein. Der Jeep war leer. »Vielleicht sollten wir doch Zamira einen kleinen Besuch abstatten«, sagte Tariq leise, während er mit den Augen die Gasse absuchte. Niemand war zu sehen. Sollte Florim in Zamiras Haus gegangen sein? »Man könnte ihn anrufen«, flüsterte Lin, »aber wenn er sich versteckt hält, gefährden wir ihn nur. Irgendetwas stimmt hier nicht.« Tariq gab einen Laut der Zustimmung von sich. Jetzt ging es um Florim.

Tariq parkte seinen Wagen direkt hinter Florims Jeep. Lin hatte die Glock in ihren Hosenbund gesteckt. Sie sah, dass auch Tariq seine Waffe im Hosenbund trug. Er drückte die Klinke der grünen Metalltür hinunter, und sie schlüpften durch das quietschende Tor hinein. Es war sinnlos, an der Hauswand entlangzuschleichen, denn bei Tageslicht war jede Bewegung in jedem Winkel vom Haus aus zu sehen. Im Hof schien kein Mensch zu sein. Als sie dem Haus näher kamen, sah zuerst Lin das Mädchen, das mit einer Puppe spielte und erschrocken, aber wortlos zu ihnen aufsah. »Wo ist Zamira?«, fragte Tariq freundlich, und sie antwortete: »Drinnen.« Etwas an ihrer Stimme, klein, aber bestimmt, kam Lin bekannt vor. Und plötzlich fiel ihr auch der Geruch wieder ein. Die Kleine hatte ihr Essen gebracht. Sie hatte nach ausgeschwitzter Chemie gerochen. Die Kleine war krank, sehr krank.

»Was ist hier los?«, Zamira stand plötzlich in der offenen Tür, ihre Stimme klang laut und unduldsam. »Tariq, wer ist das, und wieso kommst du hier einfach hinein?«

In Lin stieg heiße Wut hoch. Auf Englisch rief sie ihr laut zu: »Sie machen wohl Witze. Sie haben mich hier mehrere Tage lang festgehalten und fast mit Gas getötet, und Sie fragen, wer ich bin?« Lin gelang es nur mit Mühe, ihre Stimme unter Kontrolle zu halten. Mit einer Hand hielt sie unter der Bluse den Griff der Waffe umklammert.

»Du Kleine«, Lin wandte sich auf Englisch an das Mädchen, das jetzt neben Zamira stand, »du weißt doch genau, wer ich bin. Auch wenn du sehr krank bist. Nicht wahr?« Die Kleine senkte den Blick, drehte sich auf dem Absatz um und rannte hinein.

Zamira ergriff wieder das Wort, jetzt in verbindlicherem, fast freundlichem Ton: »Kommt herein. Alles wird sich aufklären.« Lin war nicht wohl bei dem Gedanken, ausgerechnet in dieses Haus zurückzugehen. Tariq zog sie mit sich hinein. Sie folgten Zamira, nahmen einander gegenüber auf den Polstersofas Platz. Zamira verschwand, um Tee zu holen. Sie kam nicht zurück.

Eine Tür flog auf, und zwei bewaffnete Männer zerrten einen an den Händen gefesselten Dritten hinter sich in den Wohnraum hinein. Eine schlanke Gestalt, deren Kopf mit einer dunklen Haube verhüllt war. Lin sah sofort, um wen es sich handelte: Es war Florim. Die Männer, die ihn hereinführten, hatten beide etwas Brutales in den Zügen, wie es vor allem einfache Soldaten mit Kampferfahrung in ihren Gesichtern trugen, als Burschen fürs Grobe. Sie würden nicht lange fackeln. Dies waren Knechte, keine Herren. Lin sah sofort die SIG Sauer in der Faust des einen. Auch in Deutschland die Polizeiwaffe, registrierte sie automatisch. Der zweite hielt einen Colt-Revolver in der Hand, erkannte Lin. Am Ende feuerten die Kriminellen sogar noch mit Parabellum, mit Kriegsmunition, wie die Bullen. Hatte das hier mit der deutschen Polizei zu tun?

Die beiden Männer waren etwa gleich groß, doch der erste wirkte schwerer als sein Kumpan. Er trug die Haare millimeterkurz, was sein Brutalo-Image unterstrich. Der zweite hatte das längere braune Haar zu einem Pferdeschwanz zusammengebunden, er wirkte weicher als der Schwere, schien aber mit der Waffe in der Hand nicht weniger gefährlich. Er hielt sie dahin, wo unter der Haube Florims rechte Schläfe sein musste. Tariq hatte seine Waffe gar nicht erst hervorgezogen. In dieser Konstellation hatten sie gegen die zwei Bewaffneten keine Chance. Irgendetwas knarrte plötzlich, eine Holztür öffnete sich.

Vor dem Hintergrund des erleuchteten Flurs wirkte Zamira fast wie von einer Gloriole umgeben. Vor der Brust hielt sie mit beiden Händen ein schussbereites Gewehr. Pump-Action-

Modus, Pumpgun, registrierte Lin, das bedeutete, dass beim Nachladen nur eine Art Schlitten vor- und zurückgeschoben wurde. Diese Langwaffe in der Hand von Zamira war viel Gewehr für eine verwitwete Hausfrau. Zamira zielte auf den Schwereren. Sie sagte etwas, das Lin in etwa so deutete: »Mark, sag Dejan, er soll den Jungen loslassen.« Ihr Kommandoton ließ keinen Zweifel, Zamira schien hier die Hauptrolle zu spielen. Mark senkte die Hand mit der Pistole und gab seinem Kumpan mit dem Kopf ein Zeichen. Dejan steckte seinen Revolver hinter dem Rücken in seinen Hosenbund, dann entfernte er das Seil, das die Haube über dem Kopf des Gefangenen festgehalten hatte.

Florim sah fürchterlich aus. Er hatte mehrere Platzwunden im Gesicht. Der Blick, mit dem er Lin ansah, war zum Gotterbarmen. Scham, Schuldgefühl, aber auch verletzter Stolz. Warum hatte er diese beiden nicht kommen sehen? Wahrscheinlich war er mit seinem Laptop beschäftigt gewesen, vermutete Lin.

»Jetzt alle Männer auf eine Seite, du Deutsche kommst zu mir her. Los, wird's bald«, bellte Zamira auf Englisch. »Ihr vier werdet jetzt das Grundstück verlassen, und ihr werdet auch nicht wiederkommen. Wohin ihr geht, ist mir egal. Die Frau bleibt hier, zumindest vorerst. Ist das klar?«

Tariq wollte etwas sagen, aber Zamira feuerte unter ohrenbetäubendem Lärm ein Geschoss ab, das unmittelbar neben Tariqs Fuß einschlug. »Versuch es nicht noch einmal, Tariq«, rief sie ihm zu, »du weißt gar nicht, was für eine Schützin ich bin. Ihr verschwindet jetzt. Mark, du wirst dafür sorgen, dass diese beiden wirklich gehen. Dann verlasst ihr ebenfalls das Gelände, verstanden?« Mark nickte ihr zu und gab einen Laut von sich, der sich wie ein anerkennendes Brummen anhörte. Die vier verließen zusammen das Haus, aus der Ferne war das Klappen der Metalltür zu hören.

Zamira drehte sich Lin zu. »Jetzt zu dir. Du weißt ja noch, wie es zu dem Raum geht, in dem du die letzten Tage verbracht hast. Also los!« In Lins Kopf spulten sich alle Möglichkeiten ab, wie sie entkommen könnte. Doch erst sollte Zamira reden.

»Was um alles in der Welt wollen Sie von mir?«, fragte sie selbstbewusst, mit fester Stimme. »Sind Sie eine solche Art von Schwester, die für ihren kriminellen Bruder die Dreckarbeit macht? Oder was war das mit den Autoabgasen? Ich kann gar nicht fassen, dass Tariq Ihnen jemals nahegestanden hat.« Lin schien die Worte auszuspucken.

Sie gingen jetzt den Flur entlang zur letzten Tür. Ich muss es probieren, dachte Lin. Zamira war etwa einen halben Meter hinter ihr, den Lauf des Gewehrs auf Lins Kopf gerichtet. Lin holte einmal tief Luft, dann noch einmal. Dann schrie sie markerschütternd laut auf, ein Schrei, der ihr zusätzliche Kraft verlieh.

Gleichzeitig verlagerte sie ihr Gewicht zur Seite und ließ das rechte Bein vom Körper weg wie einen Schlaghammer nach oben schnellen. Lin zielte auf eine Stelle unter Zamiras Gewehr und schleuderte es mit der Ferse zuerst nach oben. Exaktheit ist alles, dachte sie zufrieden. Sie zog den Unterschenkel blitzschnell zurück und holte noch einmal aus. Diesmal platzierte sie die Ferse auf Zamiras Oberbauch. Doch statt hinzufallen, griff Zamira nach Lin und riss den Fuß mit beiden Händen hoch. Lin ging zu Boden. Eine Nummer härter als angenommen, diese Lady, dachte Lin, und ich bin aus der Übung. Sie war nie eine wirklich gute Kampfsportlerin gewesen. Doch die wenigen Tritte und Schläge, die sie anwandte, hatte sie mit Profis trainiert. Ihre Kampfkunst konnte beeindrucken, aber nur für wenige Minuten. Lins Lieblingsknockout kam jetzt. Sie zog Zamiras Kopf mit beiden Händen zu sich und kickte die eigene Stirn so konzentriert und hart wie möglich gegen ihre. Nach zwei Kopfnüssen sackte Zamira zu Boden. Als Lin aufblickte, sah sie, wie das Mädchen bei ihnen stand und an dem Gewehr zerrte, das in der Ecke lag.

Lin glitt rasch auf allen vieren in ihre Richtung, bekam das Gewehr zu fassen und hob es mit einer Hand auf. Zugleich hielt sie sich das Mädchen auf Distanz. Zamira kam zu sich, betastete mit der Rechten ihre Stirn, auf der in hellem Rot eine handtellergroße Platzwunde zu sehen war. »Da hinein«, wies Lin die zwei an, »Sie wissen ja, wo es reingeht.« Lin trieb die beiden mit dem Gewehrlauf nach vorn, Zamira hatte das Mädchen jetzt an der Hand. Die Kleine sagte kein Wort, sah sie nur mit großen Augen an. Zamira schwieg, aber ihre dunklen Augen schienen vor Hass zu glühen. Lin suchte mit den Augen das Türschloss ab, sah, dass der Schlüssel von außen steckte. Sie erinnerte sich, dass es die einzige Tür gewesen war. Es sei denn, es gibt noch ein Versteck, dachte Lin. Sie musste einfach schneller draußen sein als ihre möglichen Verfolgerinnen. Lin schob die beiden mit sanftem Druck in den Raum, schloss zweimal ab. Dann senkte sie das Gewehr, behielt es aber in der Hand. Einen Sekundenbruchteil lang erwog Lin den Gedanken, das Haus zu durchsuchen. Nein, entschied sie sich, das Durchsuchen werden andere besorgen müssen. Die nächste Konfrontation auf diesem Grundstück konnte tödlich ausgehen.

Diesmal rannte sie vom Haus zum Ausgang in der Mauer. Sobald sie stand, nahm sie das Gewehr hoch, um sich zu sichern. Die Tür war verschlossen. Lin trat ein paar Schritte zurück und feuerte mehrere Schüsse ab, bis an der Stelle, wo das Schloss gewesen war, ein Loch klaffte. Das Gewehr im Anschlag drehte sie sich noch einmal zum Haus um und suchte mit den Augen den Garten ab. Dann riss sie die Metalltür auf, fünfzig Meter weiter blitzte Scheinwerferlicht auf. Sie lief dem Wagen entgegen. Tariqs Mercedes, auf dem Beifahrersitz Florim.

»Weg hier, schnell«, kommandierte Lin, als sie die Rückbank unter sich spürte.

»Jetzt hab ich meine Wette verloren«, witzelte Florim von vorn, »ich dachte, du seist schneller. Du hast fast fünfzehn Minuten gebraucht.«

»Witzbold«, fauchte Lin zurück. »Was hast du überhaupt

hier gesucht, und wieso konntest du nur mit schwarzer Haube verhüllt vorgeführt werden?«

»Du hast recht, besonders professionell war das nicht«, räumte Florim ein. »Aber ich hab mir einfach Sorgen gemacht um dich, Lin. Ich hab doch erlebt, wie diese Kerle drauf waren.« Er hatte das Anwesen der Vargas in Gjakova ausgespäht. Teure Autos mit getönten Scheiben waren hinein- und herausgefahren. Gegen Mitternacht hatte er schließlich an einer dunkleren Stelle erste Schritte gewagt, die Außenmauer zu überklettern. Als er oben angelangt war, erwarteten die beiden Männer ihn schon. »Mit Knarren, mit Hunden, ich hatte keine Chance gegen diese Typen«, kommentierte Florim mit Zerknirschung in der Stimme. »Den Rest kennt ihr ja.«

Tariq schaltete sich ein: »Du willst sagen, das Haus wird mit Kameras überwacht. Und ausgerechnet du merkst nichts davon.«

Florim fühlte sich in seiner Ehre gekränkt: »Es sind keine Kameras dort, glaub mir«, antwortete er gereizt, »sie haben einfach Bewegungsmelder oben auf der Mauer, die du erst sehen kannst, wenn es schon zu spät ist. Das war Künstlerpech.« Er fügte hinzu: »Ich bin in Elektronik besser als im Nahkampf. Das wisst ihr doch.« Florim ließ eine Kunstpause entstehen. Dann sagte er: »Dafür ist jetzt das ganze Anwesen der Vargas in Gjakova samt der Karren mit Wanzen versehen. Diese kleinen putzigen Dinger hab ich immer in allen Taschen dabei. So ganz blöd war ich nicht.«

Lin legte ihm die Hand auf die Schulter: »Du bist einfach unschlagbar, Flori.« Dann erzählte Lin von ihrer Gefangenschaft, von dem kleinen Mädchen, das ihre Bewacherin gewesen war, und von dem Versuch, sie mit Autoabgasen umzubringen. Schließlich trat Stille ein.

»Und diese winzigen Röhrchen reichen aus, um zu überleben?«, fragte Tariq nach einer Weile.

Aber Florims Kopf war zur Seite gerutscht, und auf der

Rückbank hatte auch Lin ihren Kopf an den Seitenholm gelehnt und schlief.

Als Tariq nach Pristina einfuhr, bog er noch vor dem Platz ab, an dem einst Ibrahim Rugova, der frühere Präsident des Kosovo, eine Kathedrale hatte bauen wollen. Lin schlug die Augen auf, als sie die Kreuzung passierten.

»Ich bringe euch in euer Hotel, wäre das okay?«, fragte Tariq.

»Okay!«, erwiderte Lin aus dem Fond.

»Wir müssen uns nur baldmöglichst Gedanken darüber machen, wie wir weiter vorgehen wollen«, sagte Florim. »Das war Entführung mit Geiselnahme, versuchter Mord etc. Dann noch Izmet Varga und sein Brötchengeber Wöller. Was zuerst?«

Lin konnte sich kaum noch auf den Beinen halten. Die neue Bewegungsfreiheit hatte sie rasch völlig erschöpft. »Lasst mich erst mal 24 Stunden schlafen, duschen und frische Sachen anziehen, vorausgesetzt, es gibt heißes Wasser. Danach überlegen wir, was wir tun«, sagte sie. »Du, Florim, kannst die Peilwanzen protokollieren und aufpassen, dass mich keiner wegschleppt. Was meint ihr?«

Tariq schien der Vorschlag nicht ganz zu behagen: »Am liebsten würde ich mich neben dein Bett setzen, Lin, damit dir nichts geschieht.« Seine Stimme klang belegt. Lin schwieg.

Eine Liebeserklärung, dachte Florim gerührt. Laut sagte er: »Ich passe schon auf sie auf, Tariq. Lass sie schlafen, sie ist völlig k. o.«

Tariq umarmte Lin und ging zu seinem Wagen. Dort telefonierte er zwei Teams von Männern zusammen. »Ihr wechselt euch ab. Lasst die beiden nicht aus den Augen. Wenn sich ihnen irgendwer nähert, dürft ihr schießen.«

Lin fühlte sich, als hätte eine unbekannte Macht alle Energie aus ihrem Körper gesaugt. Im Flur schaffte sie kaum die wenigen Meter bis zu ihrem Zimmer. Ich muss schlafen, dachte sie, schlafen. Danach duschen, mich umziehen.

»Ich werde dir einen speziellen Drink mixen, Lin, dann kannst du dich beim Schlafen wieder erholen. Bleib die drei Minuten bitte noch wach, bis ich damit zurück bin.« Lin nickte wortlos. Vollständig angezogen kroch sie zwischen die Laken. Ich muss auf Florim warten, wiederholte sie in Gedanken immer wieder. Als er mit dem Glas vor ihr stand, nahm sie alle Kraft zusammen, um sich halbwegs im Bett aufzurichten. Sie fragte nicht, was genau in der milchigen Flüssigkeit enthalten war. Lin trank das Glas in einem Zug leer. Dann rollte sie sich unter der Bettdecke zusammen.

»Jetzt kannst du schlafen, Lin«, flüsterte Florim, »hier wird dir nichts mehr geschehen. Verlass dich darauf.«

Draußen vor den beiden Zimmertüren saßen zwei finstere Gestalten, auf den Knien wie neu glänzende Maschinenpistolen. Personenschutz von Tariq, die Typen waren seine Männer. Florim hatte ihnen jedes Wort abgerungen. »Muss Liebe schön sein«, murmelte Florim.

22

Florim fand in dieser Nacht kaum Schlaf. Lins Entführung war ihm nahegegangen. Für ihn war sie von Anfang an wie eine Schwester gewesen. Er liebte sie, als sei sie ein Teil der Familie, heimlich schwärmte er auch für sie. Zudem kränkte es ihn, wie leicht die Entführung möglich gewesen war, obwohl er selbst eine Waffe bei sich getragen hatte. Warum konnte er Lin nicht ein Mal beeindrucken? Florim beendete die Grübelei, indem er aufstand und sich auf das zu konzentrieren versuchte, wovon er am meisten verstand. Immer wieder verglich er die Aktivitäten der Peilwanzen mit den Karten der entsprechenden Gegend, die neben seinem Laptop aufgeblättert lagen.

Kurz vor Mitternacht klopfte es an seiner Zimmertür. Tariq wollte sich persönlich davon überzeugen, dass seine Leute ihren Einsatz auch wirklich ernst nahmen. »Alles okay? Darf ich reinkommen?«, lächelte er gewinnend. Florim winkte ihn herein, ohne wirklich den Blick von seinem Rechner zu lösen. »Ich habe bei Lin reingesehen«, sagte Tariq, »sie schläft wie ein Stein.« Er ließ sich in einen der Sessel fallen.

Florim wollte die günstige Gelegenheit nutzen, Tariq allein zu sprechen. »Ich fürchte«, sagte er, »wir haben wirklich ein Problem. Diese Geiselnahme, der Versuch, sie umzubringen. Zamira ist Izmet Vargas Schwester, sie handelt in seinem Auftrag. Sag mir, Tariq, in wessen Auftrag handelt Varga?« Tariq sah ihn nur an. Florim fuhr fort: »Ich vermute, in Wöllers Auftrag. Er scheint hier im Kosovo wie ein hochkrimineller Pate aufzutreten, seit der Unabhängigkeitserklärung ist es noch schlimmer geworden. Lin weiß das.«

Tariq wartete mit seiner Antwort nicht lange: »Du hast

recht. Das Problem ist Wöller. Der Begriff Pate trifft es genau.« Er wartete einen Moment, dann sagte er: »Weißt du, was das heißt? Wöller ist der Kopf der gesamten OC, ich meine, der Organisierten Kriminalität hier im Kosovo. Wenn Lin aufwacht, müssen wir uns einen Plan ausdenken.«

Lin war durch das Gespräch der beiden im Nebenzimmer aufgewacht und hatte an der Wand gelauscht. Als Tariq die Abkürzung OC aussprach, verzog sich ihr Gesicht zu einem breiten Lächeln. OC war ein Begriff aus dem englischsprachigen Jargon der Polizei. Organized Crime war gleichbedeutend mit OK, Organisierte Kriminalität. Bedeutete das, Tariq war ein Polizist? Ein verdeckter Ermittler etwa? Aber vielleicht hatte sie sich nur verhört, oder Tariq hatte den Ausdruck bloß irgendwo aufgeschnappt. Oder sollte es ein Wink sein? Lin war jetzt so wach, dass sie nicht mehr ins Bett zurückwollte. Sie streifte ihre Hose ab, schlüpfte in eine frische und zog sich einen Pullover über. Ich sollte nicht ständig in Klamotten schlafen, dachte Lin und lächelte. Sie öffnete vorsichtig die Tür zum Flur und ging zu Florims Zimmertür. Nach kurzem Klopfen trat sie ein. Lin spürte sofort, dass Tariqs beiläufige Erwähnung von OC so etwas wie eine Botschaft an sie beide gewesen war.

Sie sah an Tariqs unruhig-forschendem Blick, dass er hoffte, verstanden worden zu sein. Er kannte die Hellhörigkeit der Zimmer. Florim dagegen hatte keinerlei Verdacht geschöpft. Warum können wir nicht einfach sprechen, dachte Lin. Wenn ich den Begriff OC überinterpretiert hätte, würde Tariq mir das sehr übel nehmen. Ich kann ihn nicht einfach zu unrecht als einen Polizisten outen. Ich würde ihn ungewollt kompromittieren, dachte Lin, und mich blamieren. Kosovarische Verhältnisse konnten schwierig sein. Sie warf Tariq einen langen Blick zu, der verschwörerisch wirken sollte. Wir müssen gemeinsam auf neuen Füßen stehen, dachte Lin, dazu gehört, dass wir wissen, wer wir sind. Wenn wir Wöller kriegen wollen. Aber auch sonst, fügte sie in Gedanken hinzu.

Lin entschied sich für den direkten Weg. »Arbeitest du auch für OK oder OC, Tariq«, begann sie lächelnd und sah ihm in die Augen, »oder habe ich da vorhin etwas Falsches mitgehört?«

Tariq schien die Frage nicht wirklich unangenehm zu sein. »Ich weiß, was du meinst. Bitte lass dieses Thema, ja?«

Aber Lin wollte nicht. »Dir unterläuft doch nicht einfach so ein klassischer Polizeibegriff. Du wolltest, dass wir es wissen, oder?«

Eine halbe Stunde lang setzte Lin immer wieder neu nach, und Tariq wich aus. Schließlich schwieg er ganz. Dann sagte er leise, wie zu sich selbst hin: »Okay. Vielleicht ist es so wirklich besser. Ich habe mich vor drei Jahren als verdeckter Ermittler für die britische Polizei anwerben lassen, für die Abteilung Organisierte Kriminalität. Ich bin ja Engländer.« Er fuhr fort: »Daher der Begriff OC oder OK. Ich sehe ein, dass ich die Karten aufdecken muss, wenn wir zusammenarbeiten wollen. Jeder muss wissen, wer der andere ist.«

Florim schwieg verdutzt. Dann sagte er: »Haben wir Beweise für das, was du sagst?« Er sah Lin Hilfe suchend an. Aber sie hatte nur Augen für Tariq. Der griff in seine Hosentasche und brachte einen hellen, etwas abgegriffenen Leinenbeutel zum Vorschein. Er warf ihn auf den Tisch.

»Hier, meine Marke, mein Ausweis!«

Florim griff danach, legte die einzelnen Teile nebeneinander auf den Couchtisch. Er studierte jedes von ihnen genau. »Was heißt das nun im Kontext von Tom Weicker? Hattest du nicht jemanden geschickt, der Weicker erledigt, bevor er Lin erledigen kann?« Florim wartete vergeblich auf eine Antwort von Tariq. Dann stand er auf und ging hinaus auf den Flur.

»Florim, wohin?«, rief ihm Lin nach.

Er antwortete nicht mehr.

»Florim hat recht«, wandte sich Lin Tariq zu, »all das muss geklärt werden. Tom Weicker war, genau genommen, dein

Kollege. Laufen Ermittlungen gegen dich?« Tariq schüttelte den Kopf. »Nicht wirklich, Lin. Weicker stand unter Verdacht, das weißt du. Der Mann, den ich losgeschickt habe, sollte ihn auch nur außer Gefecht setzen. Aber Tom hat auf Leben und Tod gekämpft, und er hat verloren. Formal wird zwar ein Verfahren eröffnet, aber der Ausgang dürfte schon jetzt klar sein. Es war eindeutig Notwehr!«

Lin wusste genau, was geschehen würde, wenn sie jetzt mit Tariq alleine blieb. Wie gern würde ich in seine Arme sinken, dachte sie. Aber es ist nicht möglich, es darf nicht sein. Tariq hat Familie, und ich liebe Nico. Sie ließ Tariq ohne ein Wort stehen und ging zurück in ihr Zimmer, um sich vollständig anzuziehen. Aus Florims Zimmer drang kein Laut. Bis Lin das Zimmer wieder betrat, hatte sie sich wieder unter Kontrolle. Tariq saß noch so da, wie sie ihn verlassen hatte. Auf dem Tisch lagen die Marken und Ausweise, wie Beweisstücke, die man irgendwo gesichert hatte.

»Du bist eine bemerkenswerte Frau, Lin«, begann er, »du hast Skrupel, mir näherzukommen, das verstehe ich. Ich habe es dir nicht deshalb gesagt, um dich für mich zu gewinnen. Über dieses Stadium sind wir auch längst hinaus.« Er schwieg für ein paar Sekunden. »Ich wollte, dass du weißt, wer ich bin, damit wir die Sache mit Wöller gemeinsam zu Ende bringen.« Tariq ging auf sie zu, bis er dicht vor ihr stand. Er legte seine Arme um sie und zog sie an sich. »Du weißt, Lin, was ich für dich empfinde. Ich weiß auch, dass du mich liebst, egal was du für Nico empfindest. Und wir wissen beide, wie schwierig die Umstände sind. Aber muss man immer vernünftig sein? In jedem Augenblick?« Sie blieben einige Minuten so stehen. In einer anderen Zeit, unter anderen Umständen, dachte Lin. Ich rieche ihn einfach gern. Dieser Geruch, den er ausströmt, passt perfekt zu dem, was meine Nase angenehm findet. Von wie vielen Männern ließ sich das schon sagen.

Sie wand sich aus der Umarmung: »Du kennst meine Gefühle für dich, Tariq. Aber es gibt Nico, es gibt deine Familie, für eine Nacht ist mir der Preis zu hoch. Ja, ich habe mich gefreut, als du gesagt hast, für wen du arbeitest. Es macht einiges leichter …« Nach ein paar Augenblicken setzte sie hinzu: »… und einiges komplizierter.«

Tariq beugte sich zum Tisch hinunter, um seine Ausweise einzusammeln: »Florim wird sich wieder beruhigen. Es war emotional zu viel für ihn. Erst hatte er Angst um dich, jetzt erfährt er, dass ich Polizist bin. Er weiß nicht mehr, wo ihm der Kopf steht, das ist schwer für einen solchen Kontrollfreak wie ihn.« Lin lächelte.

»Ich würde mich gerne wieder hinlegen, lass mich noch ein paar Stunden schlafen«, sagte sie. »Ich fühle mich wie Blei. Vermutlich hab ich diese Zeit als Gefangene noch nicht ganz weggesteckt. Waren es drei oder vier Tage? Ich weiß es gar nicht mehr. Was für ein Datum ist heute?«

Tariq warf einen Blick auf seine Armbanduhr. »Heute ist der 16., also warst du vier Tage dort. Aber jetzt schlaf schön. Ich werde mich an dein Bett setzen und dich keine Sekunde aus den Augen lassen.«

Lin war zu müde, um sich umzuziehen. Sie ließ sich in Jeans und Pullover zwischen die Laken gleiten, warf nur die Schuhe vor der Bettkante ab. Sie schlief bereits, als die Schuhe auf dem Teppich auftrafen. Tariq setzte sich an ihr Kopfende und wirkte ein wenig wie ein dunkelhaariger Zerberus, der über ihren Schlaf wachte. Dann fielen auch ihm die Augen zu.

Beide hörten nicht mehr, wie Florim sein Zimmer betrat. Er war angetrunken und enttäuscht. Ein wenig hatte auch er sich Chancen bei Lin ausgerechnet. War das so falsch gewesen? Ihn hätte der Altersunterschied nicht gestört. Und jetzt? Ein britischer Bulle! Florim ließ sich schwer auf die Bettdecke fallen. Kurz darauf hörte man sein Schnarchen. Die Nacht und der tiefe Schlaf heilten manche Wunde.

In Pristina folgte ein kühler Frühlingsmorgen. Fröstelndkühl im Schatten, weiß und gleißend und heiß dort, wo die Sonne stand.

Als Lin die Augen aufschlug, war Tariq von ihrer Bettkante verschwunden. Sie rief nach Florim im Nebenzimmer.
Keine Antwort. Offenbar hatte er gerade das Zimmer verlassen.

Im Bad drehte sie erst den Heißwasserhahn auf, aus dem
sich sprudelnd und spuckend ein heißer, dampfender
Schwall ergoss. Der Boiler gab Töne von sich, die wie ein
elendes Röcheln klangen. Demzufolge war das System
gerade erst wieder mit Wasser vollgelaufen. Es gab nichts
Schlimmeres, als müde und verschwitzt ins Bad zu kommen, wenn der Strom, mit dem die meisten Wasserbereiter
hier liefen, wieder einmal ausgefallen war. Bei kalten
Außentemperaturen konnte man sicher damit rechnen,
dass mindestens zweimal am Tag der Strom ausblieb, weil
die Netze durch die Masse der eingeschalteten Geräte völlig überlastet waren. Jede Wohnung hatte mindestens zwei,
drei Heizlüfter, im Kosovo wurde Strom verbraucht, als sei
er gratis. Typisch für Menschen aus ehemals sozialistischen
Ländern. Lin erinnerte sich noch an die alten sowjetischen
Zeiten in Leningrad. An den Heizkörpern existierten gar
keine Ventile, die Temperaturen in den Zimmern wurden
geregelt, indem man die Fenster weit aufriss. Die Stromaus-
fälle im Kosovo hatten jedenfalls nicht zu mehr Energiebe-
wusstsein geführt, fand Lin. Ganz im Gegenteil. Sobald es
wieder Saft gab, waren auf einen Schlag alle Geräte wieder
am Netz.

Zufrieden ließ Lin die Wanne volllaufen und genoss die
Wärme und das Licht, das von oben durch ein Fenster einfiel. Sie musste an Tariq denken. Lin hatte keine Ahnung, wie
lange er an ihrem Bett geblieben war. Einmal, als sie aufwachte, saß er auf der Bettkante, über ihr an das Kopfteil
angelehnt, als wollte er mit seinem Körper einen schützenden
Bogen über ihr bilden. Seine Augen waren geschlossen gewesen, ein hinreißend friedlicher Anblick. Lin war sofort
wieder eingeschlafen. Erfüllt von Glücksgefühl.

Eine Stunde später traf sie im Frühstücksraum im Erdgeschoss auf Florim. Er schien den Vorabend verdaut zu haben und grinste ihr entgegen, wirkte wie immer. Diese Fähigkeit zählt zu seinen besten, dachte Lin, er kann sich schnell auf Neues einstellen.

Sie bestellten Frühstück, Florim nahm eine Art albanischen Burek, salziges Blätterteiggebäck, dazu Joghurt. Lin nahm Tee und Toast. Sie schwiegen, bis das Bestellte auf dem Tisch vor ihnen stand. Es war zu spüren, dass Florim etwas zu klären hatte: »Ich muss eins sicher wissen, Lin. Das Kommando behältst du, und nur du, sonst steige ich aus. Geht das klar?«

Lin sah kein Problem: »Was hattest du denn gedacht? Wir gewinnen einen neuen Freund, und der gibt dann bei uns den Ton an? Keine Sorge, Flori. Das verspreche ich dir gern.« Zufrieden nahm Florim sein Stück Blätterteig, das speckig glänzte, in die Linke und stippte es in den Joghurt, bevor er es mit einem schmatzenden Geräusch in seinem Mund verschwinden ließ. Für ihn war damit der Fall geklärt. Sonnenstrahlen brachen von draußen herein.

Dann stieß Tariq zu ihnen, gut gelaunt und so unkompliziert wie sonst auch.

Offenbar hatte er seine Kleidung gewechselt, er sah frisch geduscht aus. Tariq zog sich einen Stuhl heran. »Ich habe gerade von Izmet Varga gehört«, sagte er mit halblauter Stimme, »er sucht euch, euch beide diesmal. Wir sollten uns etwas überlegen.«

Florim sah Lin fragend an. »Wir sollten loslegen«, sagte Lin nur kurz. Sie schob die Tassen und Teller auf dem Tisch zur Seite. »Was können wir tun, um weiterzusuchen und uns zugleich nicht zu sehr zu gefährden?«

Florim zog seine Bewegungsprotokolle aus der Innentasche seiner Jacke. »Schaut her, die Gruppe bewegt sich in einem immer ähnlichen Radius, jedenfalls mit diesen Fahrzeugen. Gjakova, Peja, Prizren, Ferizaj, ganz selten Pristina. Das könnte heißen, dass dort ihre Hauptgeschäftsbasis liegt.

Es könnte aber auch bedeuten, dass sie ihre Geschäfte mit anderen Fahrzeugen auf anderen Routen erledigen ...«

»Wen wollen wir?«, schaltete sich Lin ein. »Wollen wir Wöller oder Varga? Oder wollen wir beide?«

»Beide natürlich«, echote Florim.

»Ich will«, mischte sich Tariq ein, »dass dieses kriminelle Imperium Schaden erleidet. Also will ich auch die gesamte Struktur aufklären. Meine Besuche bei Zamira haben Varga mit Sicherheit äußerst misstrauisch gemacht. Aber er denkt vielleicht, ich bin nur an Lin interessiert. Er weiß nichts von meinem Doppelleben.«

Florim ergriff wieder das Wort: »Interessant an diesen Protokollen ist, dass diese Typen immer dieselben Routen nehmen und fast immer zu denselben Zeiten. Zumindest einige von ihnen. Wie Kuriere. Wir könnten einen Wagen abpassen und den Fahrer zwingen, uns Auskunft zu geben.«

Lin ließ einen Laut der Zustimmung hören. »Genau! So in etwa machen wir das, Flori. Rechne du die Strecke aus. Und du, Tariq, könntest uns ein weniger bekanntes, aber schnelles Auto ausleihen. Oder aber du kommst selbst mit, was meinst du, Florim, einverstanden?«

Florim nickte: »Heute Abend also.«

Tariq stimmte zu: »Okay.«

Dann entfernte er sich, ohne ein weiteres Wort.

Florim und Lin waren neben dem erleuchteten Portal in ihren dunklen Sachen kaum auszumachen. Es war schon fast acht Uhr, als Tariq pünktlich vorfuhr. Ein nagelneuer BMW X5, eine Mischung aus Luxuslimousine und leichtem Geländewagen. Gedecktes Titansilber metallic mit schwarz abgesetzten Spoilern entlang des Dachs.

»Ich wundere mich«, sagte Lin spöttisch zur Begrüßung, als sie auf den Beifahrersitz rutschte, »dass du nicht das Modell mit den blickdicht verdunkelten Scheiben genommen hast.«

Tariq nahm die Frage ernst: »Mit stark dunkel getönten

Scheiben würdest du um diese Zeit am Abend draußen nicht gut sehen. Dunkle Scheiben heißt dunkel von draußen und nachts fast genauso dunkel von drinnen. Aber dieses Schätzchen hier ist sehr schnell, von null auf hundert in 8,1 Sekunden, ein Sechszylinder.«

Lin mochte sie nicht besonders, diese typischen Männergespräche über Autos, wie sie Tariq und Florim nun zu führen begannen. Nur einmal horchte sie auf. Als Florim belustigt feststellte, dass dieser Wagen automatisch über GPS verfügte. »Kann man uns darüber anpeilen?«, fragte er.

Tariq schüttelte den Kopf: »GPS hat nur mit dem Navigationsgerät zu tun, mit dem dieser Wagen ausgestattet ist. Es kann über einen der umlaufenden Satelliten den eigenen Standort bestimmen. Das Signal geht vom Navi aus, verstehst du? Umkehren lässt sich das nicht.« Er sah sich um zu Florim: »Um dich anzupeilen, wäre dein eigenes Handy besser geeignet als ein GPS. Oder eine deiner Peilwanzen.«

Florim beschäftigte schon die nächste Frage: »Warum hast du es nicht panzern lassen?«

Tariqs Antwort kam schnell: »Weil ihn das zu schwer gemacht hätte und damit zu langsam, und damit auch zu leichter Beute. Ich habe mich für Schnelligkeit entschieden.«

Lin unterbrach die beiden: »Warum fahren wir nicht gleich zu Vargas Haus, statt in der Dunkelheit ein Auto abzupassen?«

Tariq berührte zart ihren Oberarm und lächelte sie von der Seite an: »Du hast völlig recht.«

Auch Florim war einverstanden: »Das ist ohnehin der Punkt, wo die Signale der Autos zusammenlaufen.«

Florim faszinierten immer noch Details über die Vorzüge des Fahrzeugtyps, in dem sie saßen, selbst dann noch, als die Stelle in den Bergen, wo die Geiselnahme begonnen hatte, längst hinter ihnen lag. Lin war der Spot nicht entgangen, sie hatte besonders konzentriert auf die Straße vor ihnen gespäht. Wir müssen jetzt einen Überraschungscoup landen, dachte Lin. »Wohin muss ich genau?«, fragte Tariq nach hinten zu Florim, der seinen Laptop neben sich aufgeklappt hatte.

»Sekunde, bin gleich so weit. Fahr' auf die Straße zwischen Gjakova und Peja. Ich sage dir, wann wir an der Stelle sind, wo wir von der Hauptstraße abbiegen müssen, Tariq.«

Lins Handy klingelte. Sie machte den anderen ein Zeichen, dass sie ungestört sprechen wollte. »Ja? ...« Und dann: »Oh, Herr Wöller höchstselbst. Guten Abend. Von Ihnen habe ich ja lange nichts mehr gehört. Was kann ich für Sie tun?«

Das Gespräch dauerte fast fünfzehn Minuten. Dann beendete Lin das Telefonat. »Und?«, fragten Florim und Tariq wie aus einem Mund, noch bevor sie etwas sagen konnte.

»Er sprach wie ein Lämmlein«, sagte sie. »Wöller verhält sich so, als sei er noch mein Auftraggeber und ich seine angeheuerte Privatdetektivin. Wir sollten uns treffen und so. Ich habe versucht, herauszuhören, ob er sich hier im Kosovo aufhält, und vermutlich tut er das auch. Sonst könnte er sich wohl kaum morgen in Pristina mit mir treffen. Ich habe zugesagt. Ihr werdet im Hintergrund dabei sein, wenn ihr einverstanden seid.« Nach einer Pause fuhr sie fort: »Aber jetzt müssen wir erst einmal diese Aktion zu Ende führen, vielleicht hat sich ja dann das Gespräch mit Wöller morgen erledigt.«

Hinter Suva Reka ging es irgendwann rechts ab nach Gjakova.

»Warum schnappen wir uns Wöller und Varga nicht einfach?«, fragte Florim von der Rückbank.

»Weil wir Beweismaterial brauchen«, antwortete Lin. »Wenn wir Wöller einfach schnappen, wie du sagst, spaziert er am nächsten Tag feixend wieder aus dem Polizeigebäude hinaus. Wir müssen ihm nachweisen, was er getan hat. Wir brauchen entweder handfeste Beweise oder ein Geständnis ...«

Florim widersprach: »Aber war das dein Auftrag? Du solltest Varga aufklären!«

Lin drehte sich auf ihrem Sitz zu Florim um. »Du hast völlig recht. Aber wenn Wöller und Varga das tun, von dem wir denken, dass sie es tun, dann ist das für die deutsche Rechtsprechung sehr bedeutend. Organisierte Kriminalität, Schmuggel, Menschenraub, dafür würde Wöller in Deutschland lange in den Knast wandern, auch als BND-Mann.«

Es waren nicht viele Wagen auf der Landstraße unterwegs. Heftiger Wind riss an ihrem Fahrzeug, als wollte er sie ganz von der Fahrbahn ziehen.

»Was machen wir, wenn wir an dem Haus ankommen?«, fragte Tariq, ohne den Blick von der Fahrbahn zu nehmen.

»Wir gehen zu zweit rein, Florim und ich. Tariq, du solltest dich jetzt noch nicht outen, sichere uns den Rücken und den Rückzug. Wir werden eine Zeitspanne absprechen, nach der du die UN-Police benachrichtigst, wenn wir nicht wieder auftauchen.«

Florim deutete durch ein Brummen an, dass er einverstanden war. Tariq lächelte mit dem Gesicht nach vorn. Lin sprach, als sei sie seine Chefin, zugleich sorgte sie sich auch um ihn. Die besonderen Schwingungen zwischen beiden, wie sie zwischen Menschen bestanden, die einander anzogen, konnte selbst Florim spüren.

»Hey, tut mir einen Gefallen, lebt jetzt nicht euren Honeymoon aus«, sagte er ernst in den Spalt zwischen den Vordersitzen hinein, »das könnte uns alle in Gefahr bringen.«

Ein Moment herrschte Stille, dann sprach Lin: »Du hast recht, Florim. Wir sind Profis, und wir werden uns auch wie Profis verhalten.« Ihr Ton ließ keinen Zweifel daran, dass es ernst gemeint war. Noch im Wagen, kurz vor Vargas Anwesen im Villenviertel von Gjakova, verlangte Lin von Florim eine schussbereite Waffe. Er reichte ihr eine Pistole von Heckler & Koch, USP, 9 mm. Das »USP« stand für Universal-Selbstlade-Pistole. Bestückt war sie mit üblen Hohlspitzgeschossen, die aufpilzten, wenn sie auftrafen. Jedes Mal, wenn

Lin beim Kontrollieren des Magazins diese Patronen sah, fühlte sie sich schlecht. Die deutsche Polizei durfte diese Munition nicht verwenden, weil sie schlimme Verletzungen bewirken konnte. Andererseits hatten diese Geschosse garantiert mannstoppende Wirkung, wie es so schön hieß. Wer davon getroffen wurde, ging tatsächlich sofort zu Boden. Mit diesem Teil der Wahrheit besänftigte Lin ihr schlechtes Gewissen. Sie schoss schließlich nicht auf unschuldige Bürger.

Florim reichte ihr noch vier geladene Magazine nach vorn. Lin umfasste den Kunststoffgriff der Waffe, ließ sie mit dem Lauf nach vorn in eine Jackentasche gleiten, die Magazine verstaute sie in einer anderen. Für sich hatte Florim eine Glock 17 dabei. Auf die Pistole passte ein Standardmagazin mit 17 Patronen.

»Man könnte uns für ein gut ausgerüstetes Terrorkommando halten«, scherzte Lin. Die Männer verzogen die Gesichter zu gespielten Grimassen, die amüsiert ausdrücken sollten, wie wenig amüsant sie die Vorstellung fanden. »Florim kennt sich mit Schusswaffen aus und hat auch einige, ich kann dafür besser schießen«, stichelte Lin lächelnd.

Wie schon einmal, als sie Varga gesucht hatten, bogen sie nicht weit hinter der Ortseinfahrt von Gjakova links von der Hauptstraße in eine breite Seitenstraße ab. Eine Art Allee, die an schmutzig weißen Mietquartieren entlangführte. Es war nach acht Uhr abends, die Straßen wirkten wie ausgestorben. Hinter den meisten Fenstern flimmerte es bläulich. Auch im Kosovo saugte allabendlich das Fernsehen die Menschen an, um sie nicht mehr loszulassen, bis sie schliefen.

Tariq nahm die erste Straße links, und schon nach wenigen Metern reihten sich zu beiden Seiten die wohlständigen Bungalows und Villen aneinander. Gepflegte Anwesen, die nur von sehr niedrigen Mauern begrenzt waren, manche mit schmiedeeisernen Gitteraufsätzen und kleinen Törchen, wie man sie auch in Deutschland findet. Das Haus, nach dem sie suchten, befand sich auf der rechten Straßenseite, keine 500 Meter entfernt. Zwei geparkte Limousinen mit Metalliclackierung glänzten silbrig im fahlen Licht. Straßenlaternen steuerten nur schwache Beleuchtung bei.

Tariq stellte den Motor ab und ließ den Wagen noch ein paar Meter weiterrollen. Unter einem überhängenden Busch kam der BMW schließlich zum Stehen, auf der gegenüberliegenden Straßenseite, eng an die Mauer des nächsten Hauses geschmiegt. Das Öffnen der Türen war kaum zu hören. Lin und Florim verließen beide rechts den Wagen, Tariq zog von innen die Türen zu, fast ohne jedes Geräusch. Der BMW steht dort gut sichtbar, sorgte sich Lin, aber dafür würde man aus der Position schneller entkommen können. Tariq, der im Fahrzeug blieb, würde potenzielle Angreifer ebenfalls von Weitem sehen. Florim ging an ihrer rechten Seite. Im Haus deutete nichts darauf hin, dass sie gesehen worden waren. Das niedrige Tor stand halb offen. Sie durchschritten den schön angelegten Garten und klopften an die Tür. Lin hielt in der Jackentasche die Hand um den Griff der entsicherten Waffe geschlossen. Florim trug seine Pistole im Hosenbund. Tariq beobachtete sie aus dem Wagen. Dann wurde die Tür aufgerissen. Im Licht des Flurs erschien Wöller. Zweiteiliger silbergrauer Anzug, ganz Gentleman.

»Ich wusste, dass Sie kommen würden, Frau Baumann«, sagte er mit breitem Lächeln, als ginge es um ein Rendezvous. Florim würdigte er keines Blickes. »Sie haben nun wirklich alles falsch gemacht, Gnädigste, was Sie falsch machen konnten. Sie sollten Varga für mich finden, nicht mir hinterherspionieren. Wirklich schade.« Wöller wirkte jetzt anders als der liebenswürdige Mann mit den ausgesuchten Manieren, als den sie ihn damals am Flughafen kennengelernt hatte. Wie ein angeekelter Krimineller, der weiß, wie die Dinge zu laufen haben. Seine Augen glänzten unnatürlich. Lin kam er vor wie eine Figur aus einem schlechten Film. Einer, der sich jetzt für allmächtig hielt. Vielleicht steht er unter Drogen, dachte Lin. Sie reagierte schnell. Als Wöller die Tür aufzog, um sie einzulassen, schob sie Florim als Ersten hinein.

Lin hörte nur ein »Los!«, das Wöller ausstieß, es klang, als würde er eine Meute Hunde von der Leine lassen. Seitlich tauchten Männer auf, die ihre Waffen auf sie richteten. Lin zählte fünf, nahm aus den Augenwinkeln einen Durchgang wahr und warf sich dahinter auf den Boden. Im Sprung gelang es ihr, die Waffe zu ziehen. Der erste Schuss krachte so laut, als würde das ganze Haus explodieren.

In Lins Erinnerung war es einer von Wöllers Männern, der das Feuer eröffnet hatte. Lin konnte Florim nicht ausmachen, in der Schusslinie der Männer befand er sich nicht. Sie schoss ihr ganzes Magazin leer, ließ es fallen, schob blitzschnell ein neues nach. Es stand jetzt niemand mehr aufrecht. Lin erhob sich einige Zentimeter vom Boden, um in den Raum hinüberzuspähen. Drei Männer lagen bewegungslos am Boden zusammengekrümmt, ein weiterer lag mit abgespreizten Beinen genau gegenüber. O mein Gott, flehte Lin, lass das nicht Florim sein. Mit entsicherter Waffe in der Hand kroch sie auf den Körper zu, drehte ihn auf den Rücken. Lin erstarrte vor Schreck. »Flori Flori, sag was, bitte«, flehte sie den Liegenden an. Von ferne hörte sie, wie eine Außentür ins Schloss fiel. Tariq musste Wöller draußen stoppen. Lin spürte ihren eigenen Körper nicht mehr, er schien gar nicht mehr zu existieren. Sanft strich sie mit dem rechten Handrücken über Florims Wangen. »Lass das nicht wahr sein! Flori, wie soll ich das nur deiner Mutter und deinen Brüdern erklären?« Tränen liefen ihr über die Wangen. »Sie werden mich dafür verantwortlich machen. Ich bin an allem schuld! Ich bin schuld!«

Sie robbte hinüber zu den anderen Toten, alle drei waren von Kugeln tödlich in die Brust getroffen worden. Sie kannte keinen von ihnen. Tariq stand auf einmal neben ihr.

»Was ist mit Wöller? Konntest du ihn aufhalten?«

Tariq schüttelte den Kopf. »Ich habe hinter ihm hergeschossen, aber offenbar nicht getroffen. Ich musste mich entscheiden, bei euch zu bleiben oder ihn zu verfolgen.« Erst jetzt sah er Florim am Boden liegen. »Ist er …?«

Lin nickte stumm. Flori war wie ein jüngerer Bruder für sie gewesen. Unvorstellbar, dass er tot sein sollte. Sie hatte schon viele Getötete gesehen, als Journalistin nach Ende des Kosovokrieges. Dieser hier war anders, sein Tod traf sie ins eigene Fleisch. Sie hatten sich viele Jahre gekannt und viel miteinander erlebt. Was würde seine Mutter dazu sagen? Seine Geschwister? Freunde?

Sein Gesicht sah unverkrampft aus, ohne Spannung. Er musste auf der Stelle gestorben sein, in dem Moment, als ihn das Geschoss in der Herzgegend getroffen hatte. Die halb geöffneten Augen wirkten so, als hätte ihn die Kugel zwischen zwei Lidschlägen erwischt. Dass er rasend schnell, gewissermaßen von einem Sekundenbruchteil zum anderen, gestorben war, ohne große Schmerzen zu erleiden, vermochte Lin jedoch kaum zu trösten. Florims bronzefarbener Teint begann bereits, fahl zu werden. Behutsam hob Lin Florims Oberkörper ein wenig an, um festzustellen, ob das Geschoss wieder ausgetreten war. Die Stelle war leicht zu erkennen. Die individuellen Feinheiten, die jedes Geschoss aufwies, würden wohl eine genaue Zuordnung möglich machen.

»Das ist ein Fall für die hiesige Mordkommission«, sagte Tariq. Über sein Handy erstattete er anonym Bericht. Sie würden von Prizren eine halbe Stunde bis hierher brauchen. Florim hielt noch die Waffe in der Hand. Lin entwand sie ihm so zart wie möglich und kontrollierte das Magazin. Er hatte dreimal geschossen, bevor er selbst getroffen worden war. Sie legte die Glock in seine Hand zurück. Schmauchspuren würden sie ohnehin an ihm finden. Aber so würde es einfacher sein, eine Waffe oder ein Projektil zuzuordnen, das ihn ebenfalls als Schützen entlarvte. Vielleicht hatte er allerdings auch niemanden getroffen. Sein Handy und der Laptop warteten noch im Auto auf seine Rückkehr. Ihre eigene Waffe ließ Lin nicht am Tatort zurück. Wie mechanisch sammelte sie von den Geschossen und Hülsen, die im Eingangsbereich

herumlagen, die eigenen ein und steckte sie in ihre die Jackentasche. Tariq würde die Waffen in Sicherheit bringen.

»Wir können nichts mehr für ihn tun, aber ich verlasse
ihn erst, wenn wir die Polizei kommen hören«, rief Lin in
Richtung Tariq. Sie durchsuchte die Jacken und Taschen der
drei anderen Toten. Ein Staatsanwalt würde die Leichen be-
schlagnahmen. Der Raum, in dem sie überrascht und be-
schossen worden waren, würde minutiös fotografiert, jede
Spur einer Ziffer zugeordnet werden. »Weißt du, dass sie in
Deutschland einen solchen Tatort sogar so aufnehmen, dass
sie ihn anschließend dreidimensional rekonstruieren können?«, sagte Lin. »Aber daran ist ja hier wohl kaum zu denken. Sicher wird Florims Körper geöffnet, um wegen der
Todesursache ganz sicherzugehen.« Tariq ließ nur ein ge-
dehntes »Mmmmm« hören.

Lins Handgriffe erfolgten automatisch. Sie schnallte Florims Uhr vom Handgelenk, nahm die Jacke mit und die Brief-
tasche. Sie ließ nur einen Ausweis zurück. Lin überlegte kurz,
was sie angefasst hatte, und verwischte mit ihrer Jacke mögliche eigene Spuren. Erst jetzt fiel ihr auf, dass sich aus dem
Haus niemand hatte sehen lassen. »Wir haben oben nicht
nachgesehen«, rief sie Tariq zu. Der stürmte die Treppe hinauf, öffnete alle Zimmertüren. »Nichts!«, rief er von oben.
»Es ist kein Mensch hier!« Lin durchsuchte Erdgeschoss und
Garagen, das ganze Anwesen wirkte wie ausgestorben.

In der Ferne hörte man Sirenen, die näher kamen. »Lin,
wir müssen los«, rief ihr Tariq zu. Sie kam sofort, kniete
noch einmal bei Florim nieder: »Gute Reise. Ich vermisse
dich schon jetzt.« Lin fühlte sich, als zerflösse sie in alle
Richtungen. »Komm«, drängte Tariq und zog sie mit sich.
Sie bogen in die gerade Straße der Mietsquartiere ein, als die
Blaulichter an ihnen vorbeirasten.

»Was willst du jetzt tun?«, fragte Tariq.

»Wir müssen auf dem schnellsten Weg nach Skopje, zu
Florims Familie«, antwortete Lin. »Ich habe ihn mitgenom-
men, ich muss es ihnen erklären.«

Tariq lächelte schmerzlich: »So bist du, Lin, du weißt, was du tun musst. Manchmal denke ich, du bist eine von uns. Eine ganz spezielle Agentin.«

Lin lächelte gequält, ihr war nicht nach Witzen. Auf der Landstraße Richtung Prizren beschleunigte Tariq, so gut er konnte. Eine schwere, holprige Fahrt. Lin sprach kaum. Der Schock überlagerte ihr Gefühl von Schuld. Wie konnte sie Florims Mutter erklären, dass ihr Sohn nie mehr zurückkehren würde?

Lin wählte als Erstes die Nummer von Nico. Er antwortete schnell. Sie schilderte ihm, was geschehen war.

»Oh, mein Gott. Was ist mit dir? Bist du unverletzt?«, fragte er mit einer Stimme, die ihr fremd vorkam.

»Mit mir ist alles völlig in Ordnung«, antwortete sie leise. Dann herrschte Schweigen.

Lin konnte spüren, wie Nico am anderen Ende mit sich rang. Dann sagte er: »Bitte komm zurück. Ich will dich nicht verlieren.« Es musste ihm klar sein, dass das unmöglich war.

Lin fühlte sich nur noch taub. Unempfänglich für jede Art Gefühl. Nur der Verstand funktionierte. Dann sagte sie: »Ich hätte gern einen Kontakt zu Wöllers Vorgesetzten, oder zu denen, die gegen ihn ermitteln. Er muss aus dem Verkehr gezogen werden, ehe noch mehr Leute draufgehen.«

Nico räusperte sich. Dann versprach er, sich darum zu kümmern. »Du riskierst auch mein Leben und mein Glück«, sagte er zum Abschied, es klang sehnsüchtig. »Ich will dich heil zurück.«

Sie schafften die Strecke bis zur Grenze nach Mazedonien in nicht ganz fünfunddreißig Minuten. Lin hatte sich während der Fahrt mehrmals nach hinten umgesehen. Einmal hatte sie sogar mit dem Arm nach hinten gegriffen. Nur sein Laptop lag noch auf dem Rücksitz. »Flori, verdammt, ich kann es einfach nicht fassen«, flüsterte Lin zum Seitenfenster hin, damit Tariq ihre Tränen nicht sah. Wie konnte das geschehen? Hätte man mit einem Wöller rechnen müssen, der sie in diesen Hinterhalt lockte? Offenbar schon. Sie hatte Wöller unterschätzt. Ein solches Hinrichtungskommando hätte sie ihm nun wahrlich nicht zugetraut.

An den Grenzerkabinen herrschte gähnende Leere. Sie wurden sofort abgefertigt. Als sie schon an Blace vorbeifuhren, rief Lin bei Florims Mutter an, um den Besuch anzukündigen. Sie wusste von nichts. »Mirëdita, Lin«, sagte sie höflich, »si jeni?«

Lin konnte kaum sprechen. »Mir faleminderit.«

Die Mutter reichte den Hörer an Edin weiter. »Hallo, Lin, wie geht's? Wo steckt ihr?«

Lin flüsterte: »Edin, es ist etwas ganz Schreckliches passiert. Florim und ich sind in eine Schießerei geraten. Florim wurde getroffen.«

Am anderen Ende war Totenstille.

Lin begann zu schluchzen. »Tariq und ich sind schon fast in Skopje, ich wollte euch die Nachricht persönlich überbringen.«

Edins Stimme klang scharf und kalt: »Welche Nachricht, sag schon, Lin!«

Sie brachte es kaum über die Lippen: »Florim ist tot. Die Polizei wird sich bald melden. Sie werden ihn vielleicht obduzieren müssen. Mir ist klar, dass das für Muslime ein Problem wäre. Ich werde mich natürlich darum kümmern.«

Lin hörte plötzlich lautes Weinen im Hintergrund. Offenbar hatte Edin das Telefon auf Lautsprecher gestellt. Die Mutter verstand zwar kein Englisch, aber sie hatte auch so begriffen, dass es um etwas Außergewöhnliches ging. Sie hatte es an Edins Ton sofort gespürt. Etwas Schreckliches musste geschehen sein. Dann hatte sie Florims Namen nennen hören.

»Kommt erst mal zu uns hierher«, bat Edin die beiden am Telefon. Eine knappe Stunde später klopften Lin und Tariq in Skopjes albanischstem Viertel an der Tür zum Innenhof.

23

Edin öffnete. Er sah Lins verheultes Gesicht und umarmte sie genauso herzlich wie früher. Tariq klopfte er freundlich auf die Schulter. Die Polizei hatte angerufen und die Nachricht offiziell überbracht. Florims Mutter saß im Wohnraum, die Augen schon rot vom Weinen. Über dem Haar trug sie ein weißes Tuch. Auch der Rest ihrer Kleidung war weiß, die klassische islamische Trauerfarbe. Florims Mutter wehklagte laut, Frauen aus der Verwandtschaft trafen ein. Plätzchen und Tee wurden von Frauen aus der Familie auf Platten herumgereicht. Die trauernde Mutter hatte kein Ohr für Lin. Dieser Sohn war ihr Liebling gewesen.

Die Männer trauerten für sich, Brüder von Florim, Cousins, Schwager, sie standen abseits, in kleinen Gruppen. Tariq unterhielt sich mit einem von Florims Brüdern. Jeder hielt ein Teeglas in der Hand. Andere standen schweigend draußen. Keiner fragte, wie das hatte geschehen können. Dazu waren sie zu stolz. Wenn Lin in Reichweite kam, warfen sie ihr neugierige Blicke zu, mehr nicht. Ich gehöre nicht hierher, dachte Lin. Sie werden glauben, dass ich mit Florim mehr als befreundet war, so verquollen wie mein Gesicht ist. Ich war seine Auftraggeberin, und ich habe nicht gut genug auf ihn aufgepasst. Aber was hätte ich denn tun können? Bei einer Schießerei kann es immer geschehen, dass die Deckung, die man sucht, für all die Kugeln nicht ausreicht. Wir waren auf eine Schießerei eingestellt, wir trugen selbst Waffen. Florim verfügte sogar über die mit dem größeren Magazin. Er war zur falschen Zeit am falschen Ort, was für ein banaler Satz, aber hier traf er zu. Die andere Seite hatte dreimal so viele Tote zu beklagen wie wir, das ist auch Florims Verdienst. Innerlich kämpfte Lin verzweifelt mit sich.

Edin sah sie allein am Rand des Raums stehen, wo die Frauen saßen. Er näherte sich ihr, nahm sie am Arm und schob sie vor sich her in die Küche. Aus einem Versteck zauberte er eine halb volle Flasche Brandy. Er goss ihr ein Wasserglas voll: »Trink das! Aber trink es schnell. Normalerweise sollte hier im Haus kein Alkohol sein«, flüsterte er ihr zu. »Ich weiß, dass es auch für dich schlimm ist.« Er sah sie prüfend an: »Ich würde gerne genau wissen, wie das passiert ist.«

Lin stürzte den Brandy in zwei Zügen hinunter. Dann schüttelte sie sich, beinahe hätte sie sich übergeben müssen, und reichte Edin das leere Glas zurück. »Wir sind bewaffnet reingegangen. Wöller selbst hat die Tür geöffnet und uns freundlich hereingebeten«, erinnerte sich Lin. »Er hatte mich kurz zuvor auf dem Handy angerufen und sich mit mir verabredet. Es war eine Falle! Die Typen mit den Waffen konnte man von der Eingangshalle aus nicht sehen. Einer solchen Hinrichtungsaktion hatte ich Wöller nicht für fähig gehalten.«

Edin sah sie unverwandt an, machte ihr mit dem Kopf ein Zeichen, sie solle weitersprechen.

»Wir waren fast in dem Zimmer, das an den Eingang grenzte, als Wöller plötzlich den Befehl gab, uns zu erschießen. Stell dir das vor! Fünf Schützen standen hinter Pfosten und anderen Deckungen auf und feuerten los. Florim tat in dem Moment genau das Richtige: Er warf sich hinter einen Tisch und schoss. Ich ging hinter der Wand zum Flur in Deckung und schoss von dort. Das Ganze dauerte vielleicht zwei, drei Minuten. Am Ende waren drei von Wöllers Leuten tot – und Florim. Er muss auf der Stelle tot gewesen sein. Ich vermute, dass ihn ein Querschläger getroffen hat.« Nach einer Pause fuhr sie fort: »Er hat keinen Fehler gemacht. Ich habe einen Fehler gemacht. Ich hätte vorangehen müssen, nicht er. Das werde ich mir bis an mein Lebensende vorwerfen.« Lin hielt das Gesicht abgewandt, bis sie die Tränen niedergekämpft hatte.

»Das klingt nicht so, als müsstest du dir einen Vorwurf machen«, sagte Edin mit gedämpfter Stimme. Er strich ihr tröstend übers Haar, nahm sie in den Arm. »Florim hat als ehemaliger Soldat mehr Kampferfahrung als du, Lin. Ich weiß, du schießt besser, aber du hast sicher nichts falsch gemacht. Und das wird auch meine Familie verstehen, wenn sie hört, was genau passiert ist.« Lin nickte matt. Edin räusperte sich: »Ich hätte noch eine Bitte, Lin. Vielleicht kannst du das verstehen. Lass mich an Florims Stelle mit dir zusammen Wöller finden und diese Izmet-Varga-Bande zerschlagen …«

Lin dachte nicht lange nach: »Gern, Edin! Ich hatte mit dieser Frage gerechnet. Könnten wir morgen früh zurück nach Pristina fahren? Die Bestattung von Florim dürfte sich hinziehen, er wird zum Abgleichen anderer Spuren sicher noch ein paar Tage dortbehalten. Ich denke, man wird nicht wegen seiner Religionszugehörigkeit darauf verzichten können, ihn zu obduzieren. Aber vielleicht liegt die Todesursache ja auf der Hand, dann wird es nicht nötig sein.«

Lin fühlte sich erleichtert. Dass die Familie sie nicht für schuldig hielt, bedeutete ihr viel. Als traditionsbewusste Muslime hätten sie auch anders reagieren können. Edin war älter als Florim, kein Assistent, ein wirklicher Partner. Aber ein bisschen riecht es auch nach Kanoun, dachte Lin, nach Blutrache. Edin will den Tod seines Bruders rächen. Doch er wird sich nicht zu einer sinnlosen Bluttat hinreißen lassen. Er will, dass der Mörder seines Bruders gestellt wird. Nicht mehr, und nicht weniger.

Der Trauerabend in Florims Elternhaus würde sich noch ein paar Stunden hinziehen. Lin rief im Hotel Grand an und bestellte zwei Einzelzimmer. Sie gab Tariq mit der Hand ein Zeichen zum Aufbruch. Lin verabschiedete sich von Florims Mutter, der unaufhaltsam Tränen über die faltigen Wangen liefen. Immer wieder drückte Florims Mutter Lins Arm und hielt ihn fest. Der Abschied schien kein Ende zu nehmen. Als habe die alte Frau das Gefühl, dass mit Lin ihr toter Sohn endgültig von ihr ginge. Es war bereits nach zehn Uhr, als sie neben dem Hotel Grand im Dunkeln nach einem Parkplatz suchten. An der Rezeption lagen ihre Schlüsselkarten für die Zimmer bereit.

»Nehmen wir noch einen Schluck?«, fragte Lin.

Tariq lächelte breit: »Wo? In deinem oder in meinem Zimmer? Die Bar in der Lobby hat gerade geschlossen.«

Sie fuhren mit dem Aufzug in den zweiten Stock hinauf und entschieden sich für Lins Zimmer, nachdem sie den Inhalt beider Minibars verglichen hatten. Tariq öffnete ein Whiskyfläschchen, Lin entschied sich für Rum. Sie stießen an. Lin setzte sich aufs Bett, und mit der Wirkung des Rums spürte sie plötzlich, wie ausgelaugt und leer sie sich fühlte. Wie unendlich müde. Der Trauerabend hatte viel Kraft gekostet. Sie könnte Nico anrufen, aber der war so weit weg, beinahe wie auf einem anderen Planeten. Ich würde heute auch keine gut gelaunte Stimme ertragen können, dachte Lin. Tariq stand ihr jetzt näher. Wenn er versuchen würde, mir nahe zu sein, könnte ich schwach werden, dachte sie.

Tariq setzte sich wortlos neben sie aufs Bett und schlang seine Arme um sie, als hätte er ihre Gedanken gelesen. »Komm her«, murmelte er, »komm her. Für heute ist es vorbei.« Er nahm ihr Gesicht in beide Hände und küsste sie so behutsam und zärtlich, als wäre es für ihn das allererste Mal. Eine heiße, brennende Süße durchströmte Lin. Sie legte ihre Hand auf seinen Nacken, während ihre Lippen nicht mehr voneinander lassen wollten. Glück, aber Glück im falschen Augenblick, schoss es ihr durch den Kopf. Seit sie sich in Albanien das erste Mal begegnet waren, hatte irgendetwas sie verbunden. Ein starkes Band, das sie mit jeder Begegnung einander näher brachte. Alles ist auf diesen Moment hier und jetzt zugelaufen, dachte Lin, fast schicksalhaft. Ganz behutsam zog Tariq sie mit sich auf das Bett.

Seine Hände bahnten sich den Weg unter ihr Shirt auf ihre Haut. Es waren kräftige Hände, doch überhaupt nicht rau. Lin ließ ihre Hände unter sein Hemd gleiten. Was für eine zarte, samtige Haut, dachte sie, unversehrt wie die eines Babys. Lin konnte die Hitze darunter spüren. Sie erkundete Tariqs Rücken, strich sanft seine Seiten, die zu den Lenden hin schmaler wurden. Wie vertraut wir einander sind, dachte Lin, als würden sich unsere Körper schon eine Ewigkeit kennen. Sie genoss die Berührungen. Warum verfielen zwei Menschen einander? Es war nicht nur der durchtrainierte Körper, der sie so anzog. Auch der heisere Klang seiner Stimme, der leichte Duft von Zitrone und Sandelholz, der ihn umgab, und die schläfrige Art, mit der er sich bewegte, vergrößerten nur ihre Sehnsucht. Verweile doch, du bist so schön! Lin konnte sich ein Lächeln nicht verkneifen, dass ihr ausgerechnet diese Zeile aus Goethes Faust einfiel, die sie sonst so bieder fand. Aber hier traf sie genau das, was sie empfand. Lin spürte, dass der Widerstand in ihrem Inneren nachgab und sie nicht dagegen ankam. Was war mit Nico, ihrem Lebensgefährten und Partner? Alles in ihr sträubte sich dagegen, jetzt an ihn zu denken. Man konnte beide Männer überhaupt nicht miteinander vergleichen. Aber jetzt bin ich hier, dachte Lin, und nur hier.

Tariq zog sie fester an sich. »Du bist die Liebe meines Lebens, weißt du das?«, flüsterte er ihr ins Ohr. »Ich wusste es vom ersten Augenblick an. Noch bevor du mein Leben gerettet hast.«

Auf rätselhafte Weise war sich Lin seiner immer absolut sicher gewesen, wie noch bei keinem anderen Mann zuvor, auch nicht bei Nico. Aber an ihn wollte sie nicht denken, nicht jetzt. Sie sagte: »Vielleicht sind wir ja füreinander geschaffen, Tariq?« Lin wünschte sich, sie könnte in diesem Kokon aus Glücksgefühl und Genuss und Lust einfach versinken. Alles wurde so leicht mit ihm. Warum konnte sie nicht einfach für immer mit Tariq zusammenbleiben und alles, alles andere um sie herum einfach vergessen?

Doch ein Gefühl der Verzweiflung breitete sich wie ein Gift in ihr aus. Gegen dieses Schuldgefühl kam Lin nicht an. Florims Leben war unabänderlich zu Ende. Bis in alle Ewigkeit. Er würde nie mehr vor ihr stehen, schlaksig und grinsend, den Laptop in einer schmalen Tasche über der Schulter. Aber die Sehnsucht nach Tariq ließ sich auch nicht einfach verscheuchen. Vielleicht verlangte man mehr nach dem Leben, wenn man dem Tod so nah war, dachte Lin. Aber wäre es richtig, jetzt mit Tariq die Nacht zu verbringen? Florims Tod war nicht einmal vierundzwanzig Stunden her. Von Florim würde es keine Kinder, keine Enkelkinder mehr geben. Wie er dagelegen hatte in Gjakova. Seine halb geöffneten Augen. Sie spürte den Schock über seinen Tod immer noch in den Gliedern, sie fühlte sich müde. Nur mühsam gelang es Lin, einen einigermaßen klaren Gedanken zu fassen. Die Gefühle für Tariq und Florims Todestag dürfen nicht für immer miteinander verbunden sein, beschloss sie. Diese Nacht ist eine Nacht der Trauer! Es ist Florims Abschiedsnacht! Es durfte nicht zugleich eine Liebesnacht sein.

»Warum nicht den Tod mit dem Leben krönen«, flüsterte Tariq lockend in ihr Ohr, »aber vielleicht hast du recht. Es ist und es bleibt sein Todestag.«

Lin hatte noch weitere Gründe, die fast schwerer wogen.

Wenn wir miteinander schlafen, wird es zwischen Nico und mir keine Unbeschwertheit mehr geben, dachte sie. Er war ihr wirkliches Leben. Sie zweifelte daran, ob Tariq so mit ihr leben könnte, wie Nico es tat. Eine Frau, die mit dem einen zusammenlebte und sich nach dem anderen sehnte, der nicht frei war, das konnte zu nichts Gutem führen. Es wird die Beziehung zu Nico zerstören, und es wird ihre Gefühle für Tariq vergiften, von der Reaktion seiner Frau ganz abgesehen. Seufzend löste sich Lin aus der Umarmung.

»Du glaubst, dass uns beiden alles um die Ohren fliegt«, fragte Tariq ernst, »dir und mir?« Lin nickte sachte, ohne ihn dabei anzusehen. Tariq fuhr fort: »Ich kann ohne dich nicht leben, Lin. Das ist mir dieses Mal klar geworden. Aber ich verstehe dich auch. Wir hätten uns einfach früher begegnen müssen. Es fällt mir schwer, sehr schwer sogar, jetzt zu gehen. Aber noch weniger könnte ich es ertragen, dich ganz zu verlieren, nur weil wir uns einmal zu nahegekommen sind.«

Lin sah ihm in die Augen und lächelte traurig: »Du weißt doch, die erste Nacht wird meistens ein Fiasko, weil sich die Körper noch nicht kennen. Und eine zweite dürfte es schon nicht mehr geben.« Sie seufzte tief. »Ja, wäre ich dir nur früher begegnet. Aber ich denke, man kann seine Trauer nicht mit einer noch so wunderschönen Liebesnacht überdecken.«

Lin spürte, wie sehr Tariq mit sich kämpfte. Er umarmte sie noch einmal, zog sie fest an sich. Als wollte er den Moment, ihren Duft, sie für immer in sich aufnehmen. Dann verließ er ihr Zimmer. Lin blieb einen Augenblick wie benommen zurück. Zwei Unglücke an einem einzigen Tag, dachte sie. Sie fischte ihr Handy aus der Tasche und rief Nico in Berlin an. Das Gespräch dauerte fast eine Stunde. Sie berichtete ihm vom Trauerhaus, von Florims Mutter und von ihren eigenen Schuldgefühlen. Über ihre Gefühle für Tariq sagte sie kein Wort. Sie weinte am Telefon, und Nico tröstete sie.

Als Lin Stunden später in der Nacht aufwachte, konnte sie nicht mehr einschlafen. Wer um diese Zeit wach liegt, gerät leicht ins Grübeln. Allein in ihrem Zimmer konnte Lin trauern. Um Florim, den treuen Freund, und um die unmögliche Liebe zu Tariq. Das Doppelunglück. An Schlaf war jetzt nicht mehr zu denken.

Edin wartete am nächsten Morgen in der Lobby, wie Florim dort auf sie gewartet hatte. Es versetzte Lin einen Stich, als sie ihn von Weitem dort sitzen sah. Tatsächlich aber konnte der Unterschied kaum größer sein. Edin war ein Mann, der sich niemandem unterordnete. Florim dagegen hatte die Anbindung an eine Person gesucht, die wusste, wohin der Weg führt. Der Mann an der Rezeption erklärte ihr, Tariq habe schon ausgecheckt, er ließe ausrichten, er sei vorausgefahren. Die Rechnungen beider Zimmer hatte er beglichen. Der

Hotelangestellte überreichte Lin einen kleinen weißen Umschlag. Sie riss ihn auf. »Es gibt niemals nur eine Chance im Leben. Love, Tariq. PS: Den BMW lasse ich Dir hier. Einer meiner Leute ist hier in Skopje und fährt mich zurück.« Beigefügt war ein Autoschlüssel.

Eine warme Woge durchströmte Lin.

Sie verstaute die Nachricht in ihrer Jackentasche. Dann wandte sie sich Edin zu. »Könntest du bitte fahren?«, bat sie. »Ich habe vielleicht drei Stunden geschlafen. Das könnte uns ins nächste Unglück stürzen.« Sie reichte Edin den Schlüssel.

»Wie ging bei euch die Nacht weiter?«, fragte Lin.

Edin antwortete einsilbig. »Bitte hör auf, dich länger schuldig zu fühlen«, sagte er schließlich.

Lin tat so, als hätte sie nichts gehört. »Wir fahren als Erstes ins Hotel nach Pristina«, erklärte sie. »Dort müssten wir das Zimmer von Florim räumen, seine Sachen durchsehen, vor allem, was die Peilungen betrifft. Wäre das okay?«

Edin brummte etwas, das wie Zustimmung klang. Wie gut ich dieses Brummen kenne, dachte Lin wehmütig, wie ähnlich sich Edin und Florim doch sind. Ähnlich waren, korrigierte sie sich selbst. Lin bemerkte, dass ihre Finger zitterten, als sie den Sicherheitsgurt anlegte.

Sie passierten die Grenze um elf Uhr, eine gute Stunde später parkten sie in Pristina vor dem Hotel. Einer von Tariqs Männern würde den Wagen wegfahren. Die Polizei hatte Florims Zimmer bereits durchsucht, aber unversiegelt gelassen. Offenbar stammte keine der Kugeln, die die anderen Opfer getötet hatten, aus Florims Glock.

Edin betrat Florims Zimmer als Erster. Seine Augen schienen jedes Detail im Gedächtnis zu registrieren, wie eine automatische Kamera.

»Kannst du die Peilsachen irgendwo entdecken?«, fragte Lin, die hinter ihm stand.

»Noch nicht«, antwortete Edin gedehnt, während er weiter um sich blickte. »Wo hast du die Sachen versteckt, Bruder?«, murmelte er leise. Dann fiel es ihm selbst ein. Er war es gewesen, der dem Jüngeren beigebracht hatte, während eines Einsatzes Dinge zu verstecken. Er näherte sich der hölzernen Abdeckung des Heizkörpers, versetzte ihr einen Schlag und zog sie ab. Hinter den Heizrippen steckte ein brauner DIN-A4-Umschlag. Es sind doch immer die gleichen kleinen Verstecke, dachte Edin. Er ging in die Knie, zog den Umschlag heraus und sah hinein. »Es sind Florims Peilunterlagen«, sagte er, »seinen Laptop haben wir auch. Das wäre das Wesentliche. Die Kleider packe ich in Plastiktüten und nehme sie mit.« Er reichte Lin den Umschlag, der sechs eng mit der Hand beschriftete Blätter enthielt.

»Ich helfe dir packen«, sagte Lin leise.

Sie gingen vor wie Professionelle, hielten bei keinem Zettel, keinem benutzten Glas, keiner Zahnbürste inne. Bis alles verstaut war.

»Was machen wir mit den Waffen?«, fragte Lin.

»Wir benutzen sie, solange wir sie brauchen, dann nehme ich sie mit nach Hause«, entschied Edin. Sein schmales, langes Gesicht zeigte keinerlei Regung. Auch nicht den Anflug eines Lächelns. Edin hatte die Brauen über der Nase zusammengezogen, es schien ihn anzustrengen, Florims Habe zu durchsuchen. Es tut ihm weh, die Habseligkeiten seines Bruders einzusammeln, dachte Lin.

»Soll ich dich für einen Augenblick allein lassen?«, fragte sie leise. Edin nickte.

Lin wartete in ihrem Zimmer nebenan. Sein verzweifeltes Schluchzen war durch die Tür zu hören. Auch Lin stiegen Tränen in die Augen. Als das Schluchzen verebbt war, ging Lin zu Edin hinein. Er saß kerzengerade auf dem Couchtisch und starrte vor sich hin. Lin trat hinter ihn, legte einen Arm über seine Schulter, zog ihn zu sich. Sein ganzer Körper bebte. »Er war zweiunddreißig Jahre alt«, flüsterte Edin mit tränenerstickter Stimme, »nur zweiunddreißig Jahre alt.« Die Kleidersäcke verstauten sie im Kofferraum des gemieteten weißen Jeeps.

Später erhielt Lin einen Anruf von einem UN-Polizisten, der den Tötungsfall Florim und andere untersuchte. Er teilte mit, dass Florims Leiche für den Heimtransport nach Skopje freigegeben worden sei. Auf eine Obduktion hatte man verzichten können, mit Rücksicht auf den Glauben des Toten. Er bat Lin, sich für eventuelle Vernehmungen bereitzuhalten. Edin war während der Unterredung im Hintergrund geblieben. Lin gab die Informationen an Edin weiter.

»Wir sollten so schnell wie möglich weitermachen«, fügte sie hinzu.

»Woran hattest du gedacht?«, fragte Edin. »Sollen wir noch einmal an den Tatort zurückfahren? Oder lieber Florims Protokolle auswerten und einen ihrer anderen Stützpunkte ansteuern?«

Lin überlegte einen Augenblick lang. »Ich denke, am Tatort wird niemand sein, die Polizei war dort, die Leichen wurden vom Staatsanwalt beschlagnahmt. Dort ist mit Sicherheit alles abgesperrt. Lass es uns woanders versuchen. Wie wäre es mit Zamiras Haus?«

»Du meinst das, wo du selbst festgehalten wurdest?«

»Genau.«

»Aber würden sie nicht vermuten, dass du dort auftauchst?«, fragte Edin.

»Vielleicht hast du recht«, antwortete Lin. »Wir brauchen ein neues Ziel. Lass mich einen Augenblick in Ruhe nachdenken ... wir brauchen einen völlig anderen, neuen Ansatz. Wöller stellen zu wollen, bringt uns gar nichts. Wir müssen ihn bei einer gravierenden Tat stellen, sodass Tariq ihn festnehmen kann. Wollen wir uns in zwei Stunden in der Hotellobby treffen?«

Edin nickte zustimmend.

Noch bevor Lin ihre Zimmertür aufschloss, hatte sie die Nummer von Nico gewählt. Er war gleich am Apparat und erleichtert, ihre Stimme zu hören. Lin schilderte ihm die Lage. »Wenn wir uns immer wieder mit Wöller verabreden, erwarten uns immer wieder solche Himmelfahrtskommandos. Wir müssen ihn bei etwas Kriminellem stellen.«

Nico stimmte ihr zu, hatte jedoch einen Einwand. »Vergiss nicht, dass du als Privatdetektivin dort bist, nicht als Polizistin«, warnte er. »Aber du könntest recht haben, ihr müsstet Wöller eine Falle stellen. Hast du schon eine Idee?«

24

An der seltsamen Betonung, mit der Lin das »Noch nicht« aussprach, konnte Nico hören, dass sie mit ihren Gedanken schon woanders war. »Was ich dir bisher noch nicht sagen konnte, Lin«, setzte er erneut an, »nach allem, was ich gehört habe, ist Wöller hier eine Persona non grata. Er soll übrigens auch auf dem Balkan im kriminellen Organhandel mitmischen. Sie entnehmen Nieren oder Lebern und fliegen sie in andere europäische Länder, wo die Empfänger sehr viel Geld zahlen. Auch was das angeht, wird gegen ihn ermittelt. Von höchster Stelle. Es gibt beim BKA einen sehr fähigen Mann, der dir vielleicht helfen kann. Zufällig ist er ein Freund aus Studienzeiten.« Er nannte ihr dessen Handynummer.

»Hoffentlich ist er anders als die Beamten hier«, sagte Lin in gereiztem Ton, »solche wie in der UN, einer NGO oder sonst einer Organisation. Die kannst du wirklich vergessen. Ich verstehe übrigens auch gar nicht, wieso der BND von Deutschland aus agiert und hier nicht längst wieder einen Residenten eingesetzt hat. Wieso ist dieser Posten in Pristina nicht besetzt? Das wäre eine seriöse Sache innerhalb einer Botschaft und nicht so ein krimineller Wahnsinn wie mit diesem Wöller, der offenbar völlig aus dem Ruder gelaufen ist.« Nico schwieg. Lin wusste, dass er diesen Zustand bei ihr kannte. Es begann mit Gereiztheit und mündete in einen explosiven Wutausbruch, den man am besten still abwartete. »Hier geht es ums Geld und nur ums Geld. Auch bei den sauberen Herrschaften in den NGOs, diesen leisetretenden, vermeintlichen Demokratieeinführern. Dass ich nicht lache! Unsere Steuern fließen über die internationalen Hilfen direkt in Taschen dieser *Ein*beuterstrukturen. Genau das sind sie:

Einbeuter. Und ist der BND mit Wöller nicht auch längst hier präsent – und wie präsent.« Lin wusste, dass sie ihre Wut noch weiter steigern konnte, noch viel weiter.

Jetzt räusperte sich Nico leise anderen Ende: »Ich weiß, mit was für Typen du es zu tun hast, Linny. Aber das sind politische Probleme, die auf eine andere Ebene gehören.«

Lin seufzte: »Du hast recht. Manchmal muss man einfach mal Dampf ablassen, entschuldige. Wo waren wir stehen geblieben? Ach ja, dieser BKA-Mann. Ich werde ihn anrufen.« Der Rest des Gesprächs bestand aus Geständnissen, wie sehr sie einander fehlten. Lin hatte längst beschlossen, Nico gegenüber von Tariq zu schweigen.

Sie wählte die Handynummer des BKA-Beamten sofort. Es meldete sich ein Mann mit »Hallo, ja«. Lin erklärte, wer sie war und woher sie die Nummer bekommen hatte.

»Oh, ja. Nico. Ich bin im Bilde über Ihren Auftrag und dessen bisherigen Verlauf. Wir könnten uns gegenseitig von Nutzen sein, Frau Baumann. Ich weiß, was Sie können, mir ist auch bekannt, was Ihrem Mitarbeiter widerfahren ist. Ich sitze zwar in Wiesbaden, aber ich könnte für ein paar Stunden nach Pristina kommen. Wir müssten unter vier Augen sprechen. Einverstanden? Ich heiße Schroeder. Bin zuständig für OK, speziell für kriminellen Organhandel in Südosteuropa. Hatte ich erwähnt, dass ich Sie nur dringend bitten kann, vorübergehend jeglichen Kontakt zu Angehörigen des BND zu vermeiden? Wir wissen einfach nicht, wer auf mehreren Schultern trägt.«

Die Stimme klang streng, fast schroff. Dieser Ansatz ist schon einmal nicht schlecht, dachte Lin. Dann sagte sie: »Ich denke, da besteht keinerlei Anlass zur Sorge. Aber Sie werden mir auch nachsehen, dass ich erst einmal vorsichtig bin. Kommen Sie morgen, nachmittags. Rufen Sie mich an, wenn Sie im Land sind. Ich lasse Sie dann wissen, wo wir uns treffen können.« Irgendetwas an seiner Stimme hatte bereits ihr Zutrauen gewonnen. Das Strenge? Das Schroffe? Nein, dachte Lin, er hat einfach keinen Versuch gemacht, mir seinen Willen aufzuzwingen. Vielleicht hatte ihn das Gespräch mit Nico über sie aufgeklärt. Er bestellte sie nicht irgendwohin, er reiste selbst an. Sympathisch, dachte Lin. Aber so etwas konnte immer auch kippen. Etwas in dem, was der BKA-Mann gesagt hatte, hatte in ihr etwas zum Klingen gebracht. Eine Idee.

Sie klopfte an Edins Zimmertür, von innen kam nur ein Brummen. Lin öffnete und verlor keine Zeit. »Ich denke, ich weiß jetzt, was das BKA will und wie wir Wöller kriegen könnten«, rief sie Edin zu, der auf dem Bett lag und las. Sie erzählte von dem BKA-Kontakt. »Die wollen vermutlich den Organhandel knacken, in dem Wöller eine zentrale Rolle spielt, und wir wiederum wollen Wöller aus anderen Gründen.«

Edin unterbrach sie: »Warum willst du Wöller eigentlich noch? Dein Auftrag ist doch längst zunichte.«

Lin sah ihm direkt in die Augen. Dann sagte sie leise: »Er hat Florim auf dem Gewissen. Schon vergessen? Er soll sein Lebenslänglich bekommen.« Edin lächelte liebevoll. Lin war in Fahrt: »Der BKA-Mann könnte uns helfen, ein Opfer in dieses System einzuschleusen, auf das wir dann sehr gut aufpassen müssen. Im richtigen Moment gehen wir rein. Und das BKA mit uns. Was denkst du?«

Edin antwortete zögernd: »Und wer soll dieses Versuchskaninchen sein?«

Lin lächelte: »Vielleicht mein alter Freund Ivo Brankjevic.«

Edin legte das Buch beiseite: »Das wäre natürlich nicht schlecht. Weiß er schon von seinem Glück?« Mit einem Blick auf Lin gab er sich die Antwort selbst: »Natürlich nicht!«

Lin ging in ihr Zimmer zurück, um Ivo anzurufen. Sie tippte eine Nummer in ihr Handy und murmelte: »Hoffentlich stimmt die noch.« Es klingelte eine ganze Weile, ehe sich ein

Mann mit dunkler, heiserer Stimme am anderen Ende meldete.

»Dobro dan, gospodin Brankjevic«, eröffnete Lin das Gespräch, um dann auf Englisch fortzufahren, »hier ist Lin Baumann.«

»O Lin, das ist schön, von dir zu hören. Wie geht es dir?«

»Danke gut, Ivo. Ich bin in Pristina und müsste dieser Tage nach Mitrovica kommen, zusammen mit zwei albanischen Freunden von hier. Wie geht es dir?«

»Danke der Nachfrage. Ich schätze, du rufst mich an, weil du mich sehen willst. Kein Problem. Du bist jederzeit herzlich willkommen, jederzeit«, kürzte Ivo elegant ab, »weißt du noch, wo du mich findest? Ich bereite zwei Zimmer vor. Zwei oder eins?«

»Nein, bitte zwei. Du bist ein Engel, Ivo. Wir besprechen alles Weitere, wenn wir bei dir sind.«

Lin schätzte Ivo Brankjevic. Fünf Jahre zuvor hatte sie ihn in einer Gemäldegalerie in Belgrad kennengelernt. Gebildeter serbischer Architekt kurz vor dem Ruhestand, sensibler Kunstkenner und unerschrockener Haudegen zugleich. Ivo sprach fließend Englisch und Französisch. Seit ein paar Jahren wohnte er im serbischen Nordteil Mitrovicas, wo seine Familie herkam. Ivo hatte nie viel von Milosevic und dessen Politik gehalten, dazu war er zu sehr an Westeuropa orientiert. Wovon er lebte, wusste auch Lin nicht genau. Sie vermutete, dass er ausländischen Agenten mit kleinen Hilfestellungen zu Diensten war. Hinter den Linien im serbischen Nord-Mitrovica, wo noch immer eine Vielzahl albanischer Familien lebte, konnte einer, der ethnisch nicht festgelegt war, manches in Erfahrung bringen. Pläne serbischer Extremisten zum Beispiel.

25

Jetzt musste nur noch der BKA-Mann in den Plan passen.
Am nächsten Morgen klingelte gegen 11 Uhr Lins Handy.
»Hier Schroeder. Ich wäre um 12 Uhr in Pristina, treffen wir
uns doch in der Lobby des Grand Hotels, geht das?« Lin
stimmte zu. Grand Hotels gab es in beinahe jeder großen
ehemals jugoslawischen Stadt. Sie galten als Inbegriff von
Luxus und Weltgewandtheit. Lin betrat pünktlich um zwei
die weite Lobby, und sofort wurde ihr bewusst, wie lange sie
in diesem Grand Hotel nicht mehr gewesen war. Dreizehn
Stockwerke hässlichster Architektur im Stil der sozialistischen Moderne. Man betrat das Hotel durch einen Vorbau,
in der weiten Eingangshalle warteten braune Polstergarnitu-
ren auf kaltem Steinboden, hier und dort sah man kümmer-
liche Pflanzen in niedrigen weißen Kübeln. Eine Unbehaustheit, die jeden ansprang, der diese Halle betrat. Eine absolute
Serbenbastion war dieses Haus einmal gewesen.

Nach dem Krieg entdeckte man im Keller Fitnessgeräte
und den Müll serbischer Paramilitärs, die dort wochenlang
gehaust hatten. Am Tag als die Nato in Pristina einrollte, war
Lin dabei gewesen. An der Rezeption hatten fein säuberlich
aufgereiht alle Schlüssel gehangen, doch der Rezeptionist
hatte mit eiserner Miene behauptet, nichts sei mehr frei. Lin
verscheuchte ihre Erinnerungen. Sie hatte Dr. Schroeder
schon ausgemacht.

Er saß rechts auf dem schwarzen Ledersofa. Ein schmaler
Dunkelhaariger mit ersten Silberfäden im Haar, sehr seriös
gekleidet in grauem Anzug und weißem Hemd. Für den Anlass eine Spur zu elegant, fand Lin. Ein promovierter Jurist,
der es gewohnt ist, sich in großen Hotelhallen zu bewegen,
der zugleich eine Spur nervös wirkt, als stünde er, wie ein

Rennpferd, unter ständiger Spannung. Sie nahm Blickkontakt mit ihm auf. Dunkle, nicht unfreundliche Augen.

»Man findet sich immer«, begann er, als sie lächelnd vor ihm stand, »gerade, weil man ein Fremdkörper ist. Michael Schroeder, sehr angenehm.«

Er reichte ihr die Hand. Eine trockene Hand, bemerkte Lin, ein gutes Vorzeichen. Sie hasste Menschen mit feuchten Händen. Schroeder deutete auf einen der kleinen Tische in der Lobbybar und sah sie fragend an. Wenn alles so gut ist wie seine Manieren, dachte Lin. »Vielleicht sollte ich Ihnen kurz berichten, wo wir mit Wöller und dem Organhandel stehen?«, fragte Schroeder. Lin nickte.

»Nun, Wöller ist dem BND vollkommen aus dem Ruder gelaufen«, begann Schroeder auszuführen. »Im Grunde hat er ihn vor langer Zeit schon innerlich verlassen und nur noch für seine eigenen Geschäftsinteressen benutzt. Wie wir aus verschiedenen Quellen wissen, steht Wöller einer Truppe in Tirana vor, die Serben, aber auch Albanern unter anderem Nieren und Teile von Lebern entfernt. Frauen, die noch gebären könnten, werden Eizellen entnommen, für künstliche Befruchtungen, die dann in Drittländern erfolgen. Bei den Spendern handelt es sich meistens um Leute, die dringend Geld brauchen. Sie bekommen für eine Niere zwischen 2 500 und 3 000 Euro, wenn sie den Eingriff überleben. Die Empfänger zahlen für eine Niere dann 55 000 Euro. Dazwischen liegt die Gewinnspanne für Wöller. Bei einer Split-Leber-transplantation, bei der bis zu sechzig Prozent der Leber verpflanzt werden können, liegen die Kosten natürlich weitaus höher. Das kann bis zu 50 000 Euro Provision einbringen. Der Markt macht den Preis. Wird das Organ von vermögenden Leuten dringend benötigt, dann steigt der Preis.«

Lin räusperte sich: »Die Entnahme geschieht in Tirana, nicht wahr?«

Schroeder nickte. »Das Problem dabei ist, dass es sich um geheime Orte handelt, die ständig wechseln. Eine kleine Sanitätsstation kann binnen Stunden für solche Entnahmen bereit gemacht werden, Sie müssen sich das vorstellen wie ein Kriegslazarett. Der gekühlte Behälter, in den die Organe gelegt werden müssen, wenn sie einen Transport nach Deutschland oder Frankreich überstehen sollen, muss dann zum Flughafen. Dafür ist Wöller persönlich zuständig. Er bestellt einen Learjet, der bereitsteht. Er hat die Kontakte, er wird bezahlt.«

»Warum ist es dann so schwer, ihn zu fassen?«, fragte Lin. »So einer fällt doch auf, schon durch seinen Lebensstil. Ein Learjet schafft doch Begehrlichkeiten.«

»Wöller ist in dieser Region ein ebenso geachteter wie gefürchteter Mann. Er hat Einfluss, er hat Macht. Die Polizeikräfte in dieser Region stehen auf seiner Paylist, er selbst ist hier die Ordnungsmacht. Wöller agiert in seiner Rolle als BND-Beamter, und es interessiert keine Menschenseele, dass er dort längst suspendiert worden ist. Wir kommen einfach nicht an ihn und seine Leute ran. Er agiert im absolut rechtsfreien Raum, weil er ihn rechtsfrei gemacht hat, verstehen Sie?«

Lin nickte. »Es kann doch nicht völlig unmöglich sein, ihn zu fassen. Warum hat man bislang keinen V-Mann als Patienten in seine Truppe eingeschleust?«

Schroeder atmete geräuschvoll ein. »Das haben wir eine ganze Reihe von Malen versucht, vermutlich zu oft. Ein wichtiges Problem sind die Auswahlbüros, die vorgeschaltet sind. Dort sitzen sehr clevere Serben. Jeden, den sie nicht als Bewohner der Region erkennen, schicken sie sofort weg – im günstigsten Fall. Unsere Versuche haben leider mit dazu geführt, dass dort jetzt ein sehr effizientes Kontrollsystem funktioniert.«

»Sie meinen, jeder Interessent, der nicht den Dialekt des Kosovsko-Resavski spricht, sondern von der Sprechweise her als einer aus Belgrad oder Zagreb zu erkennen ist, wird ausgesondert, weil Polizei befürchtet wird?«

Schroeder nickte. »Sie können nur jemanden hineinschicken, der als Serbe aus dem Kosovo kommt und dem man das auch anhört. Aber die hiesigen Serben sind mehrheitlich Bauern, einfache Leute, die ohnehin in einer sehr prekären Situation leben, in einigen von der KFOR geschützten Enklaven. Die Organhändler würden auch Albaner nehmen, zumal die in der Regel weniger Alkohol konsumiert haben als die Serben. Doch die Furcht der hiesigen Albaner vor Serben ist generell einfach zu groß.«

»Wie groß ist denn die Wahrscheinlichkeit, Wöller zu stellen?«, fragte Lin. »Wenn der Mann ausgesucht und dann zu einer geheimen Stelle gebracht wird, ist es nicht sicher, dass Wöller persönlich erscheint, oder?«

Schroeder zögerte einen Moment, ehe er fortfuhr: »Sie müssten Ihren Mann fast bis zum Äußersten in der Situation belassen, gewissermaßen bis ganz kurz vor der Transplantation. Es müsste also ein Mensch sein, der über extrem gute Nerven verfügt. Und Ihre technische Verbindung zu ihm müsste außerordentlich gut sein.«

Als Plan nicht schlecht, dachte Lin. »Was wäre Ihr Anteil an einer solchen Aktion?«

»Wir geben Ihnen Rückendeckung, technischen Support, ein paar Waffen, über die Sie hier vielleicht nicht verfügen, und ein bisschen Geld. Wir hätten die neueste Generation Wanzen mit integriertem Sender zu bieten oder einen Chip, der gefahrlos ins Ohr genäht wird. Damit können Sie Ihren Mann rund um die Uhr hören. Er kann akustisch Zeichen geben. Das Ding unterläuft jeden Scanner und ist von außen absolut unsichtbar. Es hat übrigens die Form eines hypermodernen Hörgeräts und ist auch für die Stelle im Ohr gebaut, an der Hörgeräte üblicherweise platziert werden. Wir hätten auch Nachtsichtgeräte neuesten Typs, solche, die auf handlichere Formen von Waffen passen, über die wir natürlich auch verfügen. Blendgranaten neuesten Typs gehören auch dazu. Oder Sender für den Schuhabsatz, absolut winzig.«

Lin grinste ihn an. So konnte also technischer Support aussehen. Nicht schlecht.

Schroeder fuhr fort: »Sie wissen, wir dürfen als Bundes-
polizei im Ausland allein nicht tätig werden, und mit wem
sollten wir hier ernsthaft kooperieren? Bis die Polizei am Tatort ist, sind doch die Burschen längst in Tirana verschwunden. Apropos Tirana: Die Organe werden meist in Albanien
entnommen und von dort auch ausgeflogen. Die Patienten
bringt man in den Kosovo zurück, wenn sie noch leben. Sie
werden dann in der Nähe ihrer Wohnorte ausgesetzt. Manche in ihrem weißen OP-Hemd. Aber mit einem Umschlag in
der Hand, der die vereinbarte Summe enthält, in Euro, ver-
steht sich. Von denen sagt dann keiner mehr ein Wort.«

Schroeder lehnte sich zurück. Sein Blick signalisierte: Was
denken Sie, Frau Baumann?

Lin musste nicht lange überlegen. »Den Mann hätten wir,
er stammt aus Mitrovica, ist polyglott und vermutlich bereit,
an einer solchen Aktion teilzunehmen. Wo könnte der Chip
ins Ohr genäht werden? Bei der Bundeswehr und bei Nacht
und Nebel?«

Schroeder strahlte. »Sie erfassen die Dinge schnell, Frau
Baumann. Ich gebe Ihnen auch die Handynummer eines der
besten Spezialisten für Organverpflanzung in Deutschland,
Prof. Dr. Wolfgang Meyer in Karlsruhe. Er ist informiert, Sie
können ihn jederzeit anrufen, falls Sie noch genauere Fragen
haben.« Er schrieb die Nummer auf einen Zettel, den er in
seiner Hosentasche gefunden hatte, und reichte ihn Lin. »Ihr
Mann muss diesbezüglich auch keine Angst vor einer Rönt-
genaufnahme oder einer Computertomografie haben. Diese
Generation von Chips ist in Europa noch gar nicht auf dem
Markt. Auch nicht für Technikfreaks.«

»Wie schnell könnten die Waffen hier sein?«, fragte Lin.
»Ich denke, wir sollten mit der Aktion nicht zu lange warten.
Ich werde versuchen, unseren Mann dazu zu bringen, seine
halbe Leber zum Verkauf anzubieten. Das wäre ein Fang, bei
dem Wöller sicher selbst gewährleisten würde, dass alles
glattgeht. Ich bräuchte die Adresse des geheimen Anwer-
bungsbüros und Infos darüber, was so ein Mensch beibrin-

gen muss, Blutgruppenzeugnis etc. Ideal wäre natürlich Blutgruppe 0. Er käme dann für mehrere andere Blutgruppen bei den Empfängern in Betracht. Aber entscheidend sind ohnehin die Untergruppen.«

»Ich werde so lange in der Stadt bleiben«, sagte Schroeder, »bis alles genauestens vorbereitet ist. Wenn Sie Wöller haben, müssten Sie ihn zur Deutschen Botschaft schaffen, dort könnten wir ihn übernehmen. Trauen Sie sich das zu?« Seine Miene war ernst.

»Ich will ihn haben, und ich werde ihn ausliefern«, sagte Lin, »das ist ein Versprechen. Wir sind im Geschäft, vorbehaltlich der Tatsache, dass unser Mann so mitspielt, wie wir das wünschen.«

Schroeder schrieb ihr einige Handynummern auf. »Das Geld wird Ihnen in Ihr Hotel gebracht.« Er erhob sich.

Lins Handy schrillte. Sie nahm ab. »Okay, ich komme.«

Schroeder lächelte wieder: »Sie müssen zur Bestattung Ihres Assistenten nach Skopje, nicht wahr?«

Lin sah ihn überrascht an. »So schnell? Hat man doch auf eine Leichenöffnung verzichtet? In Deutschland wäre so etwas bei einem Kapitalverbrechen undenkbar.«

Schroeder zuckte mit den Achseln. »Ich nehme mal an, dass die Rechtsmedizin hier noch nicht so weit ist, alle unklaren Fälle so zu bearbeiten, wie es sein müsste. Nehme an, die haben hier auch nur einen Seziertisch. Dann kann alles dauern.« Schroeder fuhr fort: »Es tut mir leid, wenn ich Sie jetzt vor vollendete Tatsachen stelle, das war nicht meine Absicht. Tariq hat uns informiert, dass die Bestattung heute Nachmittag sein soll und um einen Hubschrauberflug hin und zurück gebeten. Es ist uns eine Ehre. Florim geht schließlich auch auf Wöllers Konto.«

Lin erhob sich, legte einen Fünfeuroschein auf den Tisch.

»Ich bitte Sie, Frau Baumann«, Schröder strahlte sie an. »Das übernehme ich. Ich freue mich, dass wir zusammenarbeiten. Wann immer etwas unrund zu laufen droht, rufen Sie mich sofort an. Und jetzt beeilen Sie sich, der Helikopter wartet sicher schon auf Sie.«

Lin reichte ihm die Hand, mit einem kleinen Lächeln. Den Geldschein ließ sie liegen.

»Wie ich es hasse, wenn andere für mich Entscheidungen treffen«, zischte Lin kaum hörbar durch die Zähne, während sie Schroeder nachsah. Typisches Machogehabe, auch wenn er gar nicht danach aussah. Er stakste, leicht vornübergebeugt, durch die Hotelhalle Richtung Ausgangsdrehtür davon. Ihr Gespür sagte ihr, dass nichts dagegensprach, ihm zu trauen. Wir ziehen einfach beide am gleichen Strang, dachte Lin.

Sie tippte Tariqs Nummer in ihr Telefon: »Wo steht der Hubschrauber, der schon wartet?«, fragte sie eine Spur gereizt.

»Ich wollte dich nur überraschen«, antwortete Tariq, seine Stimme klang enttäuscht. »Wir sparen so einfach Zeit. Sei nicht sauer. Ich hole dich gleich am Grand Hotel ab.«

Lin ließ ein Knurren hören. »Ich mag so was einfach nicht, das müssten doch inzwischen alle Beteiligten wissen«, sagte sie nur. Tariq konnte sie jedoch nicht lange grollen.

Ganz in Schwarz gekleidet saß er am Steuer seines Mercedes, als er am Grand Hotel vorfuhr. Ein blauschwarzer Prinz, mit Glutaugen zum Dahinschmelzen. Lin war die passend gekleidete Partnerin. Sie trug sowieso meistens Schwarz.

Der kleine weiße Hubschrauber erwartete sie auf dem Gelände der KFOR mit laufendem Motor. Das etwas oberhalb Pristinas gelegene Gelände hatte die Adresse *Film City,* so als sei Pristina Hollywood. Mit dem Fluggerät wurden in der Regel Prominente oder Politiker befördert, ein schmaler Viersitzer mit voll verglaster Vorderseite. Als sie sich näherten, sah Lin neben dem Piloten Edin sitzen. Edin, der unbedingt mit seinen eigenen Händen den Körper des toten Bruders in die Erde zurücklegen wollte, so wie es der islamische Ritus vorsah. Er sah ihr entgegen. Wie ein waidwundes Tier, dachte Lin bekümmert. Das Schuldgefühl in ihr hatte sich inzwischen zwar weitgehend zurückgezogen, aber Momente wie dieser ließen es wieder aufflammen. Sie berührte mit der Hand zart Edins Schulter, als sie auf die Rückbank hinter dem Piloten kletterte. Tariq stieg als Letzter ein. Der Pilot trug einen blaugrauen Overall. Lin reichte ihm von hinten die Hand. Auch Tariq begrüßte ihn per Handschlag.

»Ich bin Rolf Kettler, gehöre zum Geschwader der Bundeswehr in der KFOR«, sagte der Pilot, »ich fliege Sie jetzt nach Skopje und bringe Sie auch wieder zurück.« Die gemütliche Bassstimme wirkte vertrauenerweckend.

Der Hubschrauber hob sich senkrecht und flog an Pristina vorbei Richtung mazedonischer Grenze. Die Fluggeräusche machten Unterhaltungen unmöglich. Der Pilot zog die Maschine weit nach oben. Zu hoch für Gelegenheitsschützen, dachte Lin.

»Es gibt häufiger Attacken durch Schüsse«, schrie der Pilot nach hinten, »die Kosovaren gleich welcher Ethnie schießen einfach gerne. Noch schießen sie ja nicht mit Raketen, die ihr Ziel verfolgen.«

Edin saß schweigend in seinem Sitz und starrte nach unten. Tariq war Lin so nahe gerückt, dass sie die Wärme seines Körpers spüren konnte. Seine Hitze und der feine, maskuline Hauch seines Aftershaves beschleunigten ihren Herzschlag. Ich könnte sterben für solche Augenblicke, dachte Lin. Sie genoss seine erregende Nähe, ohne sich irgendetwas anmerken zu lassen.

26

Das Trauerhaus der Arifis wirkte wie ein Marktplatz und eine Stätte der Stille zugleich. Frauen saßen zusammen, die ihren Schmerz ekstatisch herausschrien, ohrenbetäubend und schrill. Männer, die in kleinen Gruppen zusammenstanden, unterhielten sich leise. Obschon wie Trauernde gekleidet, schienen die Männer im Wettbewerb des Wehklagens Fremdkörper zu sein. Im Trauertumult um sie herum waren ihre Stimmen nicht zu vernehmen. Edin verschwand in der oberen Etage, um sich umzuziehen. Florims Mutter hatte kein Ohr für Lin. Sie war ganz in Weiß gehüllt. Mit den anderen Frauen weinte und schrie sie laut, warf die Hände in die Luft, schluchzte herzzerreißend. Verglichen mit den stillen schwarzen Trauerzügen der Christen trieben diese Frauen ihre Trauer und ihren Schmerz nach außen, aus sich heraus. Ihr Wehklagen war auch eine Art Austreibung. Womöglich der gesündere Weg, dachte Lin, aber wer wusste das schon.

Florims Leichnam hatte nicht zu Hause aufgebahrt werden können, das ließ das warme Wetter nicht zu. Er würde aus der Leichenhalle direkt zu seinem Grabplatz getragen werden. Lin und Tariq reihten sich in den Trauerzug ein. Als Florims Körper, nur in das weiße Leichentuch gehüllt, von den Männern aus der Halle zum offenen Grab getragen wurde, durchzuckte Lin ein Stich. Tränen liefen ihr übers Gesicht, Lin ließ sie fließen. Sie nahm kaum wahr, dass Tariq sie an der Hand nahm und mit sich zog.

»Ich bin schuld, Tariq«, flüsterte sie ihm zu, »ich bin schuld.« Er hielt ihre Hand fest, doch er antwortete ihr nicht.

Lin sah es wie durch einen Schleier, als Edin in die tiefe

Grube hinabstieg. Zwei Männer ließen Florim in seine Arme hinabgleiten. Edin bettete den Bruder mit seiner ganzen brüderlichen Kraft und mit großer Zärtlichkeit an seinen letzten Ort. Lin weigerte sich, dem Grab näherzutreten, als Tariq sie dazu aufforderte. Sie schüttelte nur den Kopf und blieb stehen. Florim, bitte verzeih mir, dachte sie, es ist so unerträglich, für deinen Tod verantwortlich zu sein. Als die Männer das Grab noch umstanden, war Lin bereits gegangen. Am Hubschrauber, der auf einem Fußballplatz geparkt war, hatte sie sich wieder gefangen. Sie hatte sich eine schwarze Sonnenbrille aufgesetzt. Vom Piloten keine Spur.

Tariq kam wenig später nach. »Ich habe dich überall gesucht«, sagte er vorwurfsvoll, »ich hatte Angst, dir wäre etwas zugestoßen.«

Sie strich ihm mit dem Handrücken über die rechte Wange. »Alles in Ordnung, alles okay.« Sie warteten gemeinsam. Dann sahen sie Edin herüberkommen, er sah blass aus.

»Bist du sicher, dass du weitermachen kannst?«, fragte Lin besorgt.

Er nickte: »Hier gibt es nichts weiter zu tun für mich.«

Es dauerte weitere zehn Minuten, bis am Rand des Fußballplatzes der Pilot erschien. Er winkte mit großen Bewegungen. »Tut mir leid«, entschuldigte er sich, als er atemlos näher kam, »ich wollte nur kurz in die Botschaft, hatte aber meinen Pass vergessen. Die Sicherheitsleute, unsere Sicherheitsleute wohlgemerkt, wollten mich nicht vorlassen. Wenn nicht zufällig einer der Beamten im Flur erschienen wäre, hätte ich wieder gehen müssen. Absurd!«

Lin kannte die deutsche Botschaft in Skopje und deren manchmal seltsames Gebaren. »Machen Sie sich nichts draus«, sagte sie. »Unsere Botschaften sind mancherorts ja eher Festungen, die jeden abschrecken sollen. Wir haben nicht lange warten müssen.«

Kettler startete den Hubschrauber keine fünf Minuten später. Sie schwebten in den Vorabendhimmel hinein. Jeder hing seinen eigenen Gedanken nach. Kettler setzte sie in *Film*

City ab. Nicht weit davon hatte Tariq seinen Mercedes geparkt. Lin stieg vorne ein, Edin rutschte auf der Rückbank zur Lücke zwischen den Vordersitzen. »Was dagegen, wenn wir etwas essen gehen?«, fragte Tariq.

»Nur wenn es der Italiener unten in der Stadt ist, ihr wisst schon, *Gallo Nero* oder so«, warf Edin von hinten ein. »Die machen exzellente Pasta.«

Lin wollte ohnehin etwas besprechen. »Warum nicht«, sagte sie. »Es ist zwar der falsche Augenblick, aber wir müssen uns beraten. Danach hat jeder Bedenkzeit.« Die Straße, die vom früheren Bürgermeisteramt fast schnurgerade stadtauswärts führte, wirkte menschenleer.

Im *Gallo Nero* brannte Licht. Sie suchten sich eine der Nischen aus, die etwas abseits von der Mitte des Gastraums lagen.

»Nudeln?«, fragte Tariq in die Runde. Die beiden anderen nickten. »Bring' uns erst mal Vorspeisen, gemischt, für alle. Dann Spaghetti in allen vier Sorten, die auf der Karte stehen, auch auf einer Platte. Dazu guten Rotwein, vielleicht einen Brunello, wenn du so etwas hast, hier muss ja kein Amselfelder getrunken werden. Dazu Wasser ohne Kohlensäure.«

Edin bestellte Single-Malt-Whisky zum Essen und blieb auch dabei. Sie mussten auf den ersten Gang nicht lange warten. Für den, der zahlen konnte, gab es auch in Pristina alles zu kaufen.

Bis zum Kaffee sprach keiner ein Wort. Der Kellner hatte am Tisch eine zweite Flasche Brunello entkorkt, wieder hatte Tariq fast andächtig vorgekostet und dann mit dem Kopf zustimmend genickt. Während des Essens hing jeder seinen Gedanken nach. Lin ging Florims verhüllter Leichnam nicht aus dem Kopf. Und wie Edin ihn gehalten und gebettet hatte. Diese Szene will ich nie vergessen, dachte sie.

Dann räusperte sie sich. »Wir müssen wohl davon ausgehen, dass wir Wöller über die gängigen Pfade nicht werden schnappen können. Wenn wir ihn antreffen, hat er seine bewaffnete Schutztruppe dabei. Der Drogen- und auch der Waffenhandel bieten keine Schlupflöcher, dort sind nur Eingeweihte, meistens Familienangehörige, beteiligt. Wir hätten dort keine Chance.« Sie hielt inne, keiner der beiden anderen widersprach. »Ihr wisst, dass ich heute den BKA-Mann getroffen habe. Er hat einen weiteren, nicht unwichtigen Geschäftszweig Wöllers genannt, den kriminellen Organhandel. Da hätten wir einen möglichen Ansatzpunkt. Es müsste einer als Patient hineingehen, einer, den wir von außen begleiten.«

Edin sprach als Erster. »Du müsstest mit dem BKA-Mann klären, dass sie uns die nötige Technik zur Verfügung stellen ...«

Lin lächelte. »Schon geschehen. Das BKA stellt uns alles, vom Ohrchip, der als äußerst effektives Mikro arbeitet und eingenäht werden muss, über die Sender, ein paar Handgranaten und Blendgranaten bis zum Geld, das wir brauchen. Ziel wäre, Wöller quasi auf frischer Tat zu ertappen, ihn festzunehmen und in Tirana beim BKA-Verbindungsbeamten in der Deutschen Botschaft abzuliefern. Wenn ihr einverstanden seid, sind wir ab jetzt ein Kommando. Was meint ihr?«

Tariq sah nachdenklich aus. »Du hast dem BKA-Typen nicht erzählt, wer ich bin?«, fragte er.

»Nein«, Lin schüttelte den Kopf, »das erfahren die noch früh genug. Aber vielleicht weiß er es auch.«

Edin war förmlich anzusehen, wie er die Aktion im Kopf auf versteckte Risiken hin abklopfte. »Das klingt gut«, sagte er dann, »aber wer soll als Patient reingehen? Einer von uns?«

Lin schüttelte den Kopf. »Nein. Es sollte ein Serbe sein, denn diese Art von Organhandel wird von Albanern an Serben, freiwilligen und unfreiwilligen Spendern, vorgenommen. Ich dachte an Ivo, ihr kennt ihn vielleicht, den polyglotten Serben aus Nord-Mitrovica. Es muss ohnehin einer aus dem Kosovo sein, sie hören das am Dialekt. Er wäre der ideale Mann dafür. Ich hatte uns schon vor ein paar Tagen bei ihm angemeldet.«

Tariq hob sein Glas: »Dann also auf unser Kommando. Wann fahren wir?« Lin und Edin stießen mit Tariq an. »Morgen gegen Mittag, ab Hotel, wäre das möglich?« Die beiden Männer nickten.

»Was wir alles brauchen, können wir ja bis dahin noch überlegen und das BKA wissen lassen«, sagte Edin in ganz sachlichem Ton. Sie wollten Wöller endlich fassen.

Lin schlief ein, sobald ihr Kopf in ihrem Hotelzimmer das Kissen berührt hatte. Tariq hatte sie mit Edin am Hotel abgesetzt und war in seine Bar gefahren. Edin übernahm Florims Zimmer, das inzwischen vom Room Service des Hotels geputzt und aufgeräumt worden war. Später, im Traum, sah Lin noch einmal die Beerdigungsszene in Skopje. Ein Mann übergab Edin, der im offenen Grab stand, den eingehüllten Körper. Doch Edin nahm ihn nicht, das Leichntuch entrollte und entrollte sich scheinbar von allein, Florim kam nicht zum Vorschein. Es gab keine Leiche, nur wallende Stoffbahnen. Edin sah entsetzt aus. Lin rannte zurück zu dem Haus, wo die Leiche vorbereitet worden war. Sie sah noch Wöller hohnlachend mit Florims Leiche verschwinden. »Warum so kostbares Gut vergraben?«, rief er ihr zu. Wie gelähmt musste Lin mitansehen, wie Wöller mit dem Leichnam davonfuhr. Fieberhaft suchte Lin die Stellen ab, wo sie sonst ihre Pistole trug, konnte die Waffe aber nicht finden. Sie geriet in Panik. »Ich habe keine Waffe, warum habe ich keine Waffe? Ich könnte ihn jetzt erschießen. Warum erschieße ich ihn nicht?«

Lin wachte schweißgebadet auf. Ein Traum, aber was für ein Traum! Das Leuchtfeld ihres kleinen Weckers zeigte drei Uhr nachts. Sie drehte sich um und schlief sofort wieder ein. Diesmal traumlos.

27

Am nächsten Morgen schlüpfte Lin in ihre Jeans, wählte die halbhohen Schnürschuhe und streifte die Wetterjacke über. Dann steuerte sie *Film City* an. Lin hatte den Mietjeep genommen, der verwaist am Straßenrand vorm Hotel gestanden hatte, seit Florim ihn nicht mehr fuhr. Als sie in den holprigen Parkplatz von *Film City* einfuhr, erwartete sie Schroeder bereits. Er lehnte an seinem Wagen, so perfekt gekleidet, wie ein Büromensch nur gekleidet sein kann. Bügelfaltenhose, Businesshemd, schwarze Slipper. Du wirst diesen tückisch-staubigen Parkplatz nicht so elegant verlassen, wie du ihn betreten hast, dachte Lin und musste unweigerlich grinsen. Schroeder schien den Staub, der ihm in hellbraunen Schlieren schon bis zu den Knien reichte, gar nicht zu bemerken. Lin entging auch nicht das leichte Zittern seiner Finger, als sie sich zur Begrüßung die Hände reichten. Für den BKA-Beamten musste diese Aktion ein außerordentliches Abenteuer sein.

Schroeder hatte alles dabei.

»Wir benötigen in Mitrovica einen Arzt, der Ivo den Chip einnähen kann«, sagte Lin, während sie die Elektronik auf ihre Vollständigkeit überprüfte.

Er war auf diese Frage vorbereitet. »Ich werde Ihnen noch heute den Arzt nennen, einen diskreten Menschen, der das in aller Stille erledigt. Sonst noch etwas?« Schroeder sah Lin an.

»Gibt es Situationen oder Geräte, mit denen der Chip in Interferenzen geraten kann?«, fragte Lin. »Sie wissen, was ich meine. Etwas, das ein ungewolltes Geräusch auslöst. Plötzlich fängt es schrill zu pfeifen an, und er gerät in Lebensgefahr.«

Schroeder schüttelte den Kopf: »Im Prinzip nicht, jedenfalls nicht dass ich wüsste.« Er übergab ihr die Handgranaten, zwölf in einer Kiste, auf Styroporchips gebettet wie kostbares Porzellan, und zeigte ihr das Gerät, mit dem der Chip abgehört werden konnte.

»Das Tolle ist, dass Sie über diesen Ohrchip aus der Entfernung jedes Geräusch mithören können. Sie sind draußen und zugleich unsichtbar mit ihm im Raum«, schwärmte der BKA-Mann. Ein Plastikbeutel, den er übergab, enthielt genau 20000 Euro in jagdgrünen Hunderter- und ockergelben Zweihunderterscheinen. »Jetzt braucht Ihr Ivo nur noch gute Leberwerte«, scherzte Schroeder, »dann kann's ja wohl losgehen.«

Lin war, was Ivos Rolle als leibhaftigen Köder anging, nicht nach Scherzen zumute. Schweigend packte sie die Sachen in den Fond ihres Jeeps. Dann wandte sie sich noch einmal zu Schroeder um, lächelte ihm zu: »Hoffen wir, dass alles glattläuft. Und vielen Dank. Ich rufe Sie an, wenn es ein Problem gibt. Auf Wiedersehen.«

Schroeder lächelte zurück, so wenig nervös er nur konnte. »Viel Glück, Frau Baumann.« Seine Nervosität entsteht nicht aus Angst, schoss es Lin durch den Kopf. Es ist vielmehr die geheime Aktion an sich, die einen Beamten wie ihn in höchste Erregung versetzt. Ähnlich der Nervosität des Rennpferds vor dem Rennen. Bin gespannt, wie belastbar Schroeders Zuverlässigkeit wirklich ist.

Lin fuhr zurück zum Hotel. Die hochglanzlackierten Limousinen und spiegelblank polierten Geländewagen, die auf den Straßen unterwegs waren, wirkten in der graubraunen Hässlichkeit der Straßenzüge wie Invasoren aus einer anderen Welt. Zu den Karossen der UN-Repräsentanten gesellten sich nun die der Hochkriminellen. Beam me up, Scotty! Die internationalen Schmuggelbanden hatten auch in einem unabhängigen Kosovo leichtes Spiel. Ein hoher Grad an Korruption und Clanstrukturen machte es möglich. Menschen, die glaubten, Kapitalismus bedeutete, sich vor allem selbst die Taschen zu füllen, koste es, was es wolle, dachte Lin bitter. Väter mit Kindern halfen beim Schmuggel von Heroin oder Koks, es waren ja nicht die eigenen Kinder, die anschließend die Drogen konsumierten.

Die Präsenz der Internationalen vermochte daran wenig zu ändern, genauso wenig wie an der Mohnernte in Afghanistan. Vermutlich waren die Kriminellen in Albanien risikobereiter und brutaler, weil die Menschen nichts zu essen hatten und das weite hügelige Land Hunderte von Schmuggelpfaden bot.

Im winzigen Kosovo mussten sie geschickter operieren. Bislang fuhren in der albanischen Hauptstadt Tirana mehr Menschen Mercedes als irgendwo sonst in Europa. Die meisten waren gestohlen. Jetzt schufen in Pristina die Profite aus den Drogengeschäften neue Kaufkraft. Die Limousinen mit den dunkel getönten Scheiben im Fond waren bezahlt. Ein unbändiger Drang nach Geld und Konsum lässt sich nicht aufhalten, dachte Lin, nicht in China, nicht auf dem Balkan, nirgendwo. Wovon träumten wohl Kinder, die hier aufwuchsen?

Sie fand Edin in seinem Zimmer, über seine Mikroelektronik gebeugt. Fast eine Stunde lang besprachen sie die Neuerwerbungen, probierten den Ohrchip aus, den sich Lin mit dem Zeigefinger ins Innenohr drückte, während sie auf der Straße auf und ab ging. Dann fuhr sie mit dem Chip einige Kilometer aus der Stadt hinaus. Der Empfang und die Verständigung waren so klar, als säße Edin direkt neben ihr. Edin kümmerte sich anschließend um die Handgranaten. »Wir können sie nicht im Wagen und auch nicht im Hotelzimmer deponieren«, sagte er. »Vielleicht könnte ich sie zu Tariq bringen.« Lin nickte und reichte ihm ihr Handy mit Tariqs eingespeicherter Nummer. Tariq war einverstanden. Er würde die Kiste in seinem Geländewagen abholen.

Als Lin von Edin erfuhr, dass die Aktion mit Tariqs schwarzem BMW durchgeführt werden sollte, zögerte sie einen Moment. Es war das Gefährt für Florims letzte Reise gewesen. War das ein gutes oder schlechtes Omen? Ein großes, teures, westliches Fahrzeug konnte selbst zu einem Sicherheitsrisiko werden, das wusste sie. Doch ein wirklich teurer Wagen deutete zugleich auf einen sehr wohlhabenden Besitzer hin, in dieser Region waren das meist Kriminelle. Ein solches Auto zu stehlen, konnte großen Ärger nach sich ziehen, das wussten die Einheimischen. Hier im Kosovo, das hatte Lin in ihrer Zeit als Reporterin gelernt, musste man die eigene Außenwirkung stets mitbedenken. Ein Auto war nicht nur ein Auto, es repräsentierte den gesellschaftlichen Stand, die Zugehörigkeit zu einer bestimmten Gruppe. UN-Mitarbeiter fuhren diese Wagen, kriminelle Clanmitglieder jene. Ehe man aus dem Auto stieg, war man bereits eingeordnet. Geriet man in einen Schusswechsel, musste man handeln können. Mit Tariqs BMW würde man schneller entkommen können, entschied Lin.

Am späten Nachmittag, gegen sechs Uhr, fuhr Tariq vor, Lin und Edin luden ihre Taschen ein. »Die Granaten sind gut versteckt«, grinste Tariq. »Schön aufgereiht im Reserverad.« Sie wollten in Mitrovica bei Dämmerung den Grenzposten auf der Brücke passieren, schon um nicht so gut von denen gesehen zu werden, die auf der serbischen Seite um das kleine Café herumlungerten, als Brückenkopf des serbischen Widerstands im Kosovo.

Lin steuerte den BMW, als sie nach Mitrovica aufbrachen. Eine Frau am Steuer eines Luxuswagens konnte bei den Grenzpolizisten nur von Vorteil sein. Es war kurz nach sieben, als sie im albanischen Südteil von Mitrovica ankamen. Eine hässliche, staubige Stadt, dachte Lin, daran hat sich wenig geändert.

Zu Titos Zeiten war dies einmal eine Art Industriestadt gewesen, in der Nähe lag der berühmte Minenkomplex von Trepca, dort wurden Bodenschätze gefördert. Seit der NATO-

Intervention und der anschließenden Besetzung des Kosovo hatte sich Mitrovica zu einer geteilten Stadt entwickelt. Im Norden die Serben, im Südteil die Albaner. Und ein paar wenige Brücken, über die man von einem in den anderen Teil gelangte. Im albanischen Südteil Mitrovicas reihten sich entlang der Straßen kleine Läden aneinander, mit Waren, die vor der Tür aufgebaut waren. Eine Puppe mit Brautkleid, gerahmt von billigen Stoffen und Kurzwaren, andere Läden boten runde Brotlaibe, Kisten mit Tomaten oder Kartoffeln. Verkäufer trugen den weißen Fez auf dem Kopf, die traditionelle, hohe weiße Filzkappe.

Die Hauptstraße führte auf die erneuerte Grenzpostenbrücke zu, die ein buntes, supermodernes Dach überwölbte. Lin hielt bei dem Polizisten an, der sie zur Seite gewunken hatte, stellte den Motor ab.

»Where do you want to go?«, fragte der Uniformierte sie freundlich und spähte dabei auch ins Innere des Wagens.

»We want to see a Serbian friend«, antwortete Lin lächelnd.

Sie musste ihm den Kofferraum zeigen, offenbar lag sein Augenmerk auf Waffen und Drogen. Die Papiere von Tariq und Edin wollte er gar nicht erst sehen. Er erkannte sie als Nichtserben und freute sich wohl über jeden Versuch interrassischer Verständigung.

»Wenn der wüsste, was er gerade verpasst hat«, feixte Tariq, als Lin in Nord-Mitrovica den Wagen die ansteigende Hauptstraße hinaufsteuerte und rechts abbog. Lin hatte noch die Reden ihrer alten Freundin Tanja aus Belgrad im Ohr, einer Menschenrechtsaktivistin. Sie meinte, in Nord-Mitrovica lebten fast nur noch Kriminelle. Auf dieser Ebene kooperieren Serben und Albaner miteinander, lautete ihr Credo. Lin wusste, dass es diese Art krimineller Zusammenarbeit sonst verfeindeter Ethnien auf höchster Ebene auch in Städten wie Frankfurt am Main oder Berlin gegeben hatte. Die schwerkriminellen Serben hatten kein Problem mit den schweren Jungs aus Albanien. Im Milieu geht es eben um

Profit, nicht um Politik, dachte Lin. Mit der rechten Hand tippte sie die Nummer von Ivo in ihr Handy.

Er meldete sich sofort. »Wir sind da, wir kommen in fünf Minuten an«, sagte Lin. Er war einverstanden. Als sie vor seinem Haus ankamen, einem zweistöckigen Gebäude mit verwildertem Garten, hatte er die beiden Flügel der Garage bereits weit für sie geöffnet. Er winkte mit den Armen, sie sollten hineinfahren.

»Ich danke dir, Ivo«, sagte Lin, nachdem sie den Wagen geparkt hatte, »wir erregen besser nicht zu viel Aufsehen.« Sie machte ihn mit Tariq und Edin bekannt. Lin spürte, dass die beiden den Serben auf Anhieb mochten.

Im Inneren des Hauses roch es ein wenig muffig, nach lange nicht gelüfteter Kleidung. Singlehaushalt, dachte Lin. Dann zog sie sich mit Ivo in dessen Büro zurück und erläuterte ihm die Einzelheiten. Die anderen warteten in der Küche, bis die beiden wieder erschienen. Ivo stellte eine Flasche wasserklaren Schnaps und einfache Gläser vor sie hin. Er goss großzügig ein. Sie stießen mit den Gläsern an. »Auf unser gemeinsames Projekt«, sagte Ivo in beinahe feierlichem Ton. Sie tranken. Ivo nahm nur Schnaps, danach trank er nur noch Wasser. Seine Leber musste in gutem Zustand sein. Sie aßen und tranken den ganzen Abend. Ivo servierte Shopska-Salat und Fleischspieße, die wunderbar schmeckten.

Lin wusste, dass es sich nicht gehörte, in dieser Region mit der Tür ins Haus zu fallen. Sie erzählte also ausführlich von ihrer eigenen Entführung und den Versuch, sie mit Autoabgasen zu vergiften. Wie es ihr gelungen war, sich mit dem Singen von Liedern abzulenken. Tariq steuerte die Geschichte bei, wie Lin sein Leben gerettet hatte. Nur Edin schwieg den ganzen Abend über. Es war kurz nach zehn, als Lin in eines der Betten mit gestärkter weißer Bettwäsche sank und fast augenblicklich einschlief. Die beiden Männer teilten sich ein Doppelbett. An den Synthetikgardinen kräuselten sich blassrosa Rüschen. Ivos früheres Eheschlafzimmer.

28

Als Lin am nächsten Morgen nach unten kam, machte sich Ivo bereits in der Küche zu schaffen. »Ein englisches Frühstück«, gab er gut gelaunt bekannt, »Eier, Bacon und Würstchen.« Lin schüttelte sich.

Er grinste sie an. »Die beiden Männer wird es aber erfreuen. Die zwei sind in Ordnung. Ich musste mir ein Bild machen, bevor es losgeht. Danke dafür.«

Lin lächelte. »Das war der Sinn der Sache. Wo stecken sie eigentlich?«

Ivo wies mit dem Kopf nach draußen. Tariq machte mit bloßem Oberkörper Sit-ups am Ende eines Holzbalkens im Garten. Beim Anblick seiner nackten Haut flammte in Lin eine Mischung aus Zärtlichkeit und Erregung auf, die sie sich jedoch nicht anmerken ließ. Er sieht hinreißend aus, dachte sie, Liebe ist schon ein Zauber. Edin absolvierte seine Liegestütze in langen Boxershorts und Pullover.

Nach dem Frühstück setzten sie sich zusammen. Lin erläuterte Ivo die Aktion. Auch den Ohrchip, und dass er festgenäht werden musste. Ivo kannte zufällig den Arzt, der ihn nach Meinung des BKA einsetzen sollte. Lin erwähnte nicht die Hand- und Blendgranaten, auch nicht die Europakete, die im Wagen versteckt waren. Der Arzt, den Lin für Ivo anrief, hatte für den Eingriff am frühen Nachmittag Zeit. Das Krankenhaus lag in Laufweite, Lin begleitete den Serben.

Das Einnähen dauerte keine zehn Minuten, eine Betäubung war nicht nötig. Der Mediziner wollte kein Geld für seine Arbeit. »Jetzt hab ich mehrere kleine Menschen im Ohr«, scherzte Ivo anschließend.

Anschließend übten sie den Funkkontakt aus verschiedenen Entfernungen, damit sich Ivo daran gewöhnte. Er begriff schnell.

Die Kontaktaufnahme mit dem Büro, das den Organhandel betrieb, erwies sich als nicht ganz so leicht. Ivo selbst hatte sich zuvor im Nordteil der Stadt eine Telefonnummer besorgt, unter der Menschen geholfen würde, die Organe spenden wollten. Dort rief Ivo an. Die Stimme am anderen Ende bestellte ihn zu einer Adresse im albanischen Südteil der Stadt, zu dem Wagnis musste ein Serbe wirklich entschlossen sein. »Morgen früh, nüchtern! Auch keine Getränke! Und keine Begleitpersonen! Dann sehen wir weiter«, hatte der Mann in den Hörer gebellt. Edin zog sich zurück, um den verabredeten Ort auszuspionieren. Obwohl der Mann am anderen Ende ein einheimisches Serbisch sprach, hatte es nicht so leicht geklungen wie eine Muttersprache. Vielleicht einer, der in Serbien geboren wurde und schon lange im Kosovo lebte, mutmaßte Ivo.

Lin nahm an, dass Wöller mit Albanern zusammenarbeitete, die beide Sprachen beherrschten. Bevor sie Ivo ins albanische Süd-Mitrovica aufbrechen ließen, gingen sie noch einmal alle Details mit ihm durch. Er sollte keine Niere anbieten, sondern eine Lebendleberspende. »Du wirst dadurch zu einer Art Premiumpatient, vorausgesetzt, deine Leberwerte stimmen«, scherzte Lin. »Also bitte verzichte auch weiter auf Alkohol und zu fettes Essen. Denk bitte daran, wir sind rund um die Uhr online in deinem Ohr. Aber wir können davon ausgehen, dass du nach der ersten Untersuchung wieder nach Hause geschickt wirst, bis die Untersuchungsergebnisse vorliegen. Wir werden uns in den nächsten Tagen nicht in deinem Haus aufhalten, weil ich damit rechne, dass diese Leute es auf den Kopf stellen werden, um sicherzugehen, dass du sauber bist.« Sie würden in einer Wohnung von Albanern im Südteil Mitrovicas unterkommen, die Edin bereits für eine Woche angemietet hatte.

Spätabends holten sie den Schlüssel zu der Wohnung ab, die hinter einer hohen Mauer, im ersten Stock eines Zweifamilienhauses lag. Aus den Fenstern war die kleine Straße einsehbar. Die Besitzer seien im Urlaub, hieß es. Zuvor hatten sich die drei von Ivo verabschiedet. »Es wird schon alles gut gehen«, sagte Lin herzlich, »Wir sind immer ganz Ohr.« Edin und Tariq umarmten Ivo, klopften ihm auf die Schulter. Ivo verzog keine Miene.

Am nächsten Morgen gegen halb acht beobachteten die drei von der anderen Straßenseite aus, wie Ivo sein Haus verließ, um zum verabredeten Ort zu gehen.

»Was ist das für ein Ort, Edin?«, fragte Lin halblaut.

»Ein unscheinbares Haus, nichts Besonderes«, raunte er ihr zu. »Ich habe vorn eine Wanze deponiert und war vorsichtshalber auch im Keller. Ein Fenster war nicht ganz geschlossen. Niemand war dort. Keine Menschenseele. Ich war vorsichtig, glaub mir.«

Ivo ging nun die Straße hinab, Richtung Brücke. Wie ein französischer Grandseigneur sah er aus. Schiefergraues Jackett, strahlend weißes Hemd, statt einer Krawatte ein dezent gemustertes Seidentuch, das er um den Hals geschlungen trug und das über dem zweiten Knopf in seinem Hemd verschwand.

»Wir sind bei dir, Ivo«, flüsterte Lin in das Mikrofon, das ihr Edin am Vorabend aus einer Freisprechvorrichtung für Handys gebastelt hatte.

»Mmmh«, kam es deutlich hörbar von Ivo zurück.

Die Brücke über den Ibar passierte er, ohne anhalten zu müssen, ebenso wie die drei, die ihm in großem Abstand folgten. Sie wussten, dass er in die übernächste Straße rechts einbiegen musste. Niemand schien in dem Gebäude zu wohnen. Ebenerdiger Eingang mit von innen blickdicht verhängten Fenstern. Ein Schild, das zwei später hinzugefügte schwarze Balken kreuzten, deutete auf eine verlassene Arztpraxis oder ein medizinisches Labor hin. Ein Wort wie »Medizinzentrum« ließ sich noch ausmachen. Tariq hatte von einem anderen Standort aus mit seinem Fernglas den ersten Stock ausgespäht, ein einfaches Labor, wie es schien. Keine Klingel.

Lin stand mit Edin am anderen Ende der Straße, die leicht nach rechts abbog. Sie überblickten die Fassade gerade noch, doch man konnte sie von dort nicht erkennen. Tariq war vis à vis des Eingangs zur Praxis über eine Mauer auf ein mit Müll übersätes Grundstück geklettert. Er konnte mit Lin über eine Art Walkie-Talkie sprechen, aber nicht mit Ivo. Tariq sollte die Vorgänge im Haus über eine Wanze verfolgen, die Edin am Vorabend ins Holz des Fensterrahmens eingesetzt hatte. Zur Sicherheit, falls mit dem Chip in Ivos Ohr irgendetwas schiefgehen sollte.

»Toi, toi, toi!«, flüsterte Lin in ihr Mikro, als Ivo bereits angeklopft hatte. Die Antwort war ein gehauchtes: »Hmmm.« Dann wurde die Tür von innen geöffnet. Erst zeigte sich nur ein Arm, der die Tür aufhielt.

»Dobro dan, gospodin«, hörte Lin Ivo sagen, »ich bin hierherbestellt worden.« Der Arm öffnete die Tür weiter und enthüllte einen Mann in einem weißen Kittel. Von Weitem war sein Gesicht nur als eine blasse Fläche zu erkennen.

»Ein typischer Slave«, flüsterte Edin, der neben ihr die Augen an ein Fernglas presste.

»Kommen Sie, kommen Sie«, hörte Lin den Mann im Kittel Ivo hereinbitten, eine geschäftige Stimme. »Nehmen Sie bitte hier Platz, der Doktor ist gleich bei Ihnen.«

Ivo hörte sofort, dass der Mann den serbischen Dialekt der Gegend sprach. So wie er selbst.

Es wird ihm nicht entgangen sein, dass ich auch von hier bin, dachte Ivo zufrieden. Er setzte sich auf den Hocker im Flur, die einzige Sitzgelegenheit weit und breit. Und schwieg, bis der Mann wiederkam. Ein bäuerliches Gesicht, das keinen eigenen Ausdruck zu haben schien und von Nahem ungesund aussah. Die flachsblonden, schon dünnen Haare fielen ihm als Fransen in die hohe Stirn. Ein Gesicht, dessen Bestandteile zur Nase hin orientiert zu sein schienen, spitz nach vorne, was ihn wie ein Fuchs aussehen ließ. Helle, graugrüne Augen sahen Ivo an. Solche Typen sind zu vielem fähig, dachte er. Sie waren willige Helfer, wie man sie überall fand, wo es Schmutz zu beseitigen gab.

Aber vielleicht schloss man bei groben Zügen auch zu unrecht auf grobe Charaktere, wandte Ivo gegen die eigene Überlegung ein. Er wusste nur zu gut, dass diese Verallgemeinerung nicht immer zutraf. In der Grobheit der Gesichtszüge standen sich bäuerliche Albaner und bäuerliche Serben nicht nach. Beide liebten die zu kurz geschorenen Frisuren, die meist aussahen, als sei das Haar beim Trocknen auf dem Kopf eingegangen. Typisch auch das Kinn, das mit aller Kraft an den Hals gedrückt wurde, was ihnen eine Anmutung von trotzigem, bäuerlichem Stolz verlieh.

Außer ihm selbst schien kein weiterer Patient im Haus zu sein. Den schmalen Flur durchzog ein leichter Geruch von Medizin. Er schien nicht nur die Botschaft von Sauberkeit zu enthalten, sondern zugleich auch Spuren von Fäulnis und Exkrementen zu verströmen, gewissermaßen das Nichtganz-Getilgte.

»Kommen Sie bitte«, forderte der Mann mit dem Fuchsgesicht Ivo auf und öffnete die Tür zu einem kleinen Sprechzimmer. Hinter dem abgenutzten Schreibtisch aus Metall erwartete ihn, selbstbewusst zurückgelehnt, ein zweiter Mann. Ivo schätzte ihn auf Ende fünfzig. Vor allem der üppige Schnurrbart fiel an ihm auf, lang und grau. Wie bei einem Walross verdeckte er den Mund bis über die Unterlippe. Seine Gesichtshaut wirkte grau und dick, die brillenlosen dunklen Augen glänzten stark wie im Fieber. Der Kittel sah blütenweiß aus.

Ivo blieb einen Augenblick im Türrahmen stehen, um sich zu orientieren. Direkt vor ihm, über der Lehne eines Stuhls, hing ein silberglänzendes Blutdruckmessgerät. Neben der Tür stand eine alte Waage mit Messingschalen und kleinen Gewichten aus Eisen. Auf zwei glänzenden Nierenschalen türmten sich Tüten mit Inhalten, die nach Einmalkanülen aussahen. An einer Wand hing ein bunter Abreißkalender. Ivo setzte sich auf den Stuhl vor dem Tisch, den der Mann ihm wies.

Der Grauhäutige mit dem Schnurrbart räusperte sich: »Ich bin Doktor Matovic, der Internist. Ich werde Ihre Verfassung untersuchen, Laborwerte, allgemeine Befindlichkeit und so fort. Sie bleiben zwei Tage hier bei uns, bis wir mit der ersten Untersuchung fertig sind. Dann sollten Sie zu Hause warten, bis wir Sie für den Eingriff abholen. Haben Sie verstanden?«

Ivo nickte. »Das ist so weit in Ordnung«, sagte er, »auch wenn ich nicht wusste, dass ich zwei Tage hierbleiben muss. Ich wäre darauf gern vorbereitet gewesen. Sie wissen vielleicht, dass ich nur einen Teil meiner Leber verkaufen will. Wo wird das gemacht, auch hier? Und wie hoch ist die Summe, die ich in bar in Euro bekomme?« Ivos Stimme zitterte hörbar. Er konnte diesen Effekt willkürlich auslösen.

»An welche Summe hatten Sie denn gedacht?«, fragte der Arzt, dem Ivos vermeintliche Aufregung nicht entging, in beruhigendem Ton. »Fünfzigtausend Euro«, antwortete Ivo. »Sie wissen davon gar nichts?«

Matovic sah ihn nun direkt an: »Doch, wahrscheinlich schon. Aber erst müssen wir die Untersuchungen abgeschlossen haben, dann folgt der geschäftliche Teil. Einverstanden?«

Ivo nickte so ehrfürchtig er konnte. Matovic fühlte sich nur für das Medizinische verantwortlich. Das Finanzielle würden andere regeln, wenn überhaupt. Die meisten Spender, die der Arzt für eine Transplantation vorbereitet hatte, waren leider bei dem Eingriff verstorben. »Ich nehme Ihnen jetzt Blut ab, etwas mehr, als Sie es vielleicht gewohnt sind«, sagte Matovic freundlich. »Dann ruhen Sie sich aus, am besten gleich hier. Und morgen früh werden wir alles Weitere besprechen, wenn die Ergebnisse vorliegen.« Ivo nickte. Gemeinsam gingen sie hinüber in einen kleinen Raum, der offensichtlich zum Blutabnehmen bestimmt war. Eine Armstütze am Stuhl, zwei Unterschränke aus Resopal, Nierenschalen mit Spritzen.

Matovic band ihm den linken Arm ab und stach mit einer dünnen Nadel in eine Vene. Ivo wusste, dass das bei ihm leicht gelang. Der Arzt füllte drei Glasröhrchen mit Blut und drehte sich zur Ablage auf den Schränken um. »Das wird Sie wieder aufbauen«, sagte er, als er sich wieder zu ihm umdrehte. Ivo sah die Injektionsnadel nicht, aber er spürte den feinen Stich im Oberarm. Er fühlte, dass er kurz davor war, das Bewusstsein zu verlieren.

»Mir ist schlecht«, stöhnte er, »ich werde ohnmächtig.«

Matovic sah ihm zu und lächelte freundlich: »Das macht nichts, Sie werden sehr tief schlafen und nicht auf die Idee kommen, sich bei uns noch irgendetwas anders zu überlegen.«

Die »Ivo, Ivo«-Rufe im Ohr seines Patienten konnte der Grauhäutige nicht hören, aber auch der Serbe hörte sie nicht mehr.

Lin war erschrocken darüber, wie sich die Dinge plötzlich zu entwickeln begannen. Diese Typen waren Profis, ganz offenkundig. Sie versuchten, sofort die Kontrolle zu übernehmen. Wir haben gewusst, dass sie vom Plan abweichen könnten, versuchte sich Lin selbst zu beruhigen, Ivo kann so schnell nichts passieren. Auch ein Durchleuchtungsgerät würde den Chip nicht als etwas Besorgniserregendes entdecken. Sie werden dir nichts tun, Ivo, solange sie dir noch kein Organ entnommen haben. Edin, der gemeinsam mit Lin den Chip in Ivos Ohr abhörte, versuchte mit Achselzucken und Handzeichen herauszufinden, ob sie sofort eingreifen sollten Lin schüttelte ablehnend den Kopf und deutete durch kreisförmige Bewegungen der Hand an, dass sie weiter abwarten wollte.

Edin hielt ihr ein Stück Papier und einen Kugelschreiber hin. »Es ist noch zu früh für einen Abbruch«, kritzelte sie darauf. »Aber wir müssen jetzt verdammt gut aufpassen.«

Als Ivo bewusstlos fast vollständig vom Stuhl geglitten war, hob der Grauhäutige ein Funkgerät an die Lippen: »Ihr könnt ihn jetzt holen. Bringt ihn rauf, ihr wisst ja, wohin. Aber vorher durchleuchtet ihr seinen Körper, einmal komplett.« Zwei Helfer erschienen in der Tür, einer von beiden war der Mann mit dem Fuchsgesicht. Der zweite sah wie dessen jüngerer Bruder aus, nur dunkelhaarig statt flachsblond. Matovic deutete auf Ivos Körper. »Seht zu, dass er sich nicht verletzt. Wir brauchen ihn noch. Aber sagt mir sofort Bescheid, wenn ihr etwas bei ihm findet.« Einer der beiden Helfer beugte sich am Kopfende zu Ivo hinab, der andere an den Füßen. Dann hoben sie ihn an und trugen ihn zur Tür. Der, der das Kopfende trug, wandte sich zu Matovic um, als er mit seinem Teil der Last an der Tür angelangt war: »Sollten wir ihm etwas zu essen geben, Doktor? Ich nehme an, er hat heute noch nichts gegessen.«

Matovic zögerte nicht lange. Dann sagte er mit einer Stimme, die keinen Widerspruch erlaubte: »Wenn morgen die OP ist, wäre das nicht klug. Er schläft bis dahin, er wird keinen Hunger haben.«

Lin fand schon den Satz mit dem fehlenden Hunger besorgniserregend. Aber musste die Änderung der Abläufe auch gleich Lebensgefahr für Ivo bedeuten? Sie hatte alles mitgehört, sogar Edins Fensterwanze hatte die Gespräche klar und deutlich übermittelt. Ivo wusste, dass die Aktion mit Risiken und vielleicht auch mit Schmerzen verbunden sein konnte, dachte sie. Er hatte sich trotz allem damit einverstanden erklärt. Matovic und seine Leute prüften jetzt per Durchleuchten, ob er verkabelt war. Lin ging vage etwas im Kopf herum, das sie nicht konkretisieren konnte. Es war etwas, das sie nur mit halbem Ohr mitbekommen hatte und das zu dieser Situation gehörte. Sie kam nicht darauf.

»Ich hatte vor, mich heute Nacht mal dort im ersten Stock umzusehen«, sagte eine Stimme neben ihr, es war Edin. Sie schalteten den Empfang für einen Augenblick ab.

»Ich denke, wir sollten lieber kein Risiko eingehen«, entgegnete Lin, die sich mit steifen Gliedern von der Hauswand löste, an der sie die ganze Zeit gelehnt hatte. »Was meinst du, Tariq?« Sie lauschte in ihr Funkgerät.

»Ich seh das anders. Ich hätte sogar große Lust, zusammen mit Edin reinzugehen«, schnarrte es aus dem Walkie-Talkie. »Aber ich denke auch, es ist dafür noch zu früh. Wir riskieren nur, dass der Versuch abgebrochen werden muss, bevor er richtig begonnen hat.« Tariq schwieg ein paar Sekunden. Dann schnarrte es erneut aus Lins Empfänger: »Ich habe kein gutes Gefühl dabei, Ivo jetzt dortzulassen. Was wäre, wenn sie ihn einfach ausschlachten und morgen seine Leiche entsorgen? Hast du daran auch schon gedacht?«

Lin schaltete auf Sprechen: »Das habe ich. Aber ihn einfach auszuschlachten würde ihnen nicht viel bringen. Solange sie nicht wissen, wie es um die einzelnen Leberwerte von Ivo bestellt ist, nützt ihnen das Organ gar nichts. Diese Ergebnisse liegen nicht vor morgen vor. Wenn das Geschäft klappen soll, dann darf zwischen der Organentnahme und der Transplantation nicht viel Zeit liegen. Das heißt, sie werden das Organ nicht herausnehmen, wenn der Empfängerbote nicht schon vor der Tür steht.«

Sie wandte sich nach Edin um, der neben ihr stand. »Würdest du über Nacht hier bleiben, falls sie Ivo woanders hinfahren?«

Edin nickte. Lin nahm ihr Walkie-Talkie auf: »Tariq, Edin wird über Nacht hier sein. Wir bleiben auf Stand-by.«

Es knatterte am anderen Ende. »Okay!«

In dem Moment fiel Lin ein, was sie zuvor gestört hatte. Es war von »Ihr wisst ja, wohin« die Rede gewesen. Wozu benutzte dieser Mann eine solche Formulierung, wenn es nur ein einziges Zimmer im Haus gab, in das man Ivo bringen konnte? Eilig winkte sie Edin zu sich und riss gleichzeitig das Walkie-Talkie hoch: »Wisst ihr, was mich beunruhigt? Warum reden die von dem Ort, an den sie ihn jetzt bringen, von ›ihr wisst ja, wohin‹? Warum sagen sie nicht einfach nur ›nach oben‹? Oder ›in den Keller‹?«

Edin begriff als Erster. Er stellte den Chip wieder auf Empfang: »Ich höre ihn nicht mehr atmen. Die Verbindung ist unterbrochen.«

Lin lauschte in ihren Kopfhörer hinein. Sie atmete ganz flach, um kein Geräusch zu überhören. Nach einer Minute sagte sie: »Was ist da passiert? Könnten sie ihn rausgefahren haben?« Lins Stimme klang schrill.

Sie rief Tariq auf dem Walkie-Talkie: »Kannst du uns das erklären? Hörst du noch etwas?«

Tariq hörte über die Wanze noch die Eigengeräusche der Räume, Atmosphäre. Entfernte Schrittgeräusche im Haus, Stimmen von Weitem. Keine Spur von Ivo.

Sie gingen zu Tariq ans andere Ende der Straße. Lin rekapitulierte nervös: »Was ist da los? Was könnten die mit ihm gemacht haben?«

Edin unterbrach sie: »Das Haus hat insgesamt drei Ein- und Ausgänge, vorne einen, hinten zwei. Es ist natürlich auch an die Kanalisation angeschlossen, aber ich schätze, da transportiert man hier besser keine Menschen durch, denen man Organe entnehmen will. Mir ist im Haus nichts Besonderes aufgefallen.«

Lin fuhr fort: »Das bedeutet doch: Entweder, man hat ihm das Ohr abgeschnitten, dann würde der Chip aber allein weiter empfangen und senden. Wenn man ihn nicht zertreten hat. Oder man hat Ivo fortgebracht, irgendwohin, wo kein Empfang mehr möglich ist …«

Edin unterbrach sie erneut: »Oder er liegt im Haus in einem schall- und sonstwie technisch abgeschirmten Zimmer. Du kennst das aus ICE-Zügen bei euch in Deutschland, da gibt es Abteile, in denen kein Handy funktioniert. Das könnte auch hier der Fall sein. Eine Art funktechnische Gummizelle.«

Lin nickte: »Das heißt aber, dass wir zu Ivo keinen Kontakt haben und er irritiert sein könnte, wenn er aufwacht und wir in seinem Ohr nicht mehr da sind. Kannst du irgendetwas tun?«

Edin legte den Kopf schräg: »Wenn sie ihm das Ohr abgeschnitten hätten, sähe es für Ivos Zukunft gar nicht mehr gut aus. Aber ich vermute, wenn die Transplantation, die sehr viel Geld bringt, wirklich bevorsteht, fällt so ein Chip, selbst wenn er geortet würde, unter Sonstiges.« Dann fügte er hinzu: »Es sei denn, sie würden den Chip als Chip entdecken. Dann würden sie vermutlich auf die Organentnahme verzichten und ihn töten.«

Lin sah ihn besorgt an: »Was schlägst du vor?«

Tariq, der seit seiner Ankunft geschwiegen hatte, mischte sich ein: »Ich kann mir nicht vorstellen, dass sie den Chip wirklich entdeckt haben. Dann hätte es Diskussionen im Haus gegeben, die hätten wir gehört. Ich glaube, Edin hat recht mit der Vorstellung, dass es eine Art technische Gummizelle gibt.«

Lin nickte. »Der Chip sieht aus wie ein Hörgerät der neuesten Generation. Und er ist an der Stelle angebracht, am Mastoiden, dem Knochen hinterm Ohr, an der Hörgeräte getragen werden. Das würde bedeuten, wir warten ab bis morgen, hören aber die ganze Nacht über im Wechsel auch über die Zusatzwanze besonders genau hin?«

Beide waren einverstanden.

»Und Edin könnte, so geschmeidig wie ein Fisch im Wasser, heute während der Nachtstunden vorsichtig nachsehen. Was meinst du, Edin?«

Er nickte. »Das meinte ich vorhin. Wir müssen wissen, ob unsere Annahmen zutreffen.« Lin waren Edins vorherige Äußerungen über das Innere des Hauses nicht entgangen. Sie beschloss jedoch, ihn erst später danach zu fragen.

Sie standen auf der Straße noch zusammen, als Edin plötzlich wie gebannt in seinen Kopfhörer lauschte. Er machte den beiden ein Zeichen, still zu sein. Zwei Minuten vergingen so. Um Ivo nicht zu stören, kritzelte er etwas auf ein Stück Papier und reichte es Lin.

»Es kommen zwei Männer die Treppe herunter. Sie sagen etwas wie: ›Der merkt vor morgen Mittag nichts mehr. Da oben wird ihn auch niemand stören.‹«

Lin flüsterte: »Also lebt er. Aber woher kannst du als Albaner so gut Serbokroatisch?«

Edin hielt sein Mikro mit der Hand zu und flüsterte: »Ich war in der jugoslawischen Armee. Schon vergessen?«

Tariq übernahm die erste Abhörschicht. Er spazierte im Viertel umher, die Kopfhörer wie die eines Walkmans über den Ohren, das restliche Equipment steckte in den Jackentaschen. Bis Lin ihn um elf Uhr ablöste, war nichts Besonderes vorgefallen. Manchmal Schritte im Haus, die mit dem Licht korrespondierten, das ein- und ausgeschaltet wurde.

Lin kam in dem jugoslawischen Jeep angefahren. Zu Fuß konnte sie als Frau allein nachts nicht durch die Straßen gehen, in keinem Teil von Mitrovica. Tariq umarmte sie zart, bevor er sich zurückzog. Absurd, dass es Serben sein sollten, die ausgerechnet im albanischen Teil der Stadt Organhandel betrieben, dachte Lin. Um nicht einzuschlafen, versuchte sie, alles was ihr von gestern noch ungereimt erschien, in Gedanken noch einmal durchzugehen. Die Organe müssen rasch ausgeflogen werden. Da sie mit Albanern zu kooperieren scheinen, wird es nicht Belgrad, sondern eher der Flughafen von Tirana in Albanien sein. Oder der kosovarische von Pristina. In Tirana gab es nicht so viele internationale Verbindungen. Nein, es wird Tirana sein. Dafür müssten wir gerüstet sein. Lin rutschte tief in den Fahrersitz und bedeckte sich so mit ihrem Mantel, dass sie von außen kaum wahrzunehmen war. Mit der Rechten tastete sie nach der Heckler & Koch, 9 mm, die sie unter ihrem Oberschenkel verbarg. Alles war still, sie hörte nicht einmal Schritte.

Hoffentlich übersteht Ivo das alles, dachte sie.

Ab zwei Uhr nachts wirkte die Stadt wie ausgestorben. Die Stille selbst wirkte wie eine Alarmanlage, jeder Schritt, jedes Geräusch war weithin zu hören. Wenn die ersten Sonnenstrahlen das Dunkel aufhellten, begann die Stunde, die Lin in allen Städten der Welt am liebsten war. Sie nannte sie für sich l'heure blanche, die weiße Stunde. Lin hatte nie verstanden, warum man diesen unschuldigen, friedlichen Augenblick als das Morgen*grauen* bezeichnete. Lin empfand ihn als eine Art heiliger Stille, eine Stimmung, die, gleich wo auf der Welt, mit den ersten Momenten der Dämmerung einsetzte. Die Stadt, bevor sie sich bereit machte für einen neuen Lauf. Im Haus gegenüber war alles dunkel. Gegen vier Uhr klopfte Edin sacht an die Scheibe ihres Seitenfensters. Dann stieg er auf der Beifahrerseite zu ihr ein.

»Alles im grünen Bereich«, sagte er nur.

»Was ich dich gestern schon fragen wollte«, sagte Lin. »Wie sah es da drin eigentlich aus, gestern?«

Edin sah sie an: »Ich bin hinten durch eine unverschlossene Tür reingegangen und zehn Minuten später wieder hinaus. Niemand hat mich gesehen. Aber ich ...«

Lin unterbrach ihn mit einer Geste. Sie hatte im ersten Stock des Hauses Licht aufflammen sehen. Edin war ihrem Blick gefolgt und sah sie fragend an. Lin konzentrierte sich vollständig aufs Hören. Keine Schritte. Keine Stimme. Nur das Licht. War Ivo aufgewacht? Edin hatte den Kopfhörer aufgesetzt, um das Geschehen im Haus über den Chip mitzuhören. Parallel dazu verfolgte Lin die Kommunikation im Haus über die Wanzen und Sender, die Edin platziert hatte.

»Gibt es denn hier keine Toilette?«, wiederholte Edin den Satz, den er gerade am anderen Ende verstanden hatte. Lin vernahm ein lang gezogenes »Oooouuuuhhh«, wie von einer Person, die dringend ein WC brauchte.

»Es ist Ivo«, flüsterte Edin Lin zu, »offenbar geht es ihm gut.« Dann polterten Schritte die Treppe hinauf.

»Was ist los?«, hörten sie eine Männerstimme fragen. »Ich müsste dringend zur Toilette.« Eine Tür wurde aufgestoßen, Ivo konnte sich erleichtern. »Bleiben Sie jetzt bitte in Ihrem Zimmer«, sagte die Männerstimme.

»Ich weiß übrigens genau, wo er hingebracht wurde«, nahm Edin das Gespräch wieder auf. Lin sah ihn fragend an. »Während du das Hausinnere abgehört hast, war ich noch einmal drinnen. Es ist, wie angenommen, eine technische Gummizelle im oberen Geschoss. Sie war sogar unverschlossen, man hat Ivo in einen Tiefschlaf versetzt. Selbst wenn er wach ist, um aufs Klo zu gehen, wie eben, dürfte er benommen sein. Unten kam ich außerdem am Labor vorbei, wo die Röntgenaufnahmen liegen. Ivos Kopf wurde offenbar nicht durchleuchtet. Ich wollte dir also gerade berichten, dass ich Ivo in diesem Raum gesehen habe, aber ich hätte dir nicht sagen können, ob er noch am Leben ist. Das hat er uns nun selbst gesagt.«

Lin ärgerte der Alleingang von Edin, sie sah ihn mit hochgezogenen Augenbrauen an. »Du musst so etwas absprechen, Edin. Ich muss wissen, wo jeder von uns steckt. Hier kann sich alles binnen Minuten zuspitzen, und ich weiß nicht, wo meine Leute sind.«

Edin machte eine zerknirschte Miene. »Du hast recht, was die Absprache angeht. Aber nicht einmal du am Abhörgerät hast irgendetwas davon bemerkt, dass ich dort war. Das ist doch die Hauptsache, oder?«

Lin kniff ihn in den Oberarm. »Klar bist du super, keine Frage. Aber bitte keine solchen Alleingänge mehr. Versprochen?« Edin hob die Hand wie zum Schwur.

Lin wusste, dass sie mit Edin nicht reden konnte wie mit Florim.

Edin war Elitesoldat gewesen. Sie musste zulassen, dass er auch im Alleingang unterwegs war, wenn er es für richtig hielt. »Entschuldige, Edin«, sagte Lin leise, »ich verhalte mich immer noch so, als seist du Florim.«

Er streichelte ihr mit dem Handrücken über die Wange. »Du weißt doch, dass am Ende alles zusammenläuft, so wie es soll.« Er steckte mit ein paar Handgriffen einen seiner Kopfhörer an den Empfänger, der auf die Wanze eingestellt war. Sie hörten jetzt parallel, Lin hatte zusätzlich den Empfänger von Ivos Chip über ihr rechtes Ohr gesteckt.

»Erzähl mir von den Untersuchungsergebnissen. Was genau hast du einsehen können?«, fragte Lin. »Du sagtest, sie hätten den Kopf nicht durchleuchtet. Was könnte der Grund dafür sein?«

Edin war sich nicht sicher: »Entweder sie haben bemerkt, dass er ein Gerät im Ohr hat, und halten es für ein Hörgerät, das sie mit den Röntgenstrahlen nicht beschädigen wollen.« Lin ergänzte die Überlegung: »Oder sie haben es entdeckt und glauben an ein Abhörgerät.«

Sie sah Edin an. »Hast du die Blutuntersuchungen überfliegen können?«

Er nickte. »Das wäre auch ein Grund, warum sie ihn eher pfleglich behandeln, wenigstens zu diesem Zeitpunkt. Er hat Blutgruppe null, wenn ich das richtig gelesen habe, aber das besagt noch gar nichts. Soweit ich weiß, ist das Kell-System innerhalb der Blutgruppe fast wichtiger. Für eine Transplantation sollte man möglichst Kell-negativ sein, weil die Mehrheit der Menschen Kell-negativ ist. Sie werden noch dabei sein, die Blutgruppensysteme zu untersuchen. Wir werden bald sehr gut auf ihn aufpassen müssen.«

Lin sagte mit Spott in der Stimme: »Du klingst, als seiest du Mediziner.«

Edin antwortete kühl: »Erstens habe ich aus meiner militärischen Spezialausbildung Kenntnisse auch über Medizin. Zweitens habe ich mich im Internet über unser Thema Organentnahme schlaugemacht. Was dagegen?«

Lin strich ihm freundlich über den Rücken. »Natürlich nicht. Ich bin stolz, dass du dich uns angeschlossen hast. Wenn sie das Organ einmal entnommen haben oder Teile davon, müssen die binnen 24 Stunden implantiert sein. Dann geht es schnell, du hast recht. Aber all diese Überlegungen setzen voraus, dass die Herrschaften hier sich an die Regeln der Transplantation halten.« Davon ging keiner von ihnen aus.

Drüben im Haus waren jetzt schlurfende Schritte zu hören. Eine ältere Person, vermutete Lin. Vom Keller her kamen zwei Männer näher, Serben, wie man hörte. Sie stritten sich über ein Fußballspiel. Einer sagte: »Schläft der noch oben?« Eine andere Stimme antwortete: »Wir wecken ihn gleich auf. Er wird noch viel Zeit zum Schlafen haben.« Lin hatte so etwas befürchtet. Wir müssen im richtigen Moment schneller sein, dachte sie.

Doktor Matovic kam gegen 7 Uhr ins Haus. Er betrat es offenbar durch einen der beiden Hintereingänge. Im Arztzimmer streifte er sich den Kittel über. »Ist das Labor fertig?«, fragte er jemanden, vermutlich das Fuchsgesicht, ohne vorher zu grüßen. Der brummte etwas. Matovic ging hinüber in den Laborraum, es war Blätterrascheln zu hören. Offenbar sah er die Blutwerte durch. Dann wählte er eine Nummer auf einem Handy und sprach hinein: »Die Ergebnisse unseres Kandidaten sind großartig. Ich lasse euch die Werte faxen. Dann schlage ich vor, dass wir sein Herz genau untersuchen. Ich denke, das wird ihm einleuchten. Bei einer Lebendspende muss doch alles stimmen.« Der Angerufene am anderen Ende schien einverstanden zu sein.

Tariq war inzwischen wiedergekommen. Alle drei hatten sie das Telefonat im Haus mitgehört.

»Wir lassen sie Ivos Herz untersuchen, aber dann wird es heikel. Ich kann mir nicht mehr vorstellen, dass sie die Operation hier vornehmen wollen. Sie müssten dann mit den empfindlichen Transplantaten den beschwerlichen Landweg nehmen bis Tirana, ein Helikopter wäre auch nicht gerade unauffällig. Sie müssen den lebenden Ivo zur OP irgendwohin bringen. Sie können ihn aber auch nicht unüberlegt mit Medikamenten betäuben, das wäre für die Leber nicht gut. Sie dürften keine Chance haben, ihn wegzubringen, ohne dass wir das merken.«

Die beiden anderen nickten. Das war der wundeste Punkt von allen. Wenn sie Ivo mit einem Hubschrauber ausfliegen, dann haben wir ein Riesenproblem, dachte Lin, dann hätten sie uns ausgetrickst.

»Was könnten wir tun, wenn sie ihn doch wegbringen?«, fragte Lin die anderen. Edin und Tariq schwiegen nachdenklich. »Wir haben hier keinen Heli bereitstehen«, gab Tariq zu bedenken. »Und selbst wenn, könnten wir einem anderen Flieger wohl kaum unbemerkt folgen. Aber vielleicht haben wir ja Glück, und der Eingriff findet doch hier statt, wie geplant.«

Lin seufzte tief.

29

Es war kurz vor 9 Uhr, als Lin auf ihrem Handy den Anruf erhielt. »Kommissar Olaf Marco von der UN-Police in Pristina. Guten Morgen, Frau Baumann. Wir ermitteln im Fall Florim Arifi und andere. Kommen Sie umgehend hierher, damit wir mit Ihnen sprechen können.« Er sagte nicht etwa »könnten Sie bitte« oder »wäre es möglich«.

Lin fiel das sofort auf. »Herr Kommissar, ich stecke gerade mitten in einer Recherche, hätte das auch Zeit bis morgen?«

Die Antwort kam so schnell, als hätte er mit dem Einwand bereits gerechnet. »Nein«, kommandierte er mit einer Stimme, deren autoritärer Ton keinen Zweifel ließ, »Sie kommen sofort. Wir haben neue Erkenntnisse.«

Lin überlegte kurz, komisch war das schon. Aber Polizei in Uniform, die in Streifenwagen herumfuhr, konnte sie bei der Beschattung in Mitrovica gar nicht gebrauchen. Sie sagte Marco zu.

»Irgendetwas nicht in Ordnung?«, fragte Edin, auch Tariq sah sie fragend an. Lin gab das Telefonat wieder.

»Merkwürdig«, sagte Tariq, »warum legen die jetzt auf einmal so ein autoritäres Gehabe an den Tag? Das verstehe ich nicht. Es muss jemand Neues sein, denn den Namen Marco habe ich jedenfalls unter den Kommissaren in Pristina noch nie gehört. Ich trainiere im selben Studio wie viele der Polizisten, ich dachte, alle ihre Namen zu kennen.«

Edin schlug vor, Lin zu verpacken, wie er das nannte. Mikros, Bewegungsmelder, das ganze Programm.

Lin war nicht einverstanden. »Wenn es faul läuft, finden sie die Dinger sowieso. Was mir dabei Kopfschmerzen macht, ist Ivo. Wir können jetzt nicht einfach alles abbrechen.«

Tariqs Stimme klang so ausbalanciert, als käme er gerade

aus einer Zen-Meditation: »Du fährst da jetzt hin, Lin, das kann ja nicht lange dauern. Edin und ich kümmern uns um Ivo. Wenn wir den Eindruck haben, er wird weggebracht, holen wir ihn im Zweifelsfall raus. Vielleicht ist es sogar besser, Edin und ich machen das allein. Wir sprechen beide Serbokroatisch, das macht vieles leichter, verstehst du?«

Lin sah ein, dass dies die einzige Möglichkeit war, der einzig vernünftige Weg.

»Was ist wohl mit diesem Marco?«, fragte Edin.

Lin zuckte nur mit den Schultern.

Kurz vor zehn Uhr setzte sie sich in den alten, weißen Jeep, den sie am liebsten fuhr, wenn sie alleine unterwegs war. Es herrschte wenig Verkehr auf den Straßen. Vierzig Minuten später parkte sie in eine Lücke am Straßenrand ein, gegenüber dem Zentrum der UN-Police. Dann wählte sie auf ihrem Handy die Nummer von Nico in Berlin. Zur Sicherheit. Es meldete sich nur der Anrufbeantworter. »Ich bin's, Lin. Ich gehe jetzt auf Wunsch von Kommissar Olaf Marco von der Polizei Pristina in dessen Büro im Zentrum. Es hat angeblich neue Erkenntnisse zu Florim. Und ich vermisse dich sehr. Wenn alles glattläuft, telefonieren wir heute Abend. Ich sage das, weil ich keinen Kommissar Marco bei der Polizei kenne und weil mir dessen Auftritt komisch vorkam. Falls du nichts von mir hörst, informiere bitte meine zwei Partner. Hier die Telefonnummern ...«

Kriminalkommissar Olaf Marco, mit Betonung auf dem O am Ende, erwies sich als Deutscher. Er führte die Ermittlungen in Sachen Florim und wirkte gar nicht unsympathisch. Dichtes, schwarzes Haar, glatt rasiert, in Jeans und blauem Leinenjackett. Leichter Bauchansatz, im Gesicht ein fast jungenhaftes Lächeln. Seine Stimme klang jedoch überspannt, beinahe hysterisch. Als würde er von etwas angetrieben, das für Lin nicht zu erkennen war. Vielleicht kokst er ja, dachte Lin.

»Sie waren damals völlig unbewaffnet, Frau Baumann?«, fragte Marco.

Lin nickte. »Ich darf hier im Ausland gar keine Waffe tragen, das wissen Sie doch. Wie hätte ich die denn über die Grenzen hierher bringen sollen?«

Marco lächelte fein. »Ihr Ruf als Privatdetektivin ist zwar sehr gut, Frau Baumann. Aber wir haben vier Tote am Tatort gefunden, einer davon war Ihr Mitarbeiter. Ich muss Sie vorübergehend festnehmen. Sie haben ja selbst eingeräumt, dass Sie mit am Tatort waren.« Dann fügte er hinzu: »Ich hoffe, das geht ohne die hier.« Lächelnd hielt er silberglänzende Handschellen hoch.

»Wo wollen Sie denn hin mit mir?«, fragte Lin.

Der Kommissar antwortete nicht.

»Glauben Sie mir«, sagte sie, »dass mein Kollege und Freund Florim erschossen wurde, hat mich schwer getroffen. Ich habe selbst großes Interesse daran, dass die Sache aufgeklärt wird. Wenn Sie glauben, mich festnehmen zu müssen, dann tun Sie das. In diesem Fall müsste ich meine Mitarbeiter noch kurz informieren …«. Lin hatte die drei Buchstaben schon eingegeben, bis der Kommissar neben ihr war und ihr das Handy entriss. Die Mini-Nachricht war schon gesendet. SOS. Edin würde das schon richtig verstehen.

Marco zuckte nur mit den Achseln: »Es wird Ihnen nicht viel nützen.« Der Kommissar drängte zum Aufbruch. Als Lin auf dem Weg nach unten die nächste Treppe nehmen wollte, die zu den Arrestzellen führte, rief er sie zurück. »Nicht dort hinunter. Wir fahren.«

Vielleicht will er mit mir zum Tatort, dachte Lin.

Eine Patrouille wartete in dem Geländefahrzeug, einem nach den Seiten offenen, olivgrünen Jeep mit Planenverdeck. Zwei schweigsame Polizisten nahmen Lin auf der Rückbank in die Mitte. Der Kommissar saß auf dem Beifahrersitz. Fahrtwind kühlte die Haut.

»Wo wollen Sie denn hin mit mir?«, fragte Lin zum zweiten Mal. »Soll das eine Tatortbegehung werden?«

Marco ließ sich mit der Antwort Zeit. »Nicht direkt, Frau Baumann«, sagte er und dehnte dabei die Worte genüsslich, »ich überstelle Sie nur in ein anderes Gefängnis. Wir fahren nach Prizren. Die Arrestzellen von Pristina wären nicht das Richtige für Sie. Wissen Sie, ich war ein enger Freund von Tom Weicker, Sie erinnern sich noch an ihn?«

Lin sah nur starr geradeaus. Was sollte das hier werden? Und was sollte die Bemerkung über Tom?

»Übrigens«, fuhr der Kommissar fort, »ich bin auch ein Freund eines gewissen Herrn Wöller, den Sie, glaube ich, kennen. Wöller, der König des Kosovo.« Es klang nach Respekt und Hohn zugleich.

»Was wollen Sie, Marco, Tom Weicker war auch ein sehr guter Freund von mir. Er war auf dem Weg zu einer Verabredung mit mir, als er ermordet wurde. Schon vergessen?« Du Ratte, dachte Lin. Sie konnte spüren, wie sich in ihrem Inneren alles auf einen Punkt zusammenzog. Sie würden sie Wöller ausliefern oder sie in dessen Auftrag fertigmachen. Für Weicker und für Wöller. Niemand würde sich dafür interessieren, wenn die Polizei eine Frau auf der Flucht erschoss. Lin spulte innerlich alle noch so derben Flüche ab, die sie kannte. Warum habe ich nur nicht auf Edin und Tariq gehört? Dann erinnerte sie sich an die Nachricht, die sie Nico hinterlassen hatte. Und die Nachricht an Edin. Ganz so blöd war ich doch nicht.

Je schwächer ich mich fühle, desto angreifbarer bin ich, dachte Lin. Ich darf vor allem nicht verunsichert wirken. Ihre Stimme klang fest und selbstbewusst, als sie fragte: »Was soll jetzt mit mir passieren?«

Marco antwortete nicht. Er summte irgendeine Melodie.

»Soll das heißen, die UN-Police verschleppt eine deutsche Staatsbürgerin?«

Marco drehte sich zu ihr um und sah ihr in die Augen. »Wenn's sein muss. Seien Sie nicht so ungeduldig. Sie merken es schon früh genug.«

War weibliche Schwäche vielleicht doch die bessere Strategie? Lin versuchte, über die Kontrolle des eigenen Atems ruhiger zu werden. Ruhig einatmen, ruhig ausatmen. Tariq und Edin würden sie rechtzeitig finden. Sie hoffte es zumindest. Wo brachte man sie hin? Und was geschah inzwischen mit Ivo?

30

Lin ahnte, was auf sie zukam, in der Sekunde, als sie auf den Hof des Gefängnisses von Prizren einbogen. Das hohe, düstere Gebäude lag in einem Seitenviertel der Stadt, nicht weit von lebendigen Straßen mit Geschäften und Wohnungen. An Flucht war nicht zu denken. Die beiden Polizisten, die Marco begleiteten, hielten Lin zwischen sich eingeklemmt. Einen von ihnen hätte sie schaffen können, aber nicht drei Bewaffnete. An der Pforte schien man den deutschen Kommissar zu kennen. Als ob er täglich ein- und ausginge, mit Gefangenen und ohne. Marco grüßte freundlich oder deutete ein Kopfnicken an und ging weiter. Er schien genau zu wissen, wohin er wollte. Klamme Kühle schlug ihnen entgegen, so wie sie feucht-alte Gemäuer verströmen. Lin kannte diesen Ort.

In ihrer Zeit als Journalistin hatte sie in diesem Gebäude einmal an einer Führung teilgenommen. Man hatte ihr serbische Verbrecher präsentiert. Lin erinnerte sich deutlich an eine Frau, die rauchend in einem tristen Lichthof auf dem Steinboden gekauert hatte. Das war Jahre her. Das Gebäude wirkte noch immer verfallen und unrenoviert.

Marco führte Lin über die Treppen des verwinkelten Zellenbaus, indem er die rechte Hand auf ihre Schulter legte und sie vor sich herschob. Ein kalkweißer Streifen teilte den Boden in zwei Gehhälften. Abgeschaut in amerikanischen Gefängnissen oder Hollywoodfilmen, dachte Lin. Von draußen war bald kein Geräusch mehr zu hören, kein Motor, kein Hupen. Dafür schwollen die Innengeräusche an. Scheppern, Schritte, irgendwo erregte Stimmen. Es begegnete ihnen kein Wärter, kein Gefangener, niemand.

»Was haben Sie vor?«, fragte Lin halblaut nach hinten.

Marco antwortete in derselben Tonlage: »Das sehen Sie noch früh genug.«

Er steuerte den Zellenbau an, in dem es hinunter in den Keller ging. Zwei Wachmänner kamen ihnen entgegen, auch eine weibliche Bedienstete in Uniform. Sie senkten die Augen, sobald sie das Zweiergespann kommen sahen, dem die beiden Uniformierten mit zwei Metern Abstand folgten. Lin wurde niemandem vorgestellt, sie wurde auch nicht offiziell als Gefangene registriert. Sie durfte ihre Privatkleidung anbehalten. Ich bin illegal hier, und niemand nimmt es zur Kenntnis, dachte Lin. Wenn ich Pech habe, verschwinde ich im schwarzen Loch. Das Einzige, was sie von anderen Trägern von Privatkleidung in diesem Gebäude, etwa dem Kommissar, unterschied, bestand darin, dass sie – ohne formelle Verurteilung oder Anklage – eingeschlossen werden sollte. Es hat wenig Sinn, hier eine Szene hinzulegen, dachte Lin, dann fassen sie mich nur noch härter an.

Laut sagte sie zu Kommissar Marco: »Sie vergessen hoffentlich nicht, bei all dem, was Sie hier tun, dass Tom Weicker verurteilen würde, was Sie hier mit mir vorhaben.«

Die Antwort kam ohne Zögern. »Natürlich weiß ich das. Ihretwegen wurde er ja umgebracht. Ihretwegen!« Marcos Stimme hallte in dem kahlen Flur.

»Und aus Rache begraben Sie jetzt mich hier?«, fragte Lin. Sie versuchte, sich nach ihm umzudrehen. Aber Marco hielt sie mit eiserner Hand fest.

Er ignorierte ihre Frage: »Hier sind wir schon.« Marco schloss eine stählerne Zellentür auf und schob sie hinein. »Noch viel Vergnügen da drin.« Dann hörte man ein keckerndes Lachen sich entfernen.

Eine enge Einzelzelle wie alle Zellen, die Lin jemals in Gefängnissen gesehen hatte. Der erste Eindruck überraschte sie nicht. Eine wackelige Pritsche aus Eisen, ein stinkender Eimer, der noch die eingetrockneten Reste des Vorgängers enthielt. Eine Lampe mit rundem Metallschirm, die weit oben hing. Beschmierte Wände, an denen große Placken Putz fehlten. Verblasste Graffiti, von namenlosen anderen in die Wand geritzt, Inschriften, die sie nicht auf Anhieb entziffern konnte. Gott sei Dank ein Fenster, dachte Lin. Sie stieg auf den Kopfteil der Pritsche und versuchte, von dort den Griff des Fensters zu erreichen. Er saß fest, wie zugeschweißt.

Sie würde versuchen, mit anderen Gefangenen Kontakt aufzunehmen. Im Moment war draußen allerdings niemand zu hören. Aber wozu auch sollte sie Kontakte zu anderen suchen? Insassen würden ihr nicht helfen können. Sie tastete das Glas des Fensters ab, geriffelt und sicher alt. Sie würde mit der Ferse über Kopf dagegendonnern müssen. Es wird kein Panzerglas sein, dachte sie. Der Gedanke hob ihre Laune ein wenig. Kontakt war immer besser als kein Kontakt. Die nächsten zwei Stunden verbrachte Lin mit Trainingsübungen für ihre Schlagkraft. Immer wieder riss sie ein Bein hoch. Sie kam ins Schwitzen. Irgendwann geriet die kleine, runde Linse oberhalb der Lampe in ihr Blickfeld. Sie beobachten mich, dachte Lin.

Eine schnelle Hinrichtung wird es also nicht geben.

31

Edin hatte Ivo keine Sekunde aus seinem Hörfeld gelassen. Im Haus gingen Menschen ein und aus, offenbar wurden die Gewebeproben woanders untersucht. Ivo schien wohlauf, der Chip funktionierte. Edin hatte sich in den Schatten einer Häuserfront zurückgezogen. Es war Nachmittag, über der Stadt lag gleißendes Sonnenlicht.

Edin sah Tariq zu Fuß auf sich zukommen. Er spürte schon an dessen Gang, dass Tariq aufgeregt war.

»Hast du etwas von ihr gehört?«, fragte er ein wenig atemlos.

Edin antwortete leicht gereizt: »Da bist du ja endlich. Wie soll ich hier Wache schieben und gleichzeitig jemandem helfen. Ich habe vor etwa 20 Minuten eine seltsame Nachricht bekommen. SOS. Keine Unterschrift. Aber die Nachricht stammt hundertprozentig von Lins Handy.«

Tariq schlug mit der flachen Hand auf die Hauswand: »Mann, Edin. Da ist doch etwas schiefgelaufen.«

Tariqs Handy summte. Er nahm ab: »Oh, Nico, wie geht es Ihnen? Oh ...« Dann lauschte er nur noch. »Okay. Danke, wir haben davon schon gehört. Aber danke, dass Sie Bescheid gesagt haben. Wir werden uns sofort darum kümmern.«

Er stand ein paar Sekunden da wie starr. Dann sagte er: »Es war Lins Freund aus Berlin, der Richter.« Er gab wieder, was Nico ihm als Nachricht von Lin übermittelt hatte.

»Und jetzt?«, fragte Edin. »Ich nehme an, dass du zu Lin fahren willst. Natürlich kann ich das hier alleine bewältigen. Aber was, wenn wirklich Wöller dazukommt und sie Ivo auseinanderschneidet?«

Edin kam eine Idee. »Ich denke, das Beste und Sicherste

wird sein, Ivo dazu aufzufordern, wieder zu gehen. Er kann es sich anders überlegt haben.«

Tariq dachte einen Moment nach. Die Aktion abbrechen? Jetzt? Wäre das in Lins Sinn? Dann stimmte er zu: »Wir können nicht an zwei Orten gleichzeitig sein, ohne dass sich daraus Nachteile ergeben, die nicht zu korrigieren wären. Edin, du könntest, ein bisschen ziviler gekleidet und ohne die ganze Technik, die an dir hängt, drüben anklopfen und ihn abholen. Wir müssten es Ivo vorher sagen.« Wie auf Bestellung war in dem Moment plötzlich Ivos Stimme zu hören. »Ich muss aufs Klo, bitte.«

Edin nutzte den Augenblick, ihm die neue Situation ins Ohr zu flüstern. »Einverstanden, einverstanden«, krächzte Ivo.

Es schwang ein wenig Euphorie mit in seiner Stimme.

Tariq wollte warten, bis Edin Ivo gesund aus dem Haus geholt hatte. Danach würde er nach Prizren fahren. Edin sah aus wie ein ganz normaler Bürger, als er an die Tür des Hauses klopfte. Graues Polohemd, leichte Sommerhose in Schwarz, farblich passende Lederslipper. Sein Jackett hielt er locker über der Schulter, dabei wog es schwer. Seine Pistole, eine SIG Sauer, zwei Magazine Munition, Würgedraht, Pfefferspray, in der Tasche eine der kleinen Handgranaten. Sein Gesicht zeigte ein freundliches Lächeln, als die Tür aufging und ein Mann erschien, den er an dessen Stimme sofort erkannte.

»Dobro dan, gospodin«, grüßte er Edin. Es war einer der Mitarbeiter von Matovic.

»Es tut mir sehr leid, dass wir Ihnen Ungelegenheiten bereiten müssen«, eröffnete Edin und näherte sich dem Mann einen Schritt, »aber mein Onkel Ivo ist bei Ihnen, und wir möchten, dass er das, was er vorhat, sofort abbricht. Die Transplantation. Ich bin gekommen, um ihn mitzunehmen.«

Der Mann sah ihn mit offenem Mund an. Das war wider jede Regel.

Edin ließ seine Stimme hart klingen: »Was ist? Ich will sofort zu ihm.«

Hinter dem Helfer trat Doktor Matovic aus dem Dunkel des Hauses ans Licht: »Worum geht es? Was wollen Sie? Wer sind Sie?«

Edin erläuterte die Sachlage noch einmal. Dann sagte er: »Wenn wir das in der Familie geklärt haben, was zu klären ist, dann kann es durchaus sein, dass Onkel Ivo wieder hierherkommt und zu Ende führt, was er begonnen hat. Wenn Sie mich aber jetzt nicht sofort zu ihm lassen, dann bin ich gezwungen, die Polizei der UN zu bitten, meinen Onkel hier rauszuholen.«

Edin wusste, dass der Arzt keine Polizei in seinem Haus dulden konnte.

»Gut. Ich frage jetzt Ihren Onkel, ob er mit Ihnen gehen will. Wenn das der Fall ist, dann können Sie ihn gleich mitnehmen. Einverstanden?«

Edin schüttelte den Kopf »Auf gar keinen Fall. Ich werde mit Ihnen zu Onkel Ivo gehen.« Edin hatte sich im Laufe der Unterhaltung unmerklich Zentimeter um Zentimeter auf die Tür zubewegt. Mit dem letzten Satz gelang es ihm, über die Schwelle zu treten. Der Helfer war zu verdutzt, um sich ihm in den Weg zu stellen. Edin sah sich um, als ob er das Haus zum ersten Mal beträte. Dann ging er mit zielgerichteten, selbstsicheren Schritten auf die Treppe zu, wie ein Offizier.

Der Doktor war schneller. Als Edin oben ankam, hatte Matovic Ivo bereits von seinem Lager hochgerissen und ihm den einen Arm fest um den Hals gelegt. »Eine Bewegung, und er ist tot«, keuchte Matovic, »ich breche ihm das Genick.«

Ivo wirkte, als begreife er noch gar nicht, was mit ihm geschah. Edin sah den Arzt nicht wie eine Bedrohung an, sondern wie eine lästige Kreatur, die er aus dem Weg zu räumen hatte. Er fixierte Matovic mit den Augen wie ein Raubtier seine Beute. Die Entscheidung, wer siegreich aus der Situation hervorgehen würde, war für ihn längst gefallen. Dann trat er auf die beiden zu, völlig ruhig, ohne jedes Zögern. Edin strahlte in Kampfsituationen etwa fast Übernatürliches aus, eine Art Bann, dem sich kaum jemand zu entziehen vermochte. Er wusste das.

»Wenn man dich agieren sieht, lähmt einen die jähe Erkenntnis, dass du in vielen Kampfzonen gewesen bist«, hatte Lin einmal zu ihm gesagt. »Du hast getötet, und du kannst andere deine Härte durch deine Ausstrahlung spüren lassen.«

Edin hatte schon ganz andere Krisen gemeistert. Es war nicht die tatsächliche Überlegenheit, die solche Momente entschied, sondern das psychologische Moment, die Performance. Eine Mischung aus Tötungserfahrung, Entschlossenheit und unbedingtem Willen, die Partie für sich zu entscheiden. Wie beim Tennis, dachte Edin, nur dass es dabei nicht ums Töten geht.

Noch ehe er vor den beiden stand, löste er bereits die Armschlinge, mit der Matovic Ivo an sich presste. Verblüfft leistete der Arzt keinerlei Widerstand. Eine Szene wie aus einem langsamer laufenden Film, eine Abfolge von Gesten, die keine andere Bewegungshoheit neben sich duldete. Matovic sah sein Gegenüber ungläubig an, fast bewundernd. Doch Edin spürte auch dessen andere Gedanken. Er war sich bewusst, dass der Arzt nach einem Ausweg sann.

»Komm, Onkel«, sagte Edin sanft, legte Ivo den rechten Arm um die Schultern und führte ihn zur Treppe. Dort schubste er ihn leicht nach vorn. »Geh schon einmal vor, Onkel, ich folge dir nach. Ich wäre gerne der Letzte von uns beiden, der dieses Haus verlässt.« Ivo tastete sich am Geländer die Stufen nach unten. Edin genoss es, den Arzt allein mit der Macht seines Blickes in Schach zu halten. Hunderte Male hatte er diese Technik im kriegerischen Nahkampf in der Armee schon eingesetzt, er war darauf spezialisiert. Ein einziger Handgriff hätte genügt, und der Arzt wäre bewusstlos zu Boden gesunken. Edin wollte unnötige Risiken vermeiden. Er spürte, dass Matovic jetzt zu ihm aufsah, er konnte in diesem Augenblick in ihm lesen wie in einem Buch.

Vielleicht beindrucke ich ihn so sehr, dachte Edin, dass noch Chancen bestehen für Ivos Rückkehr an diesen Ort. Wie eine Katze ging er nun Schritt für Schritt rückwärts, dann die Stufen der Treppe hinab. Solange er konnte, behielt er Matovic im Blick. Unten stand Ivo. »Komm, Onkel«, raunte Edin ihm zu. Vor ihnen hielt einer der Helfer ein Gewehr auf sie gerichtet. »Nehmen Sie die Hände hoch!«

Mit einem elastischen Sprung war Edin über die Brüstung gefedert, nahm das Gewehr beim Lauf und zog es dem Helfer aus den Händen. Mit ein paar Handgriffen leerte er die Patronen auf den Boden, schleuderte das Gewehr in die eine Ecke des Eingangs, kickte mit dem Fuß die Patronen in eine andere.

»Lasst sie gehen!«, war von oben eine müde Stimme zu hören. Matovic stand auf dem Treppenabsatz: »Wir haben Wichtigeres zu tun.«

Edin zog Ivo am Arm hinaus auf die Straße und von dort in den Wagen. Er fuhr mit ihm in die gemeinsame Mietwohnung in Süd-Mitrovica. Der Norden der Stadt war jetzt für Ivo, den serbischen Lebendspender, zu riskant. Die Typen werden sich von dem Schreck erholen, das könnte schlaflose Nächte nach sich ziehen, vermutete Edin. Er wollte Ivo in Sicherheit bringen, um später in das Haus zurückzukehren.

Im Wagen wählte er Lins Handy an, keine Verbindung. Dann Tariq. Es antwortete jedes Mal nur der Automat. Auf der Ortungssoftware in seinem Laptop konnte er ihren Aufenthaltsort nur ungefähr bestimmen. Irgendwo im Sendebereich von Prizren. Es musste ein Ort sein, wo die Sendemasten nicht hinreichen können. Er hinterließ diese Information auf Tariqs Mailbox.

Ivo zog sich in eines der beiden Doppelschlafzimmer zurück. Kurz darauf war von dort ein rhythmisches Schnarchen zu hören. Edin ließ sich im Wohnzimmer auf einen der Polstersessel fallen und schaltete den Fernseher ein, um auf CNN die Nachrichten zu sehen, die in wenigen Minuten begannen. Als die dynamische Erkennungsmelodie schließlich erklang, war auch Edin eingeschlafen. So entspannt sah er wie ein unschuldiger Halbwüchsiger aus, mit den rötlich blonden Fransen, die teils hochstanden, teils in seine Stirn hingen.

32

Lin quälte der Gedanke, dass für Ivo die vermeintliche Organentnahme unweigerlich näher rückte, ohne dass sie ihm Beistand leisten konnte. Fast zwei Stunden lang hatte sie sich in Fitnessübungen gedehnt und gespreizt, war immer wieder auf das Bett gesprungen, hatte am Fenstergitter Klimmzüge absolviert.

Niemand hatte ihr etwas zu essen oder zu trinken gebracht, keiner hatte etwas von ihr gewollt. Ich bin wie lebendig begraben, dachte sie, das allerdings unter Beobachtung. Was wollten diejenigen, die ihr zusahen? Sie weinen sehen? Um Gnade oder Wasser flehen sehen? Sie wollen sich an mir rächen, weil sie denken, ich sei schuld am Tod von Tom Weicker, dachte sie. Ihr Magen knurrte. Gedanken an Werbespots von Getränken blitzten in ihr auf, besonders prickelnde, die sie lange nicht mehr gekostet hatte. Eine Fernsehwerbung fiel ihr ein, in der Frauen Unmengen eines Getränks kaufen, nur um den Body des Mannes zu bewundern, der sie heranschafft. Lin sah den Typen vor sich und musste lachen. Ich darf nicht zulassen, dass die mich fertigmachen, dachte sie.

Sie legte sich auf die Pritsche. Entspannen, nur entspannen. Noch tiefer entspannen. Loslassen. Lin konnte mithilfe der Technik des Biofeedback den eigenen Puls bis unter 30 Herzschläge pro Minute verlangsamen. Ihr werdet denken, dass ich ohnmächtig geworden bin, dachte sie. Tatsächlich war die Übung nicht ganz ungefährlich. Einem früheren Bekannten war während einer solchen Autosuggestion das Herz stehen geblieben. Für immer. Lin vertraute auf die Selbsthilfemechanismen des Herzens, von denen ihr ein Kardiologe einmal erzählt hatte, als sie unter Rhythmusstörungen litt. Das menschliche Herz verfüge über mindestens zwei

Unterebenen von Taktgebern, die einsprangen, wenn die übergeordnete Ebene versagte, hatte der Arzt gesagt. Auch, weil sie vom Training so müde war, gelang es ihr schnell, die Realität der schmutzigen Zelle hinter sich zu lassen und in einen bodenlosen Tiefschlaf hinüberzudämmern.

Das abrupte Umdrehen des Schlüssels im Schloss hatte Lin zunächst gar nicht gehört. Jemand riss von draußen scheppernd das grau-metallene Türblatt auf. »Los, aufstehen!«, herrschte eine Stimme sie auf Deutsch an. Lin versuchte, die Augen zu öffnen, aber ihre Lider schienen schwer zu wiegen wie Blei. Sie war längst hellwach, als sie noch weiter die Ohnmächtige spielte. Das verschaffte ihr ein paar Sekunden, um die Gestalt einzuordnen, die vor ihrer Pritsche stand. Lin erinnerte sich genau an Izmet Varga, den Kurzbesuch in Gjakova hatte sie nicht vergessen. Sie erinnerte sich an die aparte Erscheinung mit dem welligen Haar. Im Licht der Zelle sah man schon erste graue Fäden aufblitzen. Es war unverwechselbar Varga. Der Mann, den sie hatte aufspüren sollen.

»Damit wäre mein Auftrag jetzt wohl erfüllt«, sagte Lin spöttisch, während sie sich langsam aufsetzte. »Guten Tag, Herr Varga. Schön, dass Sie mich beehren. Sie arbeiten für den Bundesnachrichtendienst und lassen mich hier einbuchten, verhungern und verdursten, ohne jegliche Rechte?«

Varga machte mit der Hand eine Geste, als schicke er das Gesagte mit einer herrischen Geste beiseite wie Krümel von einem Tisch. »Was soll das heißen, Sie haben Ihren Auftrag erfüllt, he? Sie sind hierhergekommen, um Weicker auffliegen zu lassen, was hat das mit mir zu tun?« Vargas derber Ton schien zu den eher weichen Zügen gar nicht zu passen.

Lin war nicht bereit, klein beizugeben: »Dann will ich es Ihnen gerne noch einmal erklären«, setzte sie erneut an und versuchte, so arrogant wie möglich zu klingen. Sie betonte jede Silbe. »Wie Sie aussehen und wer Sie sind, weiß ich von Wöller, den werden Sie doch kennen, oder? Er hat mich als Privatdetektivin beauftragt, Sie zu suchen, weil Sie für ihn angeblich undercover im Kosovo unterwegs sind, um die Geldtransfers aufzuklären. So weit verstanden?«

Varga begann donnernd zu lachen. »Gute Story. Wann erscheint die Zeitung mit der Geschichte? Wöller ist mein Partner, Lady. Capisce? Wenn er will, ruft er mich an, oder er kommt vorbei. Was ist das für eine Geschichte mit undercover im Kosovo?«

Lin griff in ihre Jacke und entnahm ihr eine Plastikkarte: »Hier meine Zulassung als Privatdetektivin in Berlin. Ich war auf dem Weg in den Urlaub, als mich Wöller und sein Assistent Kevin Wiscerovski rausholen ließen.«

Varga stutzte: »Du kennst Wiscerovski? Wie sieht er aus?«

Lin musste kurz nachdenken, dann beschrieb sie den Begleiter Wöllers am Flughafen.

»Und Weicker? Was hattest du mit Weicker zu tun?«, fragte Varga.

Lin erzählte, was sie wusste. Dass sie mit Weicker befreundet und an diesem Tag verabredet gewesen war.

»Ich verstehe die Zusammenhänge noch nicht ganz«, polterte Varga, »aber ganz unglaubwürdig bist du auch nicht. Solange ich nicht wirklich weiß, was los ist, lasse ich dir Wasser und etwas zu essen bringen.« An der Tür wandte er sich noch einmal um: »Ich komme wieder!« Dann verließ er die Zelle. Hinter ihm fiel die schwere Tür mit Schwung ins Schloss.

Kurz darauf öffnete sich die Tür erneut. Ein junger Mann in Gefängnisuniform trug ein Tablett mit zwei Käsebroten und einer großen Flasche stillem Mineralwasser herein, sogar ein Apfel lag dabei. Lin hob die Brotscheiben erst prüfend an, bevor sie hineinbiss. Die Käsescheiben glänzten. Aber das zählte nicht. Sie zwang sich, langsam zu essen.

33

Tariq wusste genau, was zu tun war. Er musste versuchen, mit Varga zu reden. Oder direkt mit Wöller. Er war bei der UN-Police gewesen und hatte nach Lin gefragt. Kommissar Marco hatte ihn mittags kurz empfangen, aber auch nichts gewusst.

»Ich war den ganzen Morgen in einer dringenden Angelegenheit unterwegs«, sagte er, »ich hätte hier gar keinen Termin haben können. Jetzt entschuldigen Sie mich bitte, ich habe zu tun.«

Tariq befragte den Posten am Eingang, zeigte ihm ein Foto von Lin. Der Mann schüttelte den Kopf, betonte aber, dass er erst sei einer Stunde im Dienst sei. Das Ein- und Ausgangsbuch verzeichnete keine weibliche Person, die auf die Beschreibung Lins passte.

»Kann mir hier irgendeiner sagen, mit welchem Wagen Kommissar Marco heute Morgen unterwegs war?«, raunte Tariq kumpelhaft dem Posten zu.

»Einen Moment«, antwortete der Junge und ging kurz hinein. Als er wiederkam, hatte er einen Zettel in der Hand. »Hier ist der Wagen, ein Jeep mit aufrollbarem Verdeck, die Nummer steht hier. Er müsste dort irgendwo auf dem Parkplatz innerhalb des Geländes stehen.«

Tariq dankte ihm und deutete eine Verbeugung an. Der Posten lächelte zurück.

Das Parkdeck der UN-Police war fast so groß wie ein Fußballfeld. Tariq kam sich vor wie ein Idiot. Die Hunderte Jeeps und Kleinbusse und was sonst noch darauf abgestellt war, schienen keiner von außen erkennbaren Systematik zu folgen. Es galt offenbar ein internes Nummernsystem, auf das Tariq keinen Zugriff hatte. Es half nichts, er musste Reihe um Reihe absuchen. Er schritt die ersten fünf ab, ohne Ergebnis. Er versuchte es diagonal, schaute auch links und rechts in die Reihen hinein. Die Zahlen auf seinem Zettel passten zu keinem der Kennzeichen. Er versuchte, so unauffällig und zugleich so rasch wie möglich durch die Reihen zu kommen. In der achten Reihe sah Tariq weiter vorn eine junge Hilfskraft ein Fahrzeug reinigen. Er sah rasch, dass es sich um einen Albaner handelte.

»Mir dita«, rief er dem Jungen zu, »ich suche dringend einen bestimmten Wagen. Vielleicht kannst du mir helfen.«

Der Junge sah ihm freundlich entgegen, eine schmale Gestalt, braun gebrannt, vielleicht fünfzehn Jahre alt. Neben sich eine transparente, dünne Plastiktüte mit Abfällen und einen Eimer mit Waschlauge. »Was soll das denn für ein Wagen sein?«, fragte er. »Ein Transporter oder eher ein Jeep, wie dieser? Und was für ein Kennzeichen soll der Wagen haben?«

Tariq reichte ihm wortlos seinen Zettel.

Der Junge grinste: »Sie haben Glück. Genau das ist der Wagen. Dieser hier, den ich gerade sauber mache.«

Tariq überprüfte zur Sicherheit selbst das hintere Nummernschild. »Hast du irgendetwas Besonderes gefunden?«, fragte er den Jungen.

Der überlegte kurz: »Nein, ich glaube nicht. Aber werfen Sie einen Blick in die Abfalltüte, da ist alles drin, was ich im Wagen gefunden habe.« Er reichte ihm die Tüte. Nichts außer Zigarettenkippen, Bonbonpapieren und zerbrochenen Kugelschreibern.

»Darf ich selbst …?«, fragte er den Jungen.

Der nickte. »Aber machen Sie schnell, ich darf niemanden in die Fahrzeuge lassen.«

Tariq kletterte auf die Rückbank, hob die Rückenlehne hoch. Dann schob er die Sitzbank ein paar Zentimeter nach vorn. Ein Papierchen, das so geformt war, wie nur Lin es tat. Eine Art winziger Bumerang aus Papier. Sie musste es in die Spalte hinter sich gedrückt haben. Aber wo waren sie hingefahren? Tariq kletterte rückwärts aus dem Jeep heraus. »Gibt es für den Wagen ein Fahrtenbuch?«, fragte er den Jungen.

Der grinste wieder und zog ein Heft mit abwaschbarem Einband hinter seinem Rücken hervor. »Die letzte Fahrt ging nach Prizren«, stellte er fest und reichte die Kladde an Tariq weiter.

Sie hatten sie also nach Prizren gebracht. Oder hatten sie dieses Ziel nur hineingeschrieben? Und waren in Wahrheit ganz woanders gewesen? Hauptkommissar Marco, ein Fahrer und zwei namentlich genannte Posten. Warum hatte Marco so getan, als habe er Lin gar nicht gesehen?

»Kennst du einen der Posten?«, fragte Tariq den Jungen. »Ich muss wissen, wo genau sie hingefahren sind.«

Der Junge schien eine Idee zu haben. »Warten Sie hier, ich bin gleich zurück.«

Aus dem Gleich wurden fast zehn Minuten. Dann stand der Junge, ein wenig abgehetzt, wieder vor ihm. »Sie sind nach Prizren ins Gefängnis gefahren, es war eine Frau dabei«, keuchte er, »hilft Ihnen das?«

Tariq fuhr ihm kumpelhaft über den Kopf. »Vielen Dank, du hast mir sehr geholfen. Wie ist dein Name?«

»Ich heiße Fran«, antwortete der Junge.

Als Tariq ihm den Zehneuroschein gab, strahlte er vor Glück.

Tariq konnte sich keinen Reim auf das machen, was er herausgefunden hatte. Sie ist also im Knast von Prizren, aber was soll sie dort? So schnell er konnte, hetzte er zu seinem Wagen zurück und fuhr Richtung Prizren. Das wird wieder irgendeine Schnapsidee von Wöller sein oder, von Varga, dachte Tariq. Warum schickt er Lin erst hierher, um sie dann wieder abgreifen zu lassen? Dieser Typ ist verrückt.

Tariqs Handy piepte. Eine Nachricht. Er fuhr an den Straßenrand, um sie lesen zu können. Edin schrieb, dass er Ivo losgeeist und in Sicherheit gebracht hatte. Die erste gute Nachricht heute, dachte Tariq. Er rief Edin zurück, erzählte ihm von Prizren.

»Kommst du dort allein klar?«, fragte Edin besorgt.

Tariq war sich sicher, Edin sollte bei Ivo bleiben. »In Prizren kenne ich außerdem zuverlässige Leute«, versuchte Tariq, Edin zu beruhigen. »Verlass dich drauf,«, sagte er entschlossen, »ich werde Prizren nicht ohne Lin verlassen.« Sie wünschten sich gegenseitig Glück.

Anschließend rief Tariq Nico an. Er war froh, dass sich nicht nur der Anrufbeantworter meldete. Nico war in Sorge, Tariq konnte es an seiner Stimme hören.

»Soll ich nach Pristina kommen?«, fragte Nico.

Tariq wiegelte ab: »Nein, das wird nicht nötig sein. Ich werde sie finden.«

Nico wollte so schnell nicht aufgeben: »Ich kann vielleicht den Chef der UN-Police bewegen, sich zu engagieren.«

Tariq versuchte, seinen Unwillen nicht zu zeigen: »Nico, glauben Sie mir. Edin und ich sind in der Lage, Lin zu finden. Wir tun alles, was wir können. Sie kennen die Verhältnisse hier nicht, bei der Korruption, die hier vorherrscht, könnten Sie unter Umständen in bester Absicht genau den falschen Schritt tun, ohne es zu bemerken.« Tariq versprach, sich sofort zu melden, wenn es Neues gäbe.

Sie waren sich nie persönlich begegnet.

Als er wieder auf der Straße fuhr, hinauf zu dem Pass, der hinunter nach Suva Reka führte, legte Tariq eine CD in sein Abspielgerät und wählte Duffys »Mercy«. Tariq drehte die Lautstärke so weit auf, wie er konnte. »Yeah, yeah, yeah. I love you. But I gotta stay true. My moral's got me on my knees, I'm begging please, stop playing games ...« Ihr entschlossen-trotziges Lied voller Lebensenergie riss ihn mit. Wie Lin konnte auch Tariq über Musik neue Kraft gewinnen. Fahren konnte man diese Art von Fortbewegung ja kaum nennen. Eher Schlagloch-Vermeidungs-Hopping. Tariq konzentrierte sich auf die Straße. Spätnachmittags hielt er in Prizren bei einem seiner ältesten Freunde an. Der verfügte über Sturmhauben und über zwei Ehrfurcht gebietende Sturmgewehre. Aber sie beschlossen, bis zum Abend zu warten.

Es war kurz vor acht Uhr, als am Haupteingang des Gefängnisses von Prizren ein dunkler Wagen mit getönten Scheiben vorfuhr. Zwei Männer mit schwarzen Sturmhauben und Sturmgewehren im Anschlag liefen zur Pforte, hielten die Gewehrmündungen an das Glas und verlangten, dass die Tür geöffnet würde. Der Pförtner betätigte darauf den Summer. Einer der beiden Bewaffneten band den Mann am Boden an einem Tischbein fest, sodass er vom Fenster aus nicht zu sehen war. Der andere strangulierte ihn, bis er aus ihm herausgepresst hatte, wie sie im Gebäude gehen mussten. »Keller, linker Flügel«, hatte der Pförtner schließlich heiser geflüstert.

Der zweite Maskierte hatte den Generalschlüssel von seinem Platz an der Wand abgenommen. Kaum im Flur, zogen die beiden Männer ihre Sturmhauben ab und durcheilten im Laufschritt die Flure, bis sie die Treppe zum Keller gefunden hatten. Kein Wärter begegnete ihnen. Es war bereits Einschluss, die Gefangenen befanden sich jetzt in den Zellen. Danach patrouillierte hier niemand mehr. Zwei Bedienstete in Zivilkleidung, offenbar auf dem Weg in den Feierabend, kamen ihnen entgegen. Die beiden Männer grüßten freundlich, indem sie mit dem Zeigefinger an die Stirn tippten, und murmelten etwas von UN-Police. Die anderen grüßten ebenso freundlich zurück. Der linke Flügel lag ein wenig abseits, doch sie fanden ihn. Sie zogen die Klappen auf, durch die das Essen gereicht wurde, und wo es keine Klappen gab, öffneten sie die Tür. Die Zellen waren entweder leer, oder die Gefangenen schliefen. In der vierten Zelle fanden sie Lin. Sie lag auf ihrer Pritsche und sah den beiden Männern verblüfft entgegen.

»Ich bin's, Lin. Wir müssen sofort raus hier. Komm!«, rief ihr Tariq zu.

34

Die beiden nahmen sie in die Mitte. Tariq legte einen Arm um Lin, seine Hand berührte leicht ihren Rücken, zwischen ihren Schulterblättern. Im Laufschritt eilten die drei die Treppen hinauf, vor der Pforte zogen sie sich die Sturmhauben wieder über. Einer der Maskierten hängte den General-schlüssel an seinen Platz zurück. Dem Pförtner banden sie nur eine Hand los, er würde ein paar Minuten brauchen, um sich zu befreien. So viel Zeit würden sie brauchen, um zu entkommen. Fatos, ein enger Freund von Tariq, sammelte die Gewehre ein und nahm auch die Sturmhauben an sich. Sie fuhren ihn nach Hause, Tariq half ihm, die Sachen unbe-merkt in einen Schuppen zu schaffen.

Zum Abschied umarmten sich alle herzlich. Lin drückte Fatos fest die Hand: »Vielen Dank für deine Hilfe. Lass es mich wissen, wenn ich mich revanchieren kann.« Fatos grinste nur breit.

Tariq wollte Lin so schnell wie möglich nach Mitrovica bringen. »Ist wirklich alles okay mit dir?«, fragte er besorgt, als sie Prizren schon verlassen hatten. »Sag mir, wer steckt hinter dieser Verschleppung?«

Lin starrte in der Dunkelheit vor sich hin.

»Mir geht es gut, Tariq«, sagte sie langsam, mit belegter Stimme. »Seit Monaten habe ich nicht mehr so intensiv trai-niert wie in dieser Zelle. Was hätte ich auch sonst tun sol-len.« Dann schwieg sie einen Augenblick. »Es war Varga, Izmet Varga. Marco wird offenbar von ihm bezahlt, er hat mich nach Prizren gebracht. Weißt du, dass Varga dachte, ich sei wegen Weicker in den Kosovo gekommen? Verrückt, oder?«

Tariq ahnte, wie alles zusammenhing. »Wir müssen über

kurz oder lang Wöller stellen, daran führt kein Weg vorbei«, sagte er bestimmt.

Lin widersprach auch nicht. Immer noch ein bisschen erschöpft pflichtete sie ihm bei: »Wöller muss aus dem Verkehr gezogen werden, da hast du ganz recht. Die Frage ist, ob wir ihn über diese Organhandel-Geschichte kriegen können oder anders.«

Als sie den Pass geschafft hatten und Ferizaj vor ihnen lag, fuhr Tariq an den Straßenrand, schaltete den Warnblinker an und den Motor aus. »Komm her«, raunte er Lin mit weicher Stimme zu. »Ich habe dich noch gar nicht richtig begrüßt, seit du wieder da bist.« Er schlang seine Arme um sie und drückte sie an sich.

»Ohne dich wäre ich vermutlich auch nicht wieder da«, gab Lin entspannt zurück.

Ein heißes Wohlgefühl durchflutete sie. Nicht erotische Spannung, sondern tiefe, allumfassende Verbundenheit. Auch wenn es kitschig klingt, dachte Lin, das ist Liebe. Etwas, woran wir nichts ändern können. Sie löste sich aus seinen Armen. Sah ihm direkt in die Augen. Er fühlt das Gleiche wie ich, dachte sie. Wir könnten uns stundenlang ansehen, und um uns herum würden die Jahreszeiten wechseln. Die Vorstellung ließ sie schmunzeln. Reiß dich zusammen, Lin, dachte sie. Sie wandte den Blick in die Dunkelheit der Nacht vor ihnen und sagte mit einer Stimme, die rau klang, als hätte sie lange nicht gesprochen: »Lass uns fahren. Ivo und Edin warten auf uns.«

Auf der Transitstraße nach Pristina herrschte lebhafter Verkehr, der sich etwas beruhigte, nachdem sie die Hauptstadt Richtung Mitrovica hinter sich gelassen hatten.

Lin hatte Hunger. »Wollen wir an der nächsten Gaststätte anhalten und kurz etwas essen?«, fragte sie.

Tariq, offenbar in Gedanken, nickte nur.

Das nächste Lokal, das diesen Namen verdiente, fand sich erst in Mitrovica. Eine Art Kebab-Braterei, kein Bier. Auch sonst keinen Alkohol. Dafür roch es gut. Tariq schaltete die Scheinwerfer aus, verließ den Wagen und bestellte Kebab für zwei.

Es war nach zehn Uhr, als sie in der Straße einparkten, in der sich die Wohnung befand. Sie schienen beide den Van nicht zu bemerken, der sich seit der Gefangenenbefreiung von Prizren in angemessener Entfernung an sie geheftet hatte. Der jetzt etwa dreißig Meter hinter ihnen hielt und die Scheinwerfer verlöschen ließ. Lin ging voraus. Tariq fiel ein, dass er noch einmal zum Auto zurückmusste.

In der Wohnung oben lag schon alles im Dunkeln. Ivo und Edin schnarchten in ihren Zimmern in unterschiedlichen Rhythmen.

Lin ahnte nicht, dass der Fahrer des Vans auf der Straße in diesem Augenblick zu seinem Handy griff, um zu melden, wo er sich befand.

35

Tariq war das Fahrzeug beim Halt an dem kleinen Kebab-
lokal sofort aufgefallen, als hinter ihnen eingeparkt wurde,
aber niemand ausstieg. Er war nicht zum Wagen zurückge-
gangen, sondern hatte im Schutz der parkenden Fahrzeuge
den Wohnblock so umlaufen, dass er, fast in der Hocke, den
geparkten Van von hinten erreichte. Er konnte die Musik aus
dem Inneren hören. Die GPS-Wanze war hinter dem Kennzeichen schnell und geräuschlos platziert. Varga wird die Be-
freiung zugelassen haben, um herauszufinden, was wir vorhaben. Wir werden morgen eine neue Wohnung finden
müssen, so viel steht fest, dachte Tariq. Aber solange sie
nicht wissen, was wir genau wollen, werden sie uns nichts
tun. Tariq wollte Lin nicht gleich mit ihrer Beschattung
behelligen. Morgen würde dafür noch Zeit genug sein.

Lin ließ sich in ihren Sachen auf das kühle weiße Laken gleiten. Sie schlief sofort ein, bis sie draußen Tariqs Stimme
hörte.

Tariq hatte einige Minuten abgewartet und dann auf seinem Handy eine Nummernfolge gewählt. Varga antwortete
nach dem ersten Klingeln. »Was gibt es?«

Tariq ließ erst Stille in der Leitung einkehren, dann sagte
er: »Guten Abend, Varga. Du solltest deinen Leuten vor
unserem Haus keine Aufträge erteilen, die sie nicht meistern
können.«

Varga unterbrach ihn unwirsch: »Was willst du?«

Tariq verlieh seiner Stimme einen unterkühlten, drohen-
den Ton: »Für das Festhalten in Prizren zahlst du noch. Jetzt
pfeif deine Hanseln zurück, ich will sie auf der Straße da
draußen nicht länger sehen.«

Varga hatte schon angehoben, noch etwas zu sagen, da hatte Tariq schon aufgelegt.

»Wen bedrohst du da am Telefon?«, hörte er eine verschlafene Lin plötzlich hinter sich fragen.

»Ich wollte dich nicht damit behelligen«, antwortete Tariq leise. »Sie hatten uns von Prizren aus beschattet, ich konnte ihnen dafür als Gegengabe eine unserer GPS-Wanzen anheften ...« Er berichtete ihr auch von dem Telefonat mit Varga.

»Ich weiß nicht, ob es klug war, ihn anzurufen«, sagte Lin vorsichtig, »jetzt weiß er, dass wir Bescheid wissen. Es klingt ein bisschen nach typischem Machogehabe, albanische Version. Kann das sein?«

Sie lächelte Tariq an. Er lächelte zurück.

Wenn wir morgen in das Organspendehaus fahren, wirst du mir noch dankbar sein, dachte er.

Tariq blieb als Einziger wach in dieser Nacht. Mit einem dreifachen Single Malt im Wasserglas hatte er sich im Dunkeln neben das Fenster zur Straße gesetzt. Als Barbesitzer war er das Aufbleiben bis zum frühen Morgen gewohnt. Es dauerte nicht lange, bis unten in der Straße der Van seine Scheinwerfer aufblendete und davonfuhr.

»Dieses war der erste Streich, doch der zweite folgt sogleich«, murmelte Tariq leise den Satz, den Lin in solchen Situationen zu sagen pflegte. Sie hatte schon ein paarmal versprochen, ihm ein Exemplar von *Max und Moritz* von Wilhelm Busch auf Deutsch mitzubringen, es jedoch immer wieder vergessen.

Als der Morgen sich schon am Himmel zeigte, bog ein Van in die kleine Straße ein, die Scheinwerfer erloschen, es stieg niemand aus. »Hallo, Freunde«, sang Tariq kaum hörbar vor sich hin, »da seid ihr endlich.«

Tariq wartete eine halbe Stunde, dann verließ er den Garten durch die Hintertür. Er trug einen langen Mantel und hatte einen Hut tief ins Gesicht gezogen. Direkt hinter dem

Fahrzeug bückte er sich, als wollte er seine Schnürsenkel binden. Tatsächlich hatten sie die erste Wanze entfernt. Diesmal ließ er das kleine Teil vorsichtig auf der anderen Seite der Kennzeichenplakette ans Metall gleiten. Die beiden Männer auf den Vordersitzen schliefen mit geöffneten Mündern.

Lin lag im Bett und hatte die Augen geschlossen. Aber in Wirklichkeit zermarterte sie sich das Hirn. Ivo war als Lockvogel ideal, aber was, wenn er nicht noch einmal hineinwollte? Wer außer Ivo könnte sich dann als Organspender ausgeben? Wen von uns kennen sie noch nicht? Aber wir können auch keinen einzigen von uns entbehren, falls es zu Schießereien kommt. Ivo war einfach die Idealbesetzung, es kam niemand anderes dafür infrage. Ein Serbe, kein Albaner. Einer, der intelligent war und furchtlos genug, sich zur Verfügung zu stellen. Noch hatte Ivo kein Wort darüber gesagt, dass er nicht noch einmal hinginge. Aber wenn doch?

Seufzend schlummerte Lin schließlich wieder ein und schlief fest, als Tariq von draußen hereinkam. Er pfiff leise vor sich hin.

Kurz nach ihm erschien Edin in der Tür. »Noch wach?«, fragte er Tariq, der nur lächelnd nickte. »Und auch noch guter Laune. Aus welchem Grund?«

Tariq schüttelte nur den Kopf. Den Triumph wollte er erst einmal selbst auskosten. Aber auch Edin verriet nichts darüber, wie er die letzten Stunden verbracht hatte. Das Haus, in dem Ivo gewesen war, hatte er noch einmal von oben bis unten durchsucht und Mikrofone angebracht, wo er nur konnte. In den Fächern der Regale hatten Instrumente gelegen, wie sie bei Operationen verwandt wurden. Aber er hatte nirgendwo eine Vorrichtung gefunden, sie zu sterilisieren. War das alles nur eine Fassade? Oder ein Hinweis, dass man den Spender von hier ganz woanders hinbrachte? Und was dann? Edin schob seine Bedenken beiseite. Was konnte schon passieren, wenn sie draußen alles mithörten? Wir können doch rechtzeitig reingehen, dachte er. Wie schon einmal.

Er wollte gleich morgens Lin davon berichten.

Ein paar Minuten saßen Tariq und Edin jeweils ihren Gedanken nachhängend in der Küche, jeder ein Glas Tee vor sich.

»Es wird nicht leicht werden«, sagte Tariq leise, um die anderen nicht zu stören.

»Nein«, flüsterte Edin zurück, »es wird garantiert nicht einfach werden. Mein schlimmster Albtraum ist, dass sie Ivo mit einem Hubschrauber ausfliegen, nach irgendwohin in Albanien. Das wäre mit noch so schnellen Autos kaum zu schaffen.« Edin fuhr fort: »Es sei denn, wir halten die Peilung und können den Hubschrauber von unten verfolgen. Den Peilsender muss Ivo tragen, und er muss stärker sein als letztes Mal. Ich weiß nur noch nicht, wo wir das Ding an ihm befestigen können.«

Tariq nickte nur. »Lass uns das nachher besprechen, wenn die anderen wach sind, okay?« Er verließ die Küche, und kurz darauf war ein knarzendes Bett zu hören.

Edin legte sich auf die Couch in der Küche.

36

Später an diesem Morgen, gleich nach dem Frühstück, setzten sie sich zusammen. Edin berichtete von dem Haus und seinen Befürchtungen.

»Du glaubst, sie könnten ihn mit einem Heli wegbringen?«, fragte Lin.

»Wir müssen auf alle Eventualitäten vorbereitet sein«, setzte auch Tariq hinzu.

»Es darf nichts schiefgehen«, sagte Edin.

Ivo hörte sich alles schweigend an. Dann sagte er: »Ich bin zu allem bereit, was immer ihr für richtig haltet.« Über der Runde lag eine Spannung, die sie alle spürten. Das Finale rückte näher. Wenn es jetzt nicht gelang, Wöller zu stellen, dann waren sie endgültig gescheitert.

»Der gierige Wöller wird auf jeden Fall versuchen, eine möglichst große Lebendspende mitzunehmen und zu verkaufen«, gab Lin zu bedenken. »Er wird alles dafür tun, alles.«

Tariq fiel ihr ins Wort. »Dass wir beschattet werden, habt ihr vielleicht schon bemerkt«, begann er. Die anderen nickten. »Ich habe gestern mit meinem kleinen Superdolch zwei der Reifen so angestochen, dass uns die beiden Kerle nicht mehr folgen können. Sie werden nicht vom Fleck kommen. Stellt euch vor, die wollen ihren Wagen starten, und paff ...« Er grinste zufrieden.

»Das ist wichtig«, lobte ihn Lin, »denn wir müssen unauffällig von hier wegkommen. Ivo wird mit einem Taxi zum Ärztehaus fahren, und wir werden ebenfalls, allerdings so dezent wie möglich, dorthin gelangen. Ein Schatten wäre sehr lästig gewesen. Und du bist dir sicher, dass sie lahmgelegt sind?«

Tariq nickte.

Ehe sie sich auf dem Weg machten, wollte Lin mit Ivo ein Gespräch unter vier Augen führen. Die beiden Männer zogen sich zurück.

»Ivo, sag es mir ehrlich«, begann sie, »traust du dir das zu? Willst du das wirklich tun? Es ist gefährlich, das weißt du. Keiner würde es dir übel nehmen, wenn du einen Rückzieher machen würdest.« Sie legte ihm die rechte Hand auf den Unterarm. Alles konnte schiefgehen, das musste er wissen.

Seine Gestalt straffte sich sichtbar. Er sah Lin fest in die Augen. »Du kennst mich schlecht, wenn du mich so etwas fragst. Du weißt, es sind Serben, die sie vor allem ausweiden. Ich bin ein Serbe, ein stolzer Serbe wie alle Serben, und was ich angefangen habe, bringe ich zu Ende. Sei ganz unbesorgt.« Ivo deutete mit dem Zeigefinger auf die Stelle hinterm Ohr, wo sich der Chip befand. Dann tätschelte er mit seiner Rechten Lins Hand auf seinem Unterarm. »Ich vertraue euch. Ihr werdet es schaffen. Ich spüre das.«

Lin sah ihn weich an, fast zärtlich: »Du bist dir wirklich sicher?«

Ivo nickte nur.

Edin kam hinzu. »Wir brauchen Ivo nicht zum Doc zu bringen, wegen des Chips. Er reicht völlig aus, so wie er ist«, sagte er, »ich habe gerade mit dem Arzt telefoniert, der Ivo den Chip eingesetzt hat. Er weiß sehr genau darüber Bescheid, wie diese Dinger funktionieren. Er sagt, sie seien ganz robust. Allerdings würde er Ivo trotzdem gerne noch einmal sehen, um ganz sicherzugehen, dass der Chip noch richtig sitzt.«

Ivo nickte zustimmend. »Vielleicht sollten wir gleich jetzt los«, sagte er, »damit ich pünktlich im Ärztehaus sein kann.«

Edin hielt ihm die Tür auf. »Dann lass uns fahren.«

Die beiden Männer wirkten wie Vater und Sohn, die an der Gartenseite das Grundstück verließen.

Vorn stand immer noch der Wagen der Beschatter.

Der Chip saß perfekt. Man könne also von einer optimalen Funktion ausgehen, befand der Arzt, der Ivo das Metallteil eingesetzt hatte.

Knapp eine Stunde später waren Ivo und Edin wieder zurück. Nachmittags telefonierte Ivo auf Wunsch der drei mit dem Ärztehaus. Sie hatten ihn für das Gespräch im Wohnzimmer allein gelassen, aber Lin lauschte im Flur hinter der Tür. Sie hörte ihn erklären, dass sein Neffe diesmal Ruhe geben würde, alles sei geklärt. Er käme allein und bewahre auch Stillschweigen über diesen Termin. Lin fand die Geschichte glaubwürdig.

In der Küche warteten die anderen zwei. Die beiden Männer klopften Ivo auf die Schulter. Lin umarmte den Freund.

Als es so weit war, ging Ivo allein aus dem Haus, ohne sich noch einmal umzudrehen. Tariq und Edin hatten bereits vor dem Ärztehaus Position bezogen, an denselben Stellen wie zuvor. So hatten sie es abgesprochen, bevor sie sich am späten Vormittag trennten.

Dann machte sich Lin zu Fuß auf den Weg zum Ärztehaus. Sie hatte zehn Minuten Fußweg vor sich. Lin hatte einen Militärparka mit amerikanischem Camouflagemuster über ihr Shirt gezogen. Tariq hatte ihn von einem befreundeten US-Soldaten einst geschenkt bekommen und an sie weitergereicht. Von allen Soldaten Europas standen die Amerikaner den Albanern am nächsten. Für die meisten von ihnen galten die USA als Inbegriff von Reichtum und Freiheit. In Süd-Mitrovica war dieser Parka der beste Freundschaftsausweis, die beste Tarnung. Auch wenn die Mittagssonne inzwischen vom Himmel brannte. Die Straßen wirkten wie ausgestorben. Die meisten Bewohner der Südstadt saßen jetzt beim Mittagessen, oder sie dösten vor sich hin.

Die Straßen und Fußwege, die Lin entlangging, reflektierten die Sonnenstrahlen wie Spiegel. Sie spürte die ersten Schweißtropfen an sich herunterlaufen. Niemand beachtete sie. Die wenigen Passanten, alte, billig in Schwarz gekleidete

Frauen, die vom Einkaufen kamen und schwer an ihren Taschen zu tragen hatten, streiften sie nur desinteressiert mit ihren Blicken.

Lins Handy klingelte. Es war Tariq. »Ivo ist angekommen, der Funkkontakt ist ausgezeichnet«, berichtete er ihr. »Wo steckst du?«

Sie sagte, sie sei gleich bei ihnen.

37

Als Lin ankam, fand sie zwei beunruhigte Männer vor. Tariq lauschte intensiv in seinen Kopfhörer hinein, seine Gesichtshaut war blasser als sonst. Edin stand ein paar Schritte entfernt an ein Auto gelehnt und telefonierte mit leiser, aber erregter Stimme. Was war los? Tariq drehte sich zu ihr um, sein Blick flackerte unruhig: »Sie holen ihn ab, mit dem Helikopter. Jetzt gleich«, stieß er hervor. »Edin versucht gerade, für uns einen Heli zu organisieren. Aber es sieht schlecht aus.« Der *worst case,* die schlimmste aller Möglichkeiten, war eingetroffen. Sie holten Ivo ab und flogen ihn aus. Wie sollten sie mit dem Auto hinter einem Hubschrauber herfahren, selbst wenn sie ein schnelles Fahrzeug hatten?

»Sollen wir Ivo rausholen?«, fragte Edin, der zu den beiden getreten war. »Aber dann ist die Sache für immer gelaufen.«

Tariq zuckte die Achseln.

»Wahrscheinlich war es naiv, darauf zu setzen, dass sie ihn hier operieren«, sagte Lin nachdenklich. »Aber, was hätten wir sonst tun können?« Sie hoffte auf den Chip. »Wie weit wird man die Signale empfangen können?«, fragte sie. »Irgendetwas sagt mir, dass wir noch nicht am Ende sind!«

Edins Antwort kam zögerlich. »Das werden wir ausprobieren müssen. Eins steht fest: Wenn wir es nicht schaffen, wird Ivo sterben. Darüber muss man sich im Klaren sein.«

Lin legte ihm die Hand auf die Schulter. »Er weiß das. Und wir wissen es auch. Wo sind sie jetzt?«

Ivo lag reglos auf der weißen Pritsche. Ein wenig Blut tröpfelte aus seiner rechten Armbeuge. Ein Mann in einem angegrauten Kittel suchte nach einem Stück Pflaster und fand es schließlich auch in einer der Metallschalen. Ivo bemerkte von alldem nichts, er schlief.

Einer der Männer schnallte ihn auf der Pritsche fest und rief dann in Richtung Flur: »Fertig zum Transport.« Ein zweiter antwortete von draußen: »Wöller kommt direkt zum Flugplatz. Wir sollten los.« Ein dritter startete den Hubschrauber, der hinter dem Gebäude abgestellt war. Die beiden Männer trugen Ivo in den Raum hinter dem Piloten und banden die Pritsche dort fest. Einer ging zurück, um die Tür abzuschließen.

Sie hatten Edin nicht heranschleichen gehört. Er war geduckt um das Haus herumgelaufen und hatte ein kleines Peilgerät mit Magnethaftung an die metallene Außenwand des Hubschraubers gehängt. Edin sah den Helikopter aufsteigen. Dann fiel etwas von oben herab und klackerte ein paar Meter durch den Hof.

»Verfluchte Scheiße!«, schimpfte Edin. Es war der Peilsender. »Das verdammte Ding hat nicht gehalten!« Er rannte ums Haus herum zu Lin. »Wir müssen sofort los und dem Hubschrauber folgen«, rief er schon von Weitem. »Der Peilsender ist wieder heruntergefallen. Wir haben jetzt nur noch den Chip.«

Tariq ließ in seinem Wagen per Knopfdruck die Zentralverriegelung aufspringen, gleichzeitig telefonierte er.

»Sie sind Richtung albanischer Grenze geflogen«, rief er Lin zu, während er den Motor anließ. Die beiden anderen sprangen zu ihm in die Limousine, Lin saß vorn bei Tariq. »Es gibt von hier eine Straße, die man schnell befahren kann, die Richtung Kukës führt, auf die albanische Seite. Vielleicht erhaschen wir ja noch ein Geräusch aus dem Hubschrauber.«

Sie rasten die Straße entlang.

»Sag mal, Edin, kanntest du nicht einen Albaner, der jetzt bei einer Fluggesellschaft arbeitet?«, fragte Lin und sah sich zu ihm um. Edin nickte. »Ruf ihn an und bitte ihn, von der Flugkontrolle zu erfragen, wohin der Heli unterwegs ist.«

Edin beeilte sich, die Nummer aus seinem Telefonspeicher zu holen. »Eine andere Möglichkeit wäre die Bundeswehr, die hat eigene Lotsen. Ich versuche es bei Major Klemmer und dann bei Dr. Schroeder vom BKA. Vielleicht können die ja helfen.«

Niemand widersprach ihr, jeder konzentrierte sich auf seinen Part. Tariq ignorierte Ampeln und Verkehrsschilder, er fuhr, als ginge es um sein eigenes Leben. Lin lauschte mit höchster Konzentration den Geräuschen, die aus dem Chip in ihr Ohr drangen. Motorengeräusche, immer noch.

»Wenn sie noch fliegen, dann wird die Reise wohl wirklich nach Albanien gehen«, vermutete Tariq.

Lin reichte Edin den Kopfhörer, über den der Empfang aus dem Chip lief. Dann wählte sie über ihr Handy den Beamten des BKA an und erreichte ihn sofort. Sie erläuterte ihm die Lage. An Lins Gesichtsausdruck konnten die beiden anderen ablesen, für wie ernst Schroeder das Ganze hielt. Lin bat um Hilfe bei der Ortung, Schroeder versprach rasche Unterstützung. »Er will uns helfen«, erklärte sie den anderen. Zehn Minuten später klingelte Lins Handy. Schroeder war schnell gewesen. »Der Hubschrauber fliegt Richtung Kukës«, teilte Lin mit, »bis wir dort sind, ist Ivo zerlegt.« Dann lächelte sie breit: »Ein Hubschrauber wird uns gleich abholen, er wird uns überfliegen und am nächstmöglichen Halteplatz runterkommen.« Tariq und Edin stöhnten erleichtert auf.

Der Hubschrauberpilot fand sie schnell, so viel Verkehr war nicht in dieser Gegend. Er folgte der Straße, sie fuhren unter ihm her. Zehn Kilometer weiter auf einer Wiese konnte er landen, um sie aufzunehmen. Außer dem Piloten waren zwei Soldaten an Bord, die keine Fragen stellten, als die drei Passagiere mit Pistolen und einer automatischen Waffe aus Tariqs Kofferraum hinter sie kletterten. Lin bemerkte erleichtert, dass auch die Soldaten automatische Waffen dabeihatten.

Sie waren schon in der Luft, als Edin plötzlich mit einer Handbewegung erkennen ließ, dass er etwas gehört hatte.

»Sie sind angekommen«, sagte er mit gesenkter Stimme, »sie holen ihn aus dem Hubschrauber und bringen ihn in eine Lagerhalle in der Nähe.«

Lin tippte dem Piloten auf die Schulter. »Wie lange brauchen wir noch bis Kukës?«

Der Mann wiegte den Kopf hin und her. »Vielleicht fünf bis acht Minuten.«

Wir können es schaffen, dachte Lin, wir müssen es schaffen! An ihre zwei Begleiter gewandt sagte sie: »Sobald wir über dem Flugfeld von Kukës sind, laden wir die Waffen. Wir müssen sofort losstürmen, sowie wir aufsetzen. Okay?«

Die beiden nickten.

Einer der Soldaten meldete sich zu Wort: »Wir haben die Order, Sie zu unterstützen, wir folgen Ihrem Befehl, Frau Baumann.«

»Gut, das wird uns sehr helfen«, antwortete Lin. »Also gilt für alle: Waffen klarmachen, sobald wir über dem Flugfeld sind. Dann sofort raus.« Die Soldaten nickten. An Tariq gewandt sagte sie: »Kannst du etwas hören? Was machen sie gerade?«

Tariq hielt sich den Kopfhörer etwas vom Ohr: »Lin, es ist Wöller, Wöller ist dort in der Lagerhalle bei Ivo.« Sie wussten alle, was das zu bedeuten hatte. Wöller war zu allem entschlossen. Wenn er ein Herz brauchte und einer vor ihm lag, dessen Organ er haben konnte, dann würde er darauf dringen, es ihm herauszunehmen. Aber binnen Minuten wäre auch ein Herz nicht aus einem Körper herauszutrennen, wenn es hinterher in einem anderen Menschen wieder schlagen sollte. Im Prinzip lief das bei einem Teil der Leber nicht anders. Es wird knapp, sorgte sich Lin, aber die albanischen Mühlen mahlen auch nicht so schnell. Ärzte mussten bereit sein und Helfer. Eine solche Operation konnte man nicht beliebig beschleunigen.

Ihr Nerven waren jetzt bis zum Äußersten gespannt. Noch zwei, drei Minuten. Dann kam vor ihnen das provisorische Flugfeld von Kukës in Sicht, hauptsächlich plattgewalzte Wiesen.

»Waffen bereit machen!«, sagte Lin. Sie zog eine Tube mit schwarzer Tarnfarbe aus der Tasche und gab jedem von ihnen einen dicken Klecks auf die Hand, um sich das Gesicht damit zu schwärzen. »Mit schönen Grüßen vom BKA«, grinste Lin.

Der Pilot landete hinter dem anderen Helikopter. Einer der Soldaten schob die Tür auf. »Ihr sichert erst mal den Heli«, rief ihnen Lin zu. Mit Tariq und Edin rannte sie gebückt in Richtung auf die einzige Lagerhalle, die infrage kam.

»Es ist die Richtige«, raunte Edin den anderen zu, »ich kann die Männer laut hören.« Tariq ging voran, hinter ihm Lin und Edin. Alle drei hatten sich die Gesichter vollständig geschwärzt.

Mit einem Zug riss Tariq die Tür der Halle auf, sie drängten hinein, die Waffen entsichert und gezogen. Es war niemand zu sehen. Die Halle schien völlig leer zu sein. Wind schob Bälle aus Holzwolle vor sich her.

Tariq lauschte angestrengt. »Sie müssen hier sein, ganz in der Nähe«, flüsterte er. »Ich konnte hören, wie sie unsere Geräusche mitbekommen haben.«

Edin war ein paar Schritte vorangegangen und stampfte leicht mit den Füßen auf den Boden. Verwitterte Steinplatten. Er betrachtete die Fläche prüfend, ließ sich nicht weit vom Eingangstor auf die Knie nieder und tastete die Fläche vor sich mit den Händen ab. »Hier ist es«, flüsterte er Lin zu. »Sie sind im Keller. Hier geht es rein.«

Lin lief zur Tür zurück, machte den Soldaten durch Handzeichen klar, dass sie kommen und diesen Ausgang bewachen sollten, notfalls auch schießen. Die beiden kamen im Laufschritt näher und zogen sich in den toten Winkel des Eingangs zurück.

Edin hatte den Öffnungsmechanismus für die Falltür im

Boden freigelegt. Er sah sich zu Lin und Tariq um: » Fertig? «
Die beiden nickten. Dann zog er die Falltür mit einem Ruck
auf. Sie blickten in hell gekachelte Räume ohne Abdeckung
nach oben, wie an einem Filmset. Von oben war zu sehen,
dass alles mit weißem Licht ausgeleuchtet war. Die meisten
Türen standen offen.

Lin erkannte sofort, dass es sich um eine unterirdische
Klinik und um voll eingerichtete kleine Operationseinhei-
ten handelte. Jetzt waren auch Männer und Frauen in grünen OP-Kitteln und Hauben zu sehen, die sich über den
Flur bewegten, ohne Notiz von der über ihren Köpfen ge-
öffnete Klappe zu nehmen. Edin deutete auf eine leichte
Falttreppe, die neben der Luke aufgeklappt werden konnte.
Edin ging als Erster nach unten, während die beiden anderen ihm Feuerschutz boten. Lin stieg ihm nach, Tariq zog
als Letzter die Falltür hinter sich zu. Sie hielten sich an den
Seitenholmen fest und glitten so schnell hinab, wie sie konnten.

Jetzt wandten sich ihnen Köpfe entgegen, zwei Männer in
hellgrünen Kitteln und OP-Masken. Hinter ihnen entdeckte
Lin Ivo unter einer Sauerstoffmaske, aus seiner Armbeuge
ragten Schläuche. Lin scheuchte die Operateure mit ihrer
Waffe in eine Ecke.

» Können Sie mich verstehen? «, rief sie ihnen auf Englisch
zu.

Die Männer schüttelten die Köpfe.

Tariq übernahm. » Ihr macht jetzt sofort den Mann da los,
auf der Stelle «, befahl er auf Albanisch.

» Wir können nichts dafür, dass der Mann hier ist «, antwortete einer der beiden unterwürfig. » Wir sind Albaner, wir
müssen unsere Familien ernähren. «

Lin hielt weiter ihre Waffe auf die Grünkittel gerichtet. Die
zwei wechselten ein paar Worte im Flüsterton, die weder
Tariq noch Edin verstanden. Dann nickten sie Lin zu und
gingen zu Ivo hinüber. Lin kontrollierte ihre Handgriffe, als
sie Schlauch für Schlauch abbanden.

Einer der Operateure wandte sich an Tariq: »Ihm ist nichts geschehen, das musst du wissen. Aber jeden Moment kann Wöller wieder hier sein. Ihr müsst euch beeilen.«

Gerissen, dachte Lin, sie kooperieren, damit sie in keinem Fall am Ende verlieren.

Lin bat Edin, Ivo zu schultern und im Hubschrauber in Sicherheit zu bringen, während sie weiter die albanischen Grünkittel in Schach hielt. Nichts sollte aus dem Ruder laufen können. Ivo spürte nichts davon, dass Edin ihn hochnahm und ihn nach oben trug.

Lin wartete, bis Edin über sein Sprechgerät signalisierte, dass sie angekommen waren. »Tariq, bitte die Herren, uns sämtliche hier entnommenen Organ- und Gewebeproben auszuhändigen«, sagte Lin. Tariq übersetzte.

Er hatte gerade ein paar Plastikschalen von ihnen entgegengenommen, als Edin vom Flugfeld über Funk warnte. »Sie kommen, Wöller und zwei weitere Männer. Seht euch vor.«

Lin kam nicht mehr dazu, die Nachricht zu bestätigen. Es gelang ihnen gerade noch, hinter der Tür zum OP zu verschwinden, in dem Ivo behandelt worden war.

Oben riss jemand die Falltür auf, drei Männer stürmten nach unten. Lin erkannte Wöller sofort, trotz Jeans und Sportjacke. Offenbar bemerkte Wöller gleich, dass etwas nicht stimmte. Er sah sich ungläubig um, als er den leeren OP-Tisch bemerkte. Dann entdeckte er Lin und Tariq, die ihre Waffen auf ihn gerichtet hielten.

»Es ist aus!«, rief ihm Lin entgegen, während Wöller die beiden Soldaten wahrnahm, die von oben ihre Maschinenpistolen auf ihn gerichtet hielten. Lin forderte seine Begleiter auf, die Waffen auf den Boden zu legen. Sie erkannte Wöller kaum wieder. Der Gentleman, der sie am Flughafen aus der Maschine geholt und formvollendet beauftragt hatte, hatte nichts mehr gemein mit diesem Mann. Bei der Schießerei von Gjakova, bei der Florim sein Leben verlor, hatte er noch wie ein eher biederer Staatsbeamter gewirkt. Jetzt sah er billig aus, neureich und geschmacklos. Die sündhaft teure Armbanduhr, die cognacfarbene Lederjacke, der protzige Ring. Seine Gesichtshaut glänzte speckig.

»Wo ist unser Patient?«, fragte Wöller drohend.

»In Sicherheit«, antwortete Lin. »Sie hatten vor, ihm sein Herz herauszuschneiden, nicht wahr?«

Wöller lachte. »Was dachten Sie denn? Er wollte es doch so, wir haben das schwarz auf weiß. Daran können auch Sie, Frau Baumann, kein Jota ändern. Also, wo ist er?« Wöller schrie fast.

Lin antwortete nicht.

Tariq näherte sich mit Plastikfesseln, um sie Wöller am Rücken anzulegen. Der versuchte, die Arme freizubekommen.

»Denken Sie, Sie können mich hier einfach festnehmen? Mich?« Er brüllte jetzt. »Mir gehört hier der halbe Ort. Ich zerschneide hier, wen ich will, verstehen Sie?«

Lin fackelte nicht lange. Er durfte nicht noch einmal entkommen. Für Florim, dachte sie. Dann feuerte sie einen Schuss aus ihrer Waffe auf Wöllers Fuß ab. Er heulte auf vor Schmerz, Tariq konnte ihm die Handfesseln anlegen. Dann zielte Lin auf die Unterschenkel seiner beiden Begleiter. Die Männer ließen sich auf den Boden fallen. Auch ihnen band Tariq die Arme hinter den Rücken.

»Wozu du fähig bist, Lin«, spottete Tariq, »vor dir muss man sich wirklich in Acht nehmen.«

Sie lächelte.

Gemeinsam stießen sie die drei die Treppe hoch. Oben nahmen die Soldaten sie in Empfang. Als sie das Gebäude verließen, hörten sie das unverkennbare Brummen eines herannahenden Hubschraubers. »Das ist einer von uns«, wusste einer der beiden Soldaten.

Der Hubschrauber landete nicht weit von ihnen. Ein Mann in weißem Hemd und feiner Stoffhose näherte sich ihnen mit breitem Lächeln, gefolgt von sechs weiteren Männern.

»Gratuliere, gratuliere«, rief er schon von Weitem, »ab hier übernehmen BKA und BND.«

Lin fiel ein Stein vom Herzen. Nur ungern hätte sie Wöller und seine Kumpanen gemeinsam mit Ivo befördert.

Dr. Schroeder drückte ihr herzlich die Hand. »Wir haben den Schluss ja selbst auch noch mitgekriegt. Ihr Mitarbeiter Edin hat uns den Funkverkehr umgeleitet. Wir konnten also alles mithören. Die Gewebe- und Organproben würde ich Ihnen gerne abnehmen, das sind ja Beweisstücke.« Er nahm die Schalen an sich. »Nehmen Sie ruhig den ersten Flug. Sie müssen sich bestimmt beeilen mit Ihrem Patienten, Frau Baumann. Uns reicht der zweite, um die Herren hier heute noch außer Landes zu bringen. Die beiden Bundeswehrsoldaten würde ich Ihnen gerne abnehmen, für alle Fälle. Sie brauchen ja keine mehr. Ich melde mich morgen bei Ihnen, dann können wir in Pristina zusammen einen Kaffee trinken.«

Lin nickte zustimmend.

Wöller glotzte nur finster. Dann wandte er sich an den Beamten vom BKA: »Haben Sie schon einmal etwas davon gehört, dass Sie einen Haftbefehl brauchen, um mich festzunehmen?« Er nahm wieder ganz die Ausdrucksweise und die Gepflogenheiten des Bundesbeamten an. »Herr Dr. Schroeder, das alles ist ein riesengroßes Missverständnis …«

Der Angesprochene unterbrach ihn mit einer Geste. In seiner Hand hielt er ein rotes Papier: »Wissen Sie, was das hier ist, Wöller? Das ist Ihr Haftbefehl.«

Wöller kniff die Lippen zusammen und schwieg. Sie führten ihn in ihren Hubschrauber, auch die Operateure nahmen sie mit.

Zwei von Dr. Schroeders Mitarbeitern brachten bereits Kästen und Geräte heran und schlüpften dann in dünne weiße Overalls aus Kunststoff. Sie blieben, um die Spuren zu sichern.

Der Pilot des Helikopters, mit dem Lin gekommen war, räusperte sich vernehmlich. »Sobald ich die Starterlaubnis habe, können wir fliegen. Das kann jeden Augenblick der Fall sein.«

Lin nickte. »Von mir aus können wir sofort starten.«

Schroeder gab Lin die Hand. »Sie haben es geschafft, Frau Baumann. Das war ausgezeichnet, gute Arbeit. Aber wir sprechen ja noch einmal drüber.« Er tippte die Fingerspitze an die Stirn, lächelte ihr zu und ging zu seinem Hubschrauber. Lin stieg in den anderen, setzte sich hinten neben den liegend gebetteten Ivo, der immer noch bewusstlos war.

Tariq sah sie an: »Lin, freu dich doch wenigstens ein bisschen. Wöller ist gefasst, Ivo gerettet.«

Lin blieb ernst. »Wöller befindet sich in einem Helikopter, mein Lieber. Wo der landet, wissen wir, wenn er angekommen ist. Hier ist Balkan, schon vergessen, Cowboy? Und Ivo ist bewusstlos.« Sie seufzte tief.

»Sei ein wenig optimistischer, Lin«, entgegnete Tariq mit halb spöttischer, halb zärtlicher Stimme, »ihr Deutschen könnt euch aber auch über gar nichts freuen. Freu dich, nur mir zuliebe.«

Lin schenkte ihm ein dünnes Lächeln.

Sie musste Nico anrufen. Sobald sie gelandet waren.

Dank Dr. Schroeder erhielt der Pilot noch während des Flugs nach Pristina die Erlaubnis, bei der Bundeswehr in Tetovo zu landen. Ivo sollte von den Bundeswehrärzten untersucht werden.

»Sinnvoll ist das schon«, kommentierte Lin die Nachricht. »Für einen Serben wäre es in Pristina schwer, einen guten Arzt zu finden.«

Soldaten mit einer Rollpritsche erwarteten sie am Flugfeld. Lin und Tariq halfen aus dem Inneren mit, Ivo vorsichtig auf die Trage zu schieben. Im Laufschritt entfernten sich die Soldaten mit dem Patienten. Wöllers Leute hatten ihn nicht verletzt, sondern nur ruhiggestellt. Vermutlich waren es vor allem Erschöpfung und Beruhigungsmittel, einmal abgesehen davon, dass er lange nichts gegessen hatte. Das alles wird die Bewusstlosigkeit erklären, versuchte sich Lin zu beruhigen.

Die drei wurden angewiesen, in einem Raum nahe dem

Eingang zu warten oder später wiederzukommen. Sie sahen sich an. »Ich warte auf jeden Fall hier«, sagte Lin, die sich auf einmal sehr müde fühlte, »aber wenn ihr wollt, könnt ihr irgendwohin gehen. Ich rufe euch an. Geht nur!« Keiner von ihnen ging. Sie setzten sich auf eine kleine Bank aus unbehandeltem Holz, Tariq und Edin nahmen Lin in ihre Mitte. Dann nickten sie ein, einer nach dem anderen. Als Erster sank Lin das Kinn auf die Brust.

Lin wachte auf, weil draußen feste Stiefelschritte zu hören waren, die im Schnellschritt näher kamen. Ein Militärarzt trat auf sie zu. »Sie sind Frau Baumann, ja?«, fragte er. »Ihr Freund ist wieder wach und ganz in Ordnung. Es waren vor allem die Sedierungen in hohen Dosen, die ihn lahmgelegt haben. Innen und außen ist noch alles dran.« Er lächelte. »Sie können zu ihm, wenn Sie wollen.«

Lin nickte zustimmend.

»Kommen Sie einfach mit.«

Tariq und Edin erhoben sich schwerfällig, um sie zu begleiten. Beide sahen irgendwie grau aus. Die Anspannung, das vergleichsweise leichte Ende, all das hatte sie mehr erschöpft, als sie glauben wollten.

»Ich fürchte, wenn ich mich jetzt in ein Bett legen würde, würde ich zwei Tage am Stück schlafen«, murmelte Edin halblaut.

»Ich weiß genau, was du meinst«, pflichtete ihm Tariq bei.

Lin schwieg, bis sie Ivo sah. Sie strahlte übers ganze Gesicht.

Das Zimmer, in dem sie ihn untergebracht hatten, erinnerte an ein Krankenzimmer aus den Siebzigerjahren. Funktional, sauber, über dem Krankenbett ein Galgen, an dem sich der Patient hochziehen konnte. Man hatte Ivos Kopfteil aufgeklappt, sodass er sitzen konnte. Ein wenig matt sah er aus. Die Wangen bleich, nur die Augen glänzten. Lin umarmte ihn. Ivo freute sich, sie zu sehen, und beugte sich ihr entgegen.

»Haben wir ihn gekriegt, diesen Teufel Wöller?«, raunte er ihr mit halblauter Stimme zu.

»Ja, Ivo. Er sollte jetzt schon hinter Gittern sitzen«, antwortete sie.

Tariq und Edin klopften dem Alten leicht auf die Schulter.

»Könnte mir hier jemand eine Auskunft geben?«, drang plötzlich eine Stimme herein, der ein Arzt in weißem Kittel folgte. »Wir haben beim Durchleuchten einen Chip hinterm Ohr lokalisiert, dessen Funktion wir nicht ganz verstehen. Wie ein Hörgerät sieht es nicht wirklich aus. Weiß einer von Ihnen Bescheid?«

Lin nickte: »Gut, dass Sie fragen. Der Chip gehört dem BKA, und da die Aktion zu Ende ist, wäre es sehr freundlich, wenn Sie ihn herausnehmen und seinem Eigentümer zurückgeben könnten.«

Der Arzt sah zu Ivo hin. Der nickte zustimmend: »Ja, bitte befreien Sie mich davon.«

Der Arzt entfernte sich wieder, um den kleinen Eingriff umgehend anzuordnen.

Danach ging alles sehr schnell. Sie brachten Ivo nach Hause. Der Arzt hatte gesagt, er müsste sich nur noch erholen. Lin hatte noch einen Platz in der Maschine nach Berlin ergattert. Nico wartete schon ungeduldig auf sie. Edin sollte den Jeep nach Skopje zurückbringen. Tariq stieg mit ihnen aus.

»Ihr fahrt jetzt?«, seine Stimme klang wund und voll Trauer. Lin hatte Nico bereits angerufen, um ihm zu sagen, wann sie landen würde.

»Ja«, antwortete Lin, sie vermied es, Tariq direkt anzusehen.« Es zerreißt mich, dachte sie. Und es zerreißt ihn. Sie ertrug ihn kaum noch, diesen Blick, der sich an ihr festsog. Laut fuhr sie fort: »Ich treffe morgen den früheren Vize von Wöller in Berlin zum Rapport, er wird mir das Geld aushändigen, und ich werde es euch überweisen. Soll dein Geld in die Schweiz?«, fragte sie Tariq.

Er nickte: »Wie du willst, babe.« So hatte er sie zuvor

noch nie genannt. Plötzlich stand er vor ihr und schlang seine Arme um sie, so fest, als würde er Lin seinem eigenen Körper einverleiben wollen. »Wir sehen uns wieder, ich weiß es«, flüsterte er ihr ins Ohr, sie schmiegte sich an ihn und nickte. »Du darfst mich nicht vergessen, hörst du?«, flüsterte Tariq wieder.

»Niemals«, flüsterte Lin zurück. Einen Augenblick lang blieben sie so stehen.

Dann drehte sich Lin zu Edin um, ging auf ihn zu und umarmte ihn fest. »Pass auf dich auf«, sagte sie zu ihm

»Und du erst«, antwortete Edin mit einem breiten Grinsen.

Alles, was danach kam, nahm Lin nur vage wahr. Sie hatte sich von Tariq entfernt, mit jedem Schritt ein wenig weiter, und war in das Flugzeug eingestiegen. Sie wusste später nicht mehr, was ihr die Kraft dazu gegeben hatte.

In Berlin erwartete Nico sie. Lin konnte ihn durch die Glasscheibe sehen, wie er nervös auf und ab ging. Sie beschloss, ihm nichts von ihren Gefühlen für Tariq zu erzählen. Aber würde sie das schaffen? Ihre Liebe zu Tariq gehörte in eine andere Welt.

Fast geräuschlos trat sie mit ihrem Wagen hinter Nico und flüsterte: »Hallo, Süßer!«

Er schnellte herum, breitete die Arme aus. Willkommen Realität, willkommen wirkliches Leben, schoss es Lin durch den Kopf. Nico sah zu blass aus, um nur überarbeitet zu sein. Warme Gefühle durchfluteten sie. Im Auto zündete er sich als Erstes eine Zigarette an. Lin bemerkte, dass seine Finger kaum merklich zitterten.

Es würde schwer werden.